BOV

VIE
RETROSPEKTIVE
PAOLO HEWITT
Deutsch von Sonja Kerkhoffs
EDEL : ROCKBUCH

© 2012, 2013, 2016 by
Palazzo Editions Ltd.
2 Wood Street
Bath, BA1 2 JQ
United Kingdom
www.palazzoeditions.com

Originaltitel: Bowie. Album by Album

All rights reserved including the right of
reproduction in whole or in part in any form.

© 2012 der deutschen Ausgabe
Edel Germany GmbH, Hamburg
www.rockbuch.de

3. erweiterte Auflage 2016

Projektkoordination: Dr. Marten Brandt
Übersetzung: Sonja Kerkhoffs,
Print & Screen Productions, Köln | www.print-and-screen.de
Lektorat und Satz: Alexander Kerkhoffs,
Print & Screen Productions, Köln | www.print-and-screen.de

Umschlaggestaltung:
Groothuis, Lohfert, Consorten, Hamburg | www.glcons.de

Alle Rechte vorbehalten. All rights reserved.
Das Werk darf – auch teilweise – nur mit Genehmigung
des Verlages wiedergegeben werden.

Printed in China

ISBN 978-3-8419-0467-6

Vorsatzblatt vorne: Ziggy Stardust and The Spiders From Mars – Gitarrist Mick Ronson, Drummer Mick »Woody« Woodmansey, Bassist Trevor Bolder und David Bowie, fotografiert von Mick Rock, San Francisco, Oktober 1972.

Vorsatzblatt hinten: Under a serious spotlight – Bowie im Juli 1983 während der Serious-Moonlight-Tour in Nordamerika.

INHALT

»JEDER WAR BOWIE«

VON ROBERT ELMS

Von dem Moment an, als er am Abend jenes schicksalhaften Donnerstags im Juli 1972 »Starman« in *Top Of The Pops* zum Besten gab – mager und bleich, wahnsinnig attraktiv in seinen hautengen Klamotten, mit hoch auftoupierten leuchtend orangefarbenen Haaren, die Akustikgitarre lässig auf den Rücken geschoben und einen Arm so um Mick Ronson geschlungen, dass allen Teenagern die Spucke wegblieb –, von diesem Augenblick an war alles und jeder einfach Bowie.

Ganz gleich, wo du herkamst, ob Skinhead oder Suedehead, Rocker oder Reggae-Boy, unbedarfter Provinzteenie, miesepetriger Vorstadt-Loser oder schriller Großstadtmacker: An diesem alles verändernden, epochalen Donnerstag hat dich der Starman gepackt und nicht mehr losgelassen. Was Elvis the Pelvis Jahre zuvor für die Amerikaner gewesen war – ein Katalysator, ein Cause célèbre, ein Grund aufzubegehren und Neues zu schaffen –, das war Bowie, dieser Fremde vom anderen Stern, für die britischen Kids der 70er, die heranwuchsen in dieser beschissenen, krisengebeutelten Nation mit ihrem Wellblechschick und den frühen Ladenschlusszeiten.

Dass Bowie/Jones bereits lange verzweifelt versucht hatte, eine Rolle und eine Stimme zu finden, war gleichgültig. Wer wusste schon etwas von der Vergangenheit dieses neuen Messias oder interessierte sich dafür? Urplötzlich hatte er den richtigen Ton getroffen und wurde für die nächsten zwölf Jahre zum Vorreiter für fast alles Gute und Wilde, das aus England kam. Es gab kaum eine Band oder einen Künstler, Designer, Schriftsteller, Fotografen oder Friseur, dessen kreative Wurzeln nicht bei Bowie und insbesondere Ziggy Stardust and The Spiders From Mars lagen.

Um Bowies damalige Sprengkraft zu begreifen, muss man wissen, wie trist und kaputt England in den frühen 70ern war. Wenn die Sixties eine einzige Party gewesen waren, dann waren sie der verkaterte Morgen danach: trostlos, depressiv, beherrscht von einem repressiven Korporatismus, der einer Nation, die unscheinbaren langhaarigen Rockbands in Schlaghosen huldigte, eine Krise nach der anderen bescherte. Von heute aus betrachtet war das konservative Großbritannien damals der kranke Mann in Europa, und für Jugendliche sah die Zukunft hier ziemlich düster aus.

Kurz zuvor hatte es unter dieser tristen, eintönigen Oberfläche noch gebrodelt: Als Teddy Boys und Beatniks, Mods und Rocker, Hippies und Skinheads waren die Teenager durch die Straßen gezogen, immer einen grandiosen, passenden Soundtrack im Gepäck. Aber 1972 war die Luft raus. Das neue Jahrzehnt hatte noch keinen eigenen Kult entwickelt. Die Jugend brauchte eine Galionsfigur, einen charismatischen Anführer, der die Truppen mit einem neuen Sound und einem neuen Stil hinter sich versammeln konnte. Und in genau diesem Augenblick fiel der Mann vom Himmel.

Glamrock war eigentlich keine Jugendkultur. In Alufolie gewickelte stämmige Hilfsarbeiter, wie die Jungs von Sweet oder Slade, konnten keinen Generationswandel herbeiführen oder eine neue Bewegung ins Leben rufen. Doch diese beiden großartigen Cockney-Chamäleons, Bowie und Bolan, die Glitter Twins, die sich selbst die besten Freunde und ärgsten Feinde waren, trafen einen Ton, der viele umwarf. Und es war Bowie, und zwar Bowie allein, der durch nichts als seine Präsenz, seine eleganten Kunstgriffe und die Aura des Fremdartigen die Augen Tausender Großstadtbengels und -gören für eine neue Welt öffnete.

Bowie mit seinem Frisuren- und Kleidungsstil, dem Arts Lab und der Pantomime, Nietzsche und dem Kabuki-Theater, seinen bisexuellen Anspielungen und anrüchigen Lyrics war wie ein Tor zu einem glamourösen verbotenen Planeten. Bevor David als Ziggy Stardust seinen großen Auftritt hatte und an Mick Ronsons Les Paul leckte, lasen britische Durchschnittsteenies heimlich *Razzle* und liefen in Donkeyjacken rum. Danach zogen die sogenannten Bowie-Boys lässig durch die Straßen, die coolsten Clubs und Boutiquen. Bowie war die Stilikone dieser verhinderten Außenseiter, Sozialsiedlungsexoten mit fabelhaften Frisuren und übersteigertem Geltungsdrang – die coolsten Kids der ganzen Stadt. Es gab auch Bowie-Girls, viele sogar, hübsch, sexy und unnahbar, allerdings war schwer zu sagen, wer wer war, in dieser neuen androgynen Szene.

Fast alles, was danach kam – die aalglatten Soulboys mit ihren Bobs und Bundfaltenhosen, die Urpunks in ihren Westwood-Klamotten und die New Romantics mit ihren Ruhmesposen – lässt sich zu Ziggy zurückverfolgen, dem Generationen britischer Kids nacheiferten. Natürlich ließ Bowie es dabei nicht bewenden. Für den Jungen aus Brixton war 72 ein sagenhaftes Jahr. Zuerst machte Ziggy ihn zum Star, dann machte er mit »All the Young Dudes« Mott The Hoople zu Stars; Lou Reed war plötzlich ein gemachter Mann, nachdem Bowie sein großartiges Album *Transformer* coproduziert hatte, ja sogar Iggy Pop (eine der Inspirationsquellen für Ziggy) musste man von nun an kennen.

Gleichsam ein musikalisches Äquivalent zu Andy Warhol und seiner New Yorker Factory war Bowie in London das Zentrum eines kreativen Mahlstroms, eine Talentzentrifuge, die Tausende von träumenden und Pläne schmiedenden Teenagern in ihren Kinderzimmern mit sich riss. Bewaffnet mit einer Flasche Wasserstoffperoxid und einem Talent zur Provokation verwandelten sich Leute wie Siouxsie Sioux, Steven Morrissey, Boy George und Phil Oakey damals in kleine Ziggy-Jünger. Und dann hörte er einfach auf.

Heute wissen wir natürlich, dass Ziggys Ende für Bowie erst der Auftakt zu einer langen Reise durch ein schillerndes Gespinst aus musikalischen und stilistischen Inkarnationen war, von denen jede perfekt zu der turbulenten Zeit passte, der sie entsprang. Das freudige Gestampfe von »Jean Genie« war der ideale Soundtrack für Fußballstadien und Jugenddiskos: aggressiver Camp, Ziggy auf Steroiden. Der nächste große Hit und ein Vorbote für all die fantastischen Dinge, die noch kommen sollten, war »John, I'm Only Dancing«, eine wunderbar vieldeutige Nummer, die selbst mehrere Wandlungen durchgemacht hat.

Derweil avancierte aus Philadelphia importierter Jazz-Funk-Sound zum neuesten Hype: frische Klänge, die zum Tanzen animierten. Die coolsten unter den Kids machten aus diesen eindringlichen, von Bläsern dominierten Nummern in null Komma nichts den allerneuesten Szene-Schrei. Mit seinem heißen Saxofon-Break ließ »John, I'm Only Dancing« frühzeitig erahnen, dass sich Bowie in Richtung Funk orientierte. Seine nächste Kehrtwendung war allerdings eine der dramatischsten von allen.

Neben den pulsierenden Soulclubs standen Mitte der 70er-Jahre auch Bowie Nights hoch im Kurs, wo sich die eitelsten Kids zu Bowie-Nummern und Songs seiner Wegbegleiter Roxy Music in Szene setzten. Dann, eines Abends im Jahr 1975, kam alles zusammen. Der Schock steckt mir noch heute in den Gliedern. Mein Outfit war der Inbegriff des Soulboy-Stils: rosa Bundfaltenhosen, Plastiksandalen (dieselben, die Bowie in *Der Mann, der vom Himmel fiel* trug), ein Bobschnitt, der einem immer die Sicht nahm. So schlurfte ich über die Tanzfläche einer West-End-Disco, als ein seltsam verführerischer neuer Song aus den Lautsprechern dröhnte. Das war Soul, aber nicht so wie wir ihn kannten: gewunden, kristallklar, imitiert – aber perfekt. Und als die ersten Akkorde von »Young Americans« durch den Raum hallten, tauchte von irgendwoher aus dem Dunkel eine kleine Gruppe Jugendlicher auf, in Klamotten wie ich sie nie zuvor gesehen hatte: dekadent, kunstvoll, die Haare feuerwehrrot gefärbt, in metallicblauen Kunststoffhosen, zerrissenen, von Sicherheitsnadeln zusammengehaltenen T-Shirts, für alle sichtbare BHs und aufsehenerregendes Make-up. Ich sah die Zukunft zu Bowie tanzen, und damals hieß sie noch nicht Punk.

Diese Horde schrecklich angesagter Kids, die ihren modischen Radikalismus erstmals zu Bowies brillantem neuen Plastic Soul zur Schau trugen, wurde bekannt unter dem Namen Bromley Contingent. Sie waren der Schocktrupp der Punk-Avantgarde, und es ist kein Zufall, dass sie aus derselben Londoner Vorstadt kamen, in der Bowie aufgewachsen war, nachdem seine Eltern Brixton den Rücken gekehrt hatten. Siouxsie Sioux, Billy Idol, Steve Severin, Catwoman, Adam Ant und all die anderen waren Hardcore-Bowie-Fans, und sie formten die bevorstehende Punkrevolution nach seinem Vorbild.

Um seiner Zeit gerecht zu werden, hatte dieses Vorbild indes eine Metamorphose durchgemacht: Bowie präsentierte sich mit dem besten rotblonden Bobschnitt und den elegantesten Anzügen, passend zu seinem neuen aalglatten Sound. Eine Zeit lang waren die Bowie-Kids und die Prä-Punk-Szene untrennbar miteinander verbunden, und fast alle Vorreiter der frühen hochmodischen Punkphase waren ehemalige Bowie-Boys und -Girls mit Gitarren. Zu dieser Zeit erreichten auch Bowies Liveauftritte ihren Höhepunkt. Es war eine Zeit der großen theatralen Extravaganzen, in der der Cracked Actor die Bühne beherrschte. Golden Years – das waren sie wahrhaftig.

Punk war ein glorreicher Flächenbrand, angefacht von einer Gang Bowie-besessener Kunststudenten, Friseure und vagabundierender Anarchos, deren Zentrum das Sex war, eine ausgefallene Boutique auf der Kings Road. Obschon zweifellos inspiriert vom Thin White Duke und seinem Gefolge – allen voran Iggy Pop – wurde Bowie selbst nie so recht warm mit den wüsten musikalischen Statements des Punk. Er verließ die Stadt, tauchte für eine Weile unter und zog mit seinem Bobschnitt und seinem Dufflecoat nach Berlin, wo er der Geschichte eine neue Wendung gab.

Low und *"Heroes"* – elektronisch, teutonisch, episch und kantig – waren das genaue Gegenteil der damals vorherrschenden Drei-Akkorde-Songs, doch schon bald wurden sie zu Leitbildern für den nächsten großen kreativen Erguss. Der explosionsartige Ausbruch des Punk war von bemerkenswert kurzer Dauer, und schon 1978 machte sich eine depressive Post-Punk-Stimmung breit. Bald hörte man von einer neuen Untergrund-Szene, in der die eitlen Kids ihre kunstvollen Outfits zu neuen elektronischen Klängen präsentierten.

The Blitz und all die anderen trendigen Clubs der frühen 80er waren im Grunde nichts anderes als eine Neuauflage der Bowie Nights, die eine jüngere Generation Ziggy-Begeisterter anzogen, die glaubten, sie könnten Helden sein für mehr als nur einen Tag. Boy George, Steve Strange, Gary Kemp, Toyah Wilcox, Pete Burns, Gary Numan, Ultravox, Duran Duran – die Liste der Musiker, die aus dieser Szene stammen, ist lang. Man kann sie noch um Designer, Künstler, Autoren, Journalisten, Tänzer und Filmemacher erweitern, von denen etliche eine große Karriere vor sich hatten und die alle von dem zurückkehrenden Thin White Duke beeinflusst und inspiriert wurden. Wieder einmal war es ihm gelungen, an vorderster Front einer neuen kulturellen Strömung zu stehen.

Bowies nächster musikalischer Höhepunkt war *Scary Monsters* mit dem epochalen »Ashes To Ashes«. Die 1980 veröffentlichte Nummer wurde zu einem Schlüsselsong für das gesamte kommende Jahrzehnt und das dazugehörige Video zu einem seiner wichtigsten Clips. Zugleich die Zukunft erschaffend und auf seine eigene illustre Vergangenheit zurückblickend schreitet Bowie darin seinem ganzen schrägen Gefolge voraus.

Bowies immenser kultureller Einfluss hallt immer noch nach, wenn ein junger Musiker versucht, Kunst und Pop, Avantgarde und Mainstream miteinander in Einklang zu bringen und die Grenzen von Theater und Musik zu sprengen. Es ist, vor allem in Großbritannien, unmöglich, sich die Popwelt ohne den Einfluss jenes Mannes vorzustellen, der vor so vielen Jahren Ziggy Stardust war und alle zukünftigen Generationen mit Sternenstaub besprenkelte.

WHAT'S NEW

FROM THE PRESS ROOM OF THE DECCA RECORD COMPANY
01 439 9521

. . . . artist's news . . . . song news . . . . record news . .

INTRODUCING DAVIE JONES WITH THE KING-BEES
. . . AND THEIR FIRST DISC "LIZA JANE"

Pop Music isn't all affluence. Just ask new seventeen year old recording star Davie Jones. Time was (two months ago, in fact) when he and his group were almost on their uppers. No money, bad equipment. Then Davie had a brainwave. "I had been reading a lot in the papers about John Bloom," says Davie. "So I put pen to paper and wrote him a letter." David told Bloom that he had the chance of backing one of the most talented and up-and-coming groups on the pop scene. All he had to do was advance the several hundred pounds it requires to outfit a pop group with the best equipment.

Davie didn't get the money, but he did get a telegram next day from John Bloom giving the phone number of Artist's Manager Leslie Conn. Davie got in touch, was rewarded with a booking at Bloom's Wedding Anniversary Party. "We were a dismal failure", recalls Davie. "It was a dinner dress affair and we turned up in jeans and sweat shirts and played our usual brand of rhythm and blues. It didn't go down too well. Still we'll know better next time."

However, all's well that ends well. Leslie Conn liked the earthy type of music the group played, arranged an audition with Decca Records which resulted in a contract and the first release by David Jones with the King-Bees, "Liza Jane", released by Decca (Decca F 13807) on September 29th.

marquee club

GERRARD 8923 | 90, WARDOUR STREET, LONDON W.1.

JUNE 1966 Programme

Wed. 1st	ALEX CAMPBELL plus his Special Guests
Thur. 2nd	THE MOVE / The Triad
Fri. 3rd	GARY FARR and the T-BONES / The Objects
Sat. 4th	Modern Jazz / TONY KINSEY QUINTET / RAY WARLEIGH QUINTET
Mon. 6th	GRAHAM BOND ORGAN-ISATION / The Soul Agents
Tue. 7th	MANFRED MANN / The Alan Bown Set / (Members' tickets 7/- in advance from May 31st)
Wed. 8th	GERRY LOCKRAN / Johnny Silvo / Martin Winsor
Thur. 9th	Let's go Surfin' / TONY RIVERS and the CASTAWAYS / SUMMER SET
Fri. 10th	GARY FARR and the T-BONES / The Soul System
Sat. 11th	Modern Jazz / DICK MORRISSEY QUARTET / RONNIE ROSS QUINTET
Mon. 13th	JIMMY JAMES and the VAGABONDS / Felder's Orioles
Tue. 14th	SPENCER DAVIS GROUP / Jimmy Cliff Sound / (Members' tickets 7/- in advance from June 7th)
Wed. 15th	THE SPINNERS / THE FRUGAL SOUND and Guests
Thur. 16th	JOHN MAYALL'S BLUES BREAKERS / featuring Eric Clapton / Amboy Dukes
Fri. 17th	GARY FARR and the T-BONES / Graham Bell Trend
Sat. 18th	Modern Jazz / DICK MORRISSEY QUARTET / GORDON BECK QUARTET featuri / the voice of NORMA WINSTONE
Sun. 19th	Sunday Special / JIMMY WITHERSPOON with the / TUBBY HAYES BIG BAND / Robert Stuckey Trio / (Members: 7/6 Non-members: 10/-) / (Tickets available in advance from June 7
Mon. 20th	SHOTGUN EXPRESS / Peter B'S, Beryl Marsden, Rod Ste / Sands
Tue. 21st	THE YARDBIRDS / James Royal Set / (Members' tickets 7/- in advance from Ju
Wed. 22nd	RAM HOLDER BROS. / NEW HARVESTERS / Mike Rogers
Thur. 23rd	THE MOVE / The Rift
Fri. 24th	GARY FARR and the T-BONES / and supporting group
Sat. 25th	Modern Jazz / DICK MORRISSEY QUARTET / and A. N. Other
Sun. 26th	Sunday Folk Special / ALEX CAMPBELL and Guests / (Members: 6/- Non-members: 8/6)
Mon. 27th	THE STEAM PACKET / Long John Baldry, Julie Driscoll / Brian Auger Trinity / The Herd
Tue. 28th	THE SMALL FACES / Sands / (Members' tickets 7/6 in advance from
Wed. 29th	THE CHRIS BARBER BAND / featuring Kenneth Washington / RAM HOLDER BROS. / (Members: 5/- Non-members: 7/6)
Thur. 30th	THE ACTION / The Alan Bown Set

(All Programmes are subject to alteration and the M cannot be held responsible for non-appearance of ar

Every Saturday afternoon, 2.30–5.30 p.m.

"THE SATURDAY SHOW"

Top of the Pops both Live and on Discs
Introduced by Guest D.J.s,
featuring Star Personalities

Members: 3/6 Non-members: 4/6

Every Sunday afternoon, 3.00–6.00 p.m.

"THE BOWIE SHOWBOAT"

DAVID BOWIE and the BUZZ

Guests Top Ten Discs

Members: 3/- Guests: 5/-

COMING IN JULY

Mon. 4th	GRAHAM BOND
Tue. 5th	ALAN PRICE SET
Tue. 12th	MANFRED MANN
Tue. 19th	SPENCER DAVIS

Wer kann ich denn jetzt mal sein? Bowie wechselte beeindruckend häufig seinen Look – und seine Bands. Im Mai 1963, mit gerade einmal 16 Jahren, spielt er Saxofon in einem Jugendclub in Biggin Hill (gegenüber unten). Um 1964 sang er als Frontman von The King Bees in einem Robin-Hood-artigen Outfit seine erste Single »Liza Jane« (oben links). Bei The Lower Third verwandelte er sich in einen lupenreinen Mod (Bildstreifen oben). Im April 1966 gab er das erste Konzert in einer zweimonatigen Reihe von Sonntagnachmittagsgigs unter dem Titel »Bowie Showboat« im Marquee – mit wieder einer anderen Gruppe: The Buzz (gegenüber oben).

1947
8. Januar
David Robert Jones wird geboren; 40 Stansfield Road, Brixton, London.

1953
Die Familie Jones zieht in den südlichen Londoner Vorort Bromley.

1957
Wird Chorknabe in der St Mary's Church in Bromley, ebenso wie die lebenslangen Freunde George Underwood und Geoffrey MacCormack, mit denen er mitunter auch zusammenarbeitete.

1958
August
Erste nachweisbare Popmusik-Darbietung beim Pfadfindersommercamp auf der Isle of Wight zusammen mit George Underwood.
September
Geht auf die Bromley Technical High School.

1959
25. Dezember
Bekommt sein erstes Musikinstrument geschenkt: ein Plastiksaxofon.

1962
Bei einer Prügelei mit George Underwood trägt er eine Verletzung der Pupille seines linken Auges davon, wodurch diese dauerhaft geweitet bleibt.
Juni
Tritt der Band The Konrads bei.

1963
Bowies Halbbruder Terry Burns zeigt erste Anzeichen von Schizophrenie.
Sommer
Verlässt die Schule mit einem O-Level – in Kunst – und beginnt eine Ausbildung als Werbegrafiker bei Nevin D. Hirst Advertising, New Bond Street, London.
29. August
Erste Aufnahme mit The Konrads: »I Never Dreamed«.
Juli
Gründet zusammen mit George Underwood The Hooker Brothers.
Dezember
Steigt bei The Konrads aus.

1964
April
Gründet The King Bees, eine fünfköpfige R&B-Band, bei der auch George Underwood mitmacht.
Frühjahr
Engagiert seinen ersten Manager, Leslie Conn.
ca. Mai
Mit The King Bees unterzeichnet er seinen ersten Plattenvertrag – mit Vocalion Records (die zu Decca gehören).
Juni
Hört auf bei Nevin D. Hirst Advertising.
5. Juni
UK-Veröffentlichung von Davie Jones and The King Bees: »Liza Jane«/»Louie Louie Go Home« (keine Chartplatzierung, im Folgenden: –).
6. Juni
Erster TV-Auftritt in der BBC-Show *Juke Box Jury*, um »Liza Jane« zu promoten (der Song fiel durch).
Juli
Verlässt The King Bees und steigt bei The Manish Boys ein.

1965
März
UK-Veröffentlichung The Manish Boys: »I Pity The Fool«/»Take My Tip« (–).
April
Verlässt The Manish Boys.
Mai
Steigt bei The Lower Third ein.
August
Ralph Horton wird Bowies erster Fulltime-Manager.
UK-Veröffentlichung von Davy Jones: »You've Got A Habit Of Leaving«/»Baby Loves That Way« (–).
16. September
Ändert seinen offiziellen Künstlernamen in David Bowie um Verwechslungen mit Davy Jones (später Mitglied von The Monkees) zu vermeiden.
November
The Lower Third unterzeichnen ihren ersten Plattenvertrag mit Pye.

1966
Januar
UK-Veröffentlichung von David Bowie und The Lower Third: »Can't Help Thinking About Me«/»And I Say To Myself« (–).
Steigt bei The Lower Third aus.
Februar
Gründet The Buzz.
April
UK-Veröffentlichung unter dem Namen David Bowie von »Do Anything You Say«/»Good Morning Girl« (–).
August
UK-Veröffentlichung von »I Dig Everything«/»I'm Not Losing Sleep« (–).
Oktober
Unterzeichnet Plattenvertrag mit Deram.
Dezember
The Buzz lösen sich auf.
UK-Veröffentlichung von »Rubber Band«/»The London Boys« (–).

DAVID BOWIE 1967

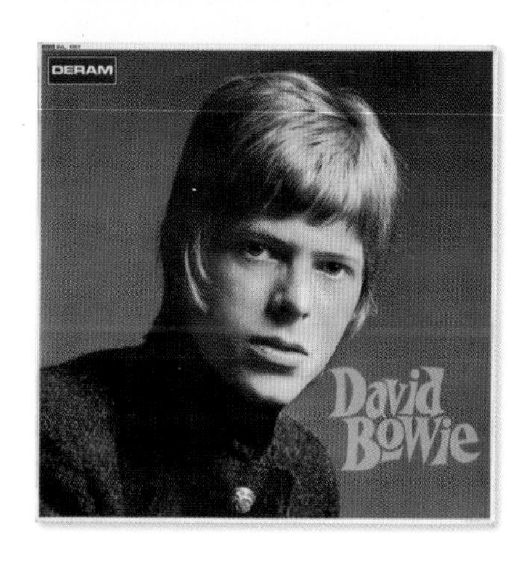

»UNSER PLATTENSPIELER LIEF NUR MIT 78 UMDREHUNGEN PRO MINUTE. DESHALB HABE ICH EINFACH DIE NADEL AUFGESETZT UND VERSUCHT, MIT DEM FINGER DIE PLATTE IN DER RICHTIGEN GESCHWINDIGKEIT ZU DREHEN. SO ERHIELT ICH EINE ZIEMLICH EIGENARTIGE VORSTELLUNG VOM SOUND DES FRÜHEN ROCK'N'ROLL. DAS DÜRFTE EINIGES ERKLÄREN.«

DAVID BOWIE, 1993

1967

Februar
US-Veröffentlichung von »Rubber Band«/»There Is A Happy Land« (–).
März
Tritt The Riot Squad bei.
April
Kenneth Pitt wird Bowies persönlicher Manager.
UK-Veröffentlichung von »The Laughing Gnome«/
»The Gospel According To Tony Day« (–).
Mai
Steigt bei The Riot Squad aus.
1. Juni
UK-Veröffentlichung von *David Bowie* (–).
Juli
UK-Veröffentlichung von »Love You Till Tuesday«/
»Did You Ever Have A Dream« (–).
August
US-Veröffentlichung von *David Bowie* (–).

Vorherige Seite: Bowie-Porträt von Dezo Hoffmann, 1967.

Gegenüber: Bowies TV-Auftritt in der legendären Freitagabend-Musikshow *Ready Steady Go!* am 4. März 1966.

Das war damals eine andere Zeit als heute, eine Zeit, als die Plattenfirmen ihren Künstlern noch Fehler und Misserfolg zugestanden in der Hoffnung, dass sie den Stil und den Sound schon noch fänden, die ihnen zum Durchbruch verhelfen würden.

Mit dieser Einstellung hatte Deram Records David Bowie unter Vertrag genommen und ihm im Studio freie Hand gelassen. Das Resultat war, dass er 1967 kein gewöhnliches Album herausbrachte. Nein, er hatte ein Musical aufgenommen und auf Vinyl pressen lassen. Er hatte sich eine Reihe von Charakteren ausgesponnen und sie zum Leben erweckt mithilfe von Blechbläsern, Streichern, Flöten und so ziemlich jedem Instrument außer einer E-Gitarre. Und das im Jahr des Gitarrengotts Jimi Hendrix.

Bowie schrieb Songs über Kinder, verbitterte, aus dem Dienst ausgeschiedene Soldaten und über einen »Uncle Arthur«; er schrieb über die »Maid of Bond Street«, den »Little Bombardier« und den »Silly Boy Blue«. Und dann ließ er seine Figuren vor einer musikalischen Kulisse aus von traditioneller britischer Varietémusik inspirierten Melodien auftreten.

Das Ergebnis ist ein gänzlich unzeitgemäßes Album, das gleichermaßen irritiert und fasziniert. Es ist eine der Platten, wie sie einem etablierten Musiker, der sein Publikum gefunden hat, ein Mal – und wirklich nur ein Mal – zugestanden wird, um sich selbst einen großen unpopulären Wunsch zu erfüllen. Aber es ist sicher keine Platte, die man von einem jungen Mann, der erst mal Geld verdienen will, erwarten würde, zumal im Jahr 1967, als wichtige Alben von Pink Floyd, Traffic, Captain Beefheart, Procol Harum, Jimi Hendrix, Tim Buckley, The Byrds, The Small Faces, Mothers Of Invention und The Doors herauskamen.

Doch Bowie war nicht daran interessiert, den bequemen Weg zu gehen. Ihm ging es vielmehr darum, seinen eigenen Stil zum Ausdruck zu bringen. Und das tat er mit der Veröffentlichung seines Debüts genau in der Woche, als die Beatles *Sgt. Pepper's Lonely Heart Club Band* herausbrachten, zweifellos. Später sagte er:

»Meine Songs wurden zwar im Radio gespielt, aber das brachte die Leute nicht dazu, meine Platten zu kaufen oder mich für Auftritte zu engagieren. So gesehen war dieses Album schon ein gewisser Misserfolg. Doch die Idee, in Songs kurze Geschichten zu erzählen, war damals tatsächlich ziemlich neu.« D.B. 1976

Was ist das für ein Mensch, der so tapfer gegen die Strömung anschwimmt in seinem Mohair-Anzug und mit seiner Mod-Frisur? Bowie kommt als David Robert Jones am 8. Januar 1947 im Londoner Stadtteil Brixton zur Welt. Es ist eine schwere Zeit. Der Krieg ist zwar vorbei, doch es mangelt am Nötigsten. Als er drei Jahre alt ist, schleicht er sich ins Schlafzimmer der Vermieterin und malt sich sein Gesicht mit deren Make-up und Lippenstift an. Seine Mutter sagt ihm, dass Make-up nichts für Jungs sei. Worauf er antwortet: »Aber du benutzt es doch, Mama.«

Seine Eltern sind distanziert, es fehlt an liebevoller Zuwendung – sie sind nicht anders als die meisten Eltern zu dieser Zeit. Später bemüht sich Bowie sehr um ihre Anerkennung. Doch er hat Möglichkeiten, diesen Mangel zu kompensieren. Sein Vater, der eigentlich ein »großer Menschenfreund« ist, weckt sein Interesse an anderen Kulturen und Religionen. Eine wertvolle Anregung.

Mit fünf kostümiert er sich für ein Krippenspiel, er wirft sich einen Umhang über und hält einen Hirtenstab in der Hand. Und schon sind die Würfel gefallen. Seine Mutter Margaret »Peggy« Jones sagte: »Er fand das großartig. Da haben wir erkannt, dass da was in dem Jungen schlummerte. Wenn ein Lied im Radio lief, das seine Aufmerksamkeit erregte, sagte er, alle sollten still sein und zuhören. So begann seine Liebe zur Musik. Damals haben wir gedacht, er würde vielleicht Balletttänzer werden.« Mit dieser Einschätzung lag Mrs. Jones gar nicht so weit daneben. In der Schule teilte ein Lehrer die Schüler in Vierergruppen ein, gab ihnen Percussion-Instrumente und forderte sie auf, zu dem von ihnen selbst geschlagenen Rhythmus zu tanzen. Diese Erfahrungen haben David geprägt: Er war zwar schüchtern, hatte aber keine Probleme damit, vor anderen etwas darzubieten. Eine wertvolle Lektion.

Er hört Danny Kaye in dem Film *Hans Christian Andersen* »Inchworm« singen. Später erzählt er, wie wichtig dieser Song für ihn war. Seinen Einfluss – und seine Gegenmelodien – hört man auf seinem Debütalbum am deutlichsten in dem hinreißenden »Sell Me A Coat«.

Er beginnt früh, in die Welt hineinzuschnuppern. Ein Schulfreund erinnert sich, wie er sich schon mit acht Jahren für die USA und Japan begeisterte. Mit 13, als die anderen Kinder Fußball spielten, lief er in einem waschechten American-Football-Outfit herum. Es war ein Geschenk von der amerikanischen Botschaft, das er erhalten hatte, nachdem er mit der Bitte dorthin geschrieben hatte, ihm nähere Informationen über diese Sportart zukommen zu lassen, von der er auf dem Sender der US-Streitkräfte gehört hatte. Und so ging er mit einem Football-Helm auf dem Kopf und dem Ball unter dem Arm zur Schule. »Das war schon ziemlich schräg«, sagt ein ehemaliger Schulkamerad, aber es vermittelt einen guten Eindruck von dem, was noch kommen sollte: Bowie sonderte sich mittels einer auffälligen Montur von der Allgemeinheit ab. Dieses Bild sollte man im Hinterkopf behalten, wenn man sich mit seinem Debütalbum beschäftigt.

1961 sieht Bowie Anthony Newley in dem Bühnenmusical *Stop The World, I Want To Get Off*. Die Aufführung macht einen großen Eindruck auf ihn; Bowie ist hingerissen von Newleys Stimme und Performance – und davon, dass er »ganz normale Worte, die ich verstehen konnte und die kein bisschen schnulzig waren«, sang. »Von

Oben: Bowies Debütalbum hatte mit der britischen Varietémusik und den Musicals von Danny Kaye und Anthony Newley wesentlich mehr gemein als mit der seinerzeit angesagten Musik.

Gegenüber: Seinen ersten Auftritt auf dem europäischen Festland gab Bowie bereits an Silvester 1965 in Paris. Hier sieht man ihn bei der Aufnahme seines Auftritts für die deutsche TV-Show *4-3-2-1 Musik für junge Leute*, die am 16. März 1968 ausgestrahlt wurde.

diesem Moment an habe ich begonnen, meinen eigenen Stil zu entwickeln.«

»Als ich ganz am Anfang in einer Rhythm-and-Blues-Band war, mochte ich nicht über Amerika singen. Ich wollte über das singen, was mich damals wirklich bewegte. Der einzige Sänger, der sich seinerzeit keinen falschen amerikanischen Akzent zugelegt hatte, war Anthony Newley.« D. B. 1973

Sein Halbbruder Terry schenkt ihm Jack Kerouacs »Unterwegs«, und nach der Lektüre ist David besessen von Beatnicks und Jazz. Er lernt Saxofon spielen. Er lernt wie man singt, Gitarre spielt und sich als Musiker vor Publikum präsentiert.

In der Schule trifft er seinen alten Freund George Underwood wieder. Später steigt George bei einer Band namens The Konrads ein. Zu dieser Zeit sind er und David hinter demselben Mädchen her. Mit einem hinterhältigen Trick bringt David George um sein Date mit ihr. George findet das heraus und bei einer anschließenden Prügelei verletzt er David am Auge, was dazu führt, dass dessen linke Pupille permanent geweitet bleibt.

Kurz darauf sorgt George dafür, dass David bei The Konrads mitmacht. Bowie singt und spielt Saxofon. Später gründet er mit Underwood die Band The Hooker Brothers – und danach Davie Jones and The King Bees.

Zwischen zwei Auftritten schreibt Bowie einen ziemlich vorwitzigen Brief an einen Pop-Impresario. »Wir sind die nächsten Beatles und Sie könnten der nächste Epstein sein«, schreibt er. Der Adressat John Bloom ist amüsiert und empfiehlt Bowie den Manager Leslie Conn. Dieser nimmt die Band tatsächlich unter seine Fittiche und besorgt ihr einen Auftritt auf Blooms Hochzeit.

Conn macht seine Sache gut und verschafft der Band einen Vorspieltermin bei Decca. Im Juni 1964 bringen sie ihre Debütsingle »Liza Jane« / »Louie Louie Go Home« heraus. Beide Songs sind vom Blues und R&B beeinflusst. In den Credits wird Conn als Autor genannt. Die Single findet durchaus Beachtung: Sie wird in der beliebten TV-Show *Juke Box Jury* vorgestellt, doch nur der Komiker Charlie Drake stimmt für sie. Die Band wird auch für einen Auftritt in die Musikshow *Ready Steady Go* eingeladen. Doch die Verkaufszahlen sind enttäuschend und die Band löst sich bald auf.

Als Nächstes kommen die Manish Boys. Wieder steht R&B auf dem Programm, auch wenn Bowies Look – lange Haare und Robin-Hood-Kluft – für einen R&B-Sänger sehr ungewöhnlich ist. Die Debütsingle der Band »I Pity The Fool« / »Take My Tip« wird vom Who-Produzenten Shel Talmy produziert, doch auch sie verkauft sich schlecht.

Bowies nächste Band heißt The Lower Third. Er trennt sich von Conn und engagiert Ralph Horton als Manager. Horton steckt ihn in Mod-Klamotten. Die Debütsingle von The Lower Third »You've Got A Habit Of Leaving« ist schnell und wild und sorgt dafür, dass in erster Linie Mods in ihre Konzerte kommen. Ihre nächste, von Tony Hatch produzierte Single »Can't Help Thinking About Me« / »And

Diese und nächste Doppelseite: 1967 ließ der kommerzielle Erfolg noch auf sich warten, aber Bowie arbeitete fleißig an seinem Ruf als begabter Singer-Songwriter mit einem unverwechselbaren Stil – und ließ reichlich entsprechende Pressefotos anfertigen.

I Say To Myself« zeugt von Bowies Bestreben, berauschenden Pop mit persönlichen Texten zu vereinen.

Dann folgt The Buzz. Der Londoner Popsound – wie von The Who oder The Yardbirds – ist nicht das, was Bowie vorschwebt. Die Band nimmt eine Single auf, die allerdings unter dem Namen David Bowie erscheint. »Do Anything You Say« / »Good Morning Girl« bietet jede Menge bemerkenswerter Gitarrenarbeit, einen raumgreifenden Backgroundgesang und einen Vorgeschmack auf die Stimme, die für Bowie bald typisch sein wird. Er ist also gerade dabei, seinen eigenen Gesangsstil zu finden.

Noch im selben Jahr kommt die Single »I Dig Everything« / »I'm Not Losing Sleep« heraus. Für die Aufnahmesession tauscht der Producer Tony Hatch die Band gegen erfahrene Studiomusiker aus. Doch ein weiteres Mal verfehlt Bowie mit seinem London-Style-Pop den Einzug in die Charts um Längen. Und wieder einmal änderte er die Richtung.

Seine nächste Single »Rubber Band« zeichnet sich durch newleyesken Gesang und Blaskapellenbegleitung aus. Doch auch sie bleibt wie Blei in den Regalen liegen. Davon unbeeindruckt bringt Bowie »The Laughing Gnome« / »The Gospel According To Tony Day« heraus. Damals wie heute wirft die A-Seite Fragen auf. Man kann den Song entweder als eine famose Kinderliedkomposition sehen oder als Beleg für einen Moment in der Karriere des Musikers, in dem er schlicht nicht mehr klar denken konnte.

Auf seinem Debütalbum frönt Bowie weiterhin seiner Newley-Obsession, und so hört man bei jedem Track eine in den Vordergrund gemischte, besonders britisch klingende Stimme. Doch er orientiert sich nicht in jedem Song ausschließlich an Newley. Bei »There Is A Happy Land« fühlt man sich unweigerlich an Syd Barrett von Pink Floyd oder Ray Davies von The Kinks erinnert. An anderen Stellen finden sich Burt-Bacharach-Anklänge.

Natürlich ist Bowie – wie alle britischen Jugendlichen – vom Rock'n'Roll begeistert, vor allem von Little Richard. Doch daneben entdeckt er noch anderes, was ihn inspiriert, denn er sucht auch dort nach Anregungen, wo es die anderen nicht tun.

Was hat man wohl bei Deram in diesem jungen Mann gesehen? Zweifellos ein großes musikalisches Talent. Auf dem Album gibt es einige wunderschöne Melodien und ein paar hübsche Songs wie etwa »Silly Boy Blue« oder »Sell Me A Coat«. Stellenweise gelingt es sogar, aktuelle zeitgenössische Strömungen aufzugreifen. So passen beispielsweise »Little Bombardier« und »She's Got Medals« zum damals gerade angesagten König-Edward-Trend. Dennoch orientiert sich die Platte zum größten Teil nicht am Zeitgeist. Seinerzeit nahm die Popkultur für sich in Anspruch, Grenzen zu überschreiten. Genau diese Forderung hat Bowie wörtlich genommen. Er legte ein Album vor, das ohne E-Gitarren auskommt, dafür etliche Walzer und Musicalmelodien enthält und mit »Please Mr. Gravedigger« endet, einem Gedicht, bei dessen Vortrag Bowie mehrfach niest und sich am Ende anhört, als hätte er eine schwere Erkältung.

Natürlich verkaufte sich die Platte nach ihrer Veröffentlichung schlecht. Keiner wusste, was er damit anfangen sollte. Keiner wusste, wer sie kaufen sollte. Heute, da wir von Bowies Größe und seiner sagenhaften Kreativität überzeugt und fasziniert sind, können wir besser verstehen, was den damals Zwanzigjährigen zu dieser Platte animierte.

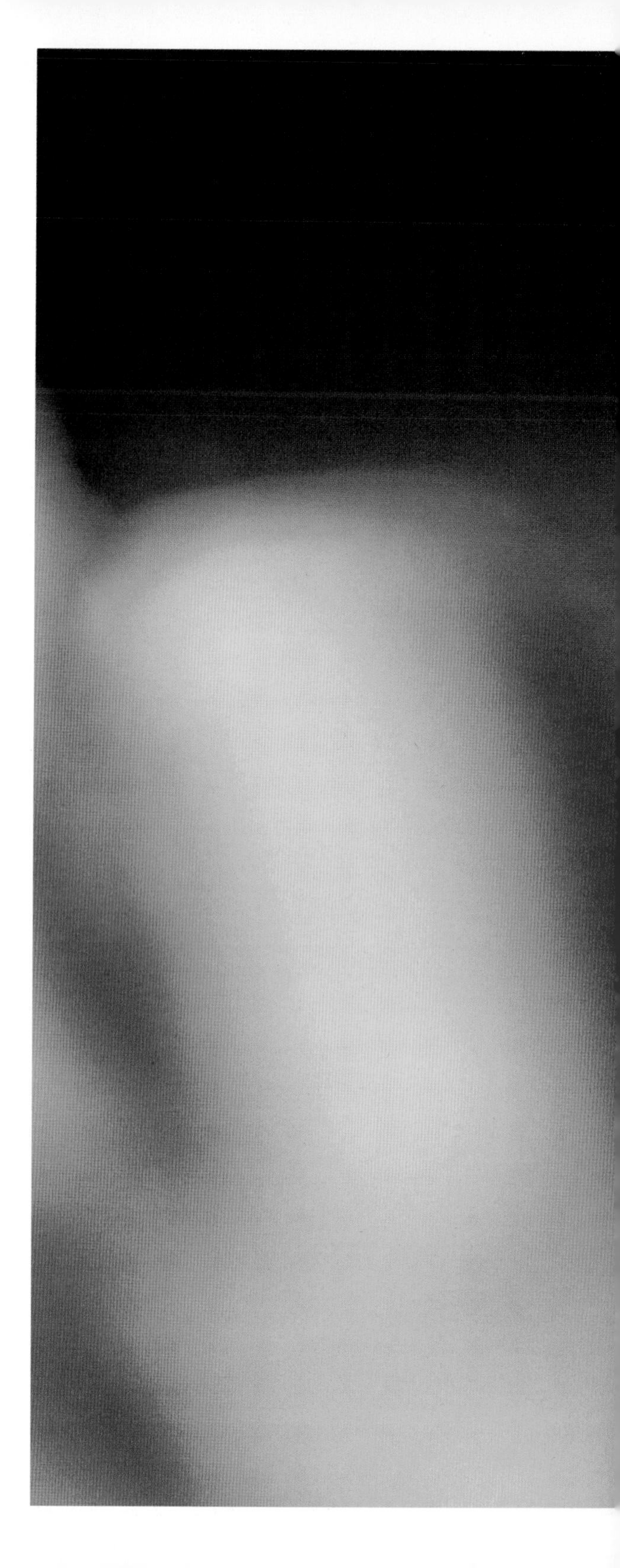

DAVID BOWIE / SPACE ODDITY 1969

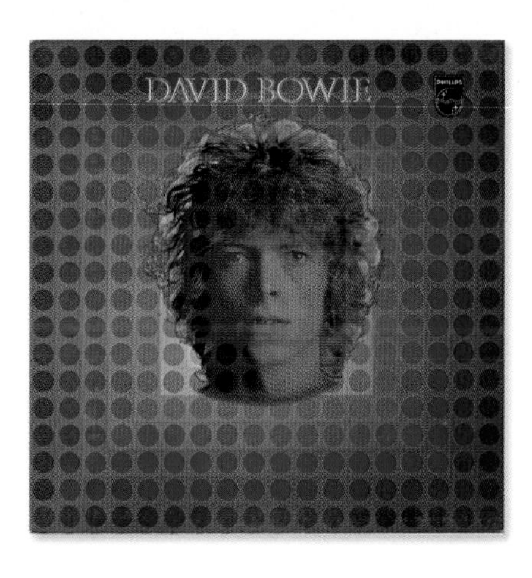

»DIE PLATTE BERUHT ZU EINEM GROSSEN TEIL AUF DEM FILM *2001*. SIE IST EINE MELANGE AUS SALVADOR DALÍ, *2001* UND DEN BEE GEES. ES IST EINFACH EINE PLATTE, DIE DIE LEUTE UNTERHALTEN SOLL.«

DAVID BOWIE, 1969

1967

28. Dezember

Erste Aufführung von Lindsay Kemps *Pierrot In Turquoise*, worin Bowie als »Wolke« auftritt.

18. Dezember

Aufnahme seiner ersten BBC Radio Session für John Peels *Top Gear*.

1968

30. März

Abschlussvorstellung von *Pierrot In Turquoise*.

September

Gründet das Trio Turquoise (später Feathers) gemeinsam mit seiner Freundin Hermione Farthingale und Tony Hill.

1969

Januar–Februar

Aufnahmen für den PR-Film *Love You Till Tuesday*.

Februar

Feathers löst sich auf.

Sommer

Diverse Auftritte im Beckenham Arts Lab.

Juni

UK-Veröffentlichung von »Space Oddity«/ »Wild Eyed Boy From Freecloud« (5).

Juli

US-Veröffentlichung von »Space Oddity«/ »Wild Eyed Boy From Freecloud« (–).

5. August

Sein Vater Haywood Stenton »John« Jones stirbt im Alter von 56 Jahren.

9. Oktober

Erster Auftritt in der BBC-Fernsehshow *Top Of The Pops*, er singt »Space Oddity«.

14. November

David Bowie (später umbenannt in *Space Oddity*) erscheint (–).

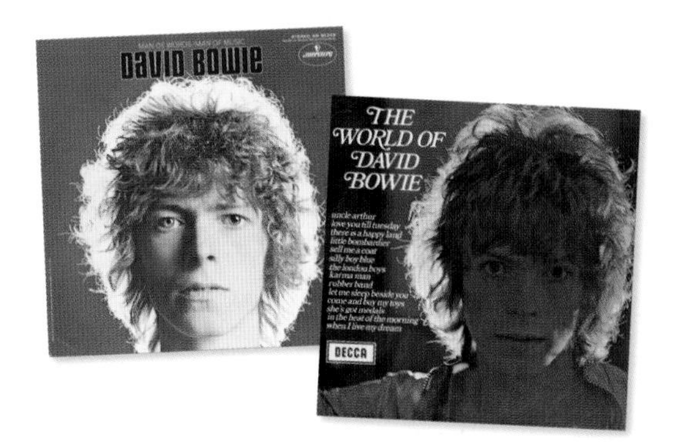

Vorherige Seite und gegenüber: So wie sein neuer Look war auch sein neues Album eine Mischung aus Weltraum-Faszination und ländlicher Bukolik.

Der Bowie von 69 hat mit dem Bowie von 67 kaum noch etwas gemein. Verschwunden sind die Anzüge, die Mod-Frisur und die London-Songs. Jetzt sind seine Haare lang, er trägt Schlaghosen, spielt Akustikgitarre und schreibt ziemlich textlastige Songs. Die Zeiten haben sich geändert und David Bowie, der offenbar eine recht ungezwungene Beziehung zu seiner Musik entwickelt hat, mit ihnen. Nach der Veröffentlichung seines zweiten Albums sagte er im *Melody Maker*:

»Ich hatte eigentlich nicht vor, in nächster Zeit noch mal Platten aufzunehmen, aber die Leute haben mich gedrängt, also ging ich ins Studio. Eineinhalb Jahre lang war ich Pantomime, also ist das jetzt mein Comeback! Mein erstes Album hat mich 15 Minuten gekostet und mir fünf Schilling und Sixpence eingebracht. Man könnte sagen, ich habe es im Eiltempo zusammengeschustert. Der geringe Arbeitsaufwand hat mir die Popmusik verleidet.« D. B. 1969

Glauben Sie dem Mann kein Wort. Das ist alles Verstellung, reine Fassade. Alle Songwriter brauchen Bestätigung. Bowie will unbedingt so ernst genommen werden wie Dylan, und er weiß, dass er dazu seinen eigenen Weg gehen muss.

Ein Beispiel: Seit der Veröffentlichung seines Debütalbums hat er sich intensiv mit Buddhismus und Pantomime beschäftigt – zwei Themen, die nicht gerade zu den typischen Interessen junger aufstrebender Musiker zählen. Doch es ist genau dies, was fortan seine Karriere bestimmt: die Suche nach neuen Erfahrungen und Kunstformen und deren Verknüpfung mit der Musik.

Über die Bücher von Jack Kerouac kam Bowie zum Buddhismus. Im Sommer 67 war sein Interesse daran bereits so groß, dass er den Londoner Hauptsitz der Buddhist Society aufsuchte. Kurz darauf sprach er davon, alles an den Nagel zu hängen, sein Leben völlig umzukrempeln und buddhistischer Mönch zu werden. Sein Biograf George Tremlett zitiert ihn folgendermaßen: »Materielles interessiert mich nicht. Ich habe einen guten Anzug für den Fall, dass ich mal einen wichtigen Termin habe. Das reicht. Ich lebe bei meinen Eltern und ein Auto brauche ich nicht. Und für Klamotten interessiere ich mich ehrlich gesagt nicht.«

Dass er die Eleganz der Erleuchtung opfert, zeigt wie konsequent er seinen Weg verfolgte. Sein Interesse am Buddhismus ließ allerdings um 1970 nach, als Zweifel an

seinem Guru aufkamen. Später sagte David dazu: »Wissen Sie, ich bin nicht der Einzige, der eine Rolle spielt.«

Etwa zur selben Zeit überraschte ihn seine damalige Freundin mit Karten für die Pantomime-Show *Clown's Hair*.

»Ein Pantomime – wie langweilig! Dann erklärte sie mir, dass er Songs von meinem Album als Zwischenmusik verwendete. Ein Pantomime – wie interessant!« D. B. 2002

Bowie war von der Show begeistert. Er traf danach den Künstler: Lindsay Kemp. Die beiden Männer verstanden sich auf Anhieb, und schon bald nahm Bowie Unterricht bei Kemp. In einem Interview mit *Crawdaddy* sagte Kemp 1974: »Ich brachte ihm bei, es körperlich ebenso zu übertreiben wie stimmlich und dass es genauso wichtig ist, gut auszusehen wie gut zu klingen. Er übt sich darin, seit er angefangen hat, mit mir zu arbeiten, und seine Bewegungen werden von Auftritt zu Auftritt famoser.«

Von Kemp lernte Bowie einiges über die Schauspielerei, beispielsweise wie er den zur Verfügung stehenden Raum ausnutzt und wie er mit dem Publikum spielt. Im Dezember stand er zusammen mit Kemp in der Produktion *Pierrot In Turquoise* auf der Bühne. Bowie trat hier nicht nur als Pantomime auf, sondern trug auch eigene Songs vor. Alle hielten ihn für sehr talentiert.

»Ich war von Pantomime total fasziniert … davon, wie man einen leeren Raum verwandeln und Dinge durch reine Andeutung erschaffen kann … Ich wusste damals schon, dass ich Musik in einer sehr theatralen Form präsentieren wollte, aber ich wusste noch nicht genau wie. Ich hatte mir The Living Theatre und diese amerikanischen Konzepttruppen im Roundhouse angesehen und dachte, es wäre ziemlich spannend, wenn ich so was im Rahmen einer Band machen könnte.« D. B. 1993

Über Kemp lernte Bowie eine Tänzerin namens Hermione Farthingale kennen. Hermione war eine bezaubernde, außerordentlich schöne junge Frau und Bowie verliebte sich Knall auf Fall in sie. Gemeinsam mit dem Gitarristen Tony Hill gründeten die beiden ein Akustiktrio namens Turquoise. Als Hill die Truppe verließ, stieß John Hutchinson zu ihnen, und aus dem Trio wurde das Ensemble Feathers, dessen Programm aus Gesang, Tanz, Gedichtrezitationen und Pantomimen bestand.

Im Februar 69 trennten sich David und Hermione. David war am Boden zerstört und zog sich nach Beckenham zurück. Im April kam er mit der Journalistin Mary Finnigan zusammen, mit der er im Hinterzimmer des nahegelegenen Pubs The Three Tuns einen Folk-Club gründete. Dieser orientierte sich am Vorbild des Drury Lane Arts Lab, das der Amerikaner Jim Haynes gegründet hatte.

»Es gibt da nicht einen Pseudo-Intellektuellen … Arts Labs sind immer als Pseudo-Intellektuellen-Treffpunkte verschrien. Es gibt so viel Talent im Grüngürtel und so viel Schund an der Drury Lane. Ich finde die Arts Labs sehr wichtig, sie sollten wie die Jugendclubs als soziale Einrichtungen gelten.« D. B. 1969

Die Abendvorstellungen, bei denen Bowie als Pantomime auftrat, las und sang, waren sehr beliebt, und jede Woche kamen mehr Zuschauer. Einige, die ihn damals gesehen haben, sagen, seine Auftritte seien absolut fesselnd gewesen. Im Arts Lab arbeitete Bowie auch an vielen der Songs, die auf sein zweites Album kamen.

Er verwarf sein sehr auf London fokussiertes Material zugunsten eines akustischen Rocksounds. Die neuen Nummern waren lang und wortreich und durchaus auch darauf angelegt, seine breit gefächerten musikalischen Fähigkeiten herauszustellen. Seine wichtigsten Vorbilder waren Bob Dylan und Simon and Garfunkel. Den großen Wandel seines Songwriting kann man am besten anhand der Geschichte jener Nummer nachvollziehen, unter deren Titel das Album – das ursprünglich ebenso wie Bowies Debüt schlicht *David Bowie* hieß – später berühmt wurde: »Space Oddity«.

Der Stanley-Kubrick-Film *2001: Odyssee im Weltraum* hatte Bowie im November 68 außerordentlich beeindruckt. Der Weltraum, fremde Lebensformen und Außerirdische sollten zeitlebens eine große Faszination auf ihn ausüben.

Inspiriert von Kubricks Vision schrieb Bowie irgendwann im Dezember »Space Oddity«. Er spielte den Song den Plattenbossen von Mercury Records vor (und sang ihn in dem Promotionfilm *Love You Till Tuesday*, den sein Manager Ken Pitt finanziert hatte) und ergatterte sich damit einen neuen Vertrag. Im Juni war er wieder im Studio. Die amerikanische Raumfahrtbehörde NASA hatte ange-

Bei den Proben des Trio Turquoise mit seiner damaligen Freundin Hermione Farthingale, Ende 1968. Obschon bald darauf die Gruppe auseinander und die Beziehung in die Brüche ging, war Hermiones Einfluss auf Bowies zweites Album beachtlich: drei der Songs hat er für bzw. über sie geschrieben.

kündigt, im Juli den ersten Menschen auf den Mond zu schicken, und Mercury plante, Bowies Song zur selben Zeit als Single auf den Markt zu bringen.

Tony Visconti, den Bowie über ihr gemeinsames Interesse an fernöstlichem Mystizismus kennengelernt hatte, hielt den Song für einen schlechten Werbegag, daher ging Bowie mit Gus Dudgeon als Produzent ins Studio. Hinzu kamen der Pianist Rick Wakeman, der Bassist Herbie Flowers, der Drummer Terry Cox und der Gitarrist Mick Wayne. Am Ende präsentierten sie eine nahezu perfekte Single: ein eingängiges Arrangement mit faszinierenden Soundeffekten und einer prägnanten Geschichte über die Leiden des Astronauten Major Tom, der dazu verdammt ist, für immer durchs All zu schweben. Das regte die Fantasie an.

Das restliche Album füllen relativ lange Songs, voller Tempi- und Strukturwechsel. Viele beginnen ruhig mit akustischer Gitarre und enden mit einem Riff im Bo-Diddley-Stil und vollem Bandeinsatz. Keiner davon ist so stimmig arrangiert wie die brillante Popnummer »Space Oddity«, die Bowies erster Top-Ten-Hit werden sollte.

Drei Songs schrieb Bowie für oder über Hermione: »Letter to Hermione«, »Unwashed And Somewhat Slightly Dazed« und »Occasional Dream«. Der Schmerz und die Verwirrung, die sie vermitteln, lassen vermuten, dass es Hermione war, die die Beziehung beendet hatte.

»Memory of a Free Festival« handelt von einem von Bowie mitorganisierten Konzertevent. Der Song endet mit einem Refrain in »Hey Jude«-Manier.

Über die Freundin seines besten Freundes schrieb Bowie den Song »Janine«. Hierin hört er sich an wie Peter Sarstedt, dessen »Where Do You Go To (My Lovely)« im selben Jahr die Charts beherrschte. In der Zeitung hatte Bowie über eine Frau in den besten Jahren gelesen, die beim Ladendiebstahl erwischt worden war; das inspirierte ihn, einen Song aus ihrer Perspektive zu schreiben, den er »God Knows I'm Good« nannte. In »Cygnet Committee« griff Bowie die Hippie-Bewegung an, von der er sehr enttäuscht war, weil sie selber nichts Konstruktives auf die Beine stellte. 1969 hatten die Hippies die Mods als wichtigste Jugendkultur abgelöst, jedoch konnte ihnen Bowie wegen ihres snobistischen Gehabes nichts abgewinnen. In einem Interview mit dem *Disc and Music Echo* gab er vor, die Skinheads zu bevorzugen, was schon damals angesichts des üblen Rufs der Kurzgeschorenen ein radikales Statement war.

Trotz des Charterfolgs von »Space Oddity« verkaufte sich das Album nur mäßig. Seinen Höhenflug erreichte es erst mit dem Erfolg von *Ziggy Stardust*. Für Bowie schien es damals also keine besonders gute Idee zu sein, sich als empfindsamer Singer-Songwriter zu positionieren. Warum also kein Kleid anziehen und es mit einem Hardrockalbum versuchen?

Bowies Manager Kenneth Pitt wollte, dass George Martin »Space Oddity« produziert, doch der legendäre Beatles-Produzent schätzte den Song nicht besonders. Diese geringe Meinung teilte auch der Album-Produzent Tony Visconti, der schließlich Gus Dudgeon als Produzenten für »Space Oddity« gewinnen konnte.

BECKENHAM ARTS LAB

»Mir war gar nicht bewusst, dass es in Beckenham so viele Sitar-Spieler gab.« D. B. 1969

Das originale Arts Lab wurde im Jahr 1967 von dem Amerikaner Jim Haynes gegründet. Haynes war eine der führenden Persönlichkeiten der britischen Gegenkultur und hatte zuvor schon gemeinsam mit Barry Miles und John Hopkins die Underground-Zeitschrift *International Times* ins Leben gerufen. Das Drury Lane Arts Lab existierte zwar nur 15 Monate, war aber dennoch unglaublich einflussreich. So präsentierte hier beispielsweise eine Ausstellung im Mai 1968 das erste gemeinsame Kunstwerk von John Lennon und Yoko Ono.

Bowie gründete mit seiner damaligen Freundin Mary Finnigan sowie Christina Ostrom und Barrie Jackson sein Arts Lab am 4. Mai 1969 im Three Tuns Pub in Beckenham. Bis zu seinem Ende 1973 war das Arts Lab sehr erfolgreich; viele Künstler gaben sich hier die Klinke in die Hand, darunter so namhafte Musiker wie Marc Bolan, Steve Harley, Peter Frampton, Rick Wakeman und Lionel Bart.

Um Spenden für das Arts Lab zu beschaffen, veranstaltete Bowie am 16. August 1969 ein Umsonst-und-draußen-Konzert in einem Park in Beckenham. Eine unspektakuläre, fast dorffestartige Veranstaltung, die später ziemlich verklärt unsterblich gemacht wurde mit dem Song »Memory Of A Free Festival«.

DER EINFLUSSREICHE MIME

»Ich sang die Songs mit meinem Körper, er sang sie traumhaft schön mit seiner Stimme, und wir rechneten uns aus, dass das Publikum gar nicht anders könnte, als entzückt zu sein, wenn wir beides miteinander kombinierten.« Lindsay Kemp, 1974

Der Tänzer, Choreograf und Schauspieler Lindsay Kemp wurde 1938 in South Shield im Nordosten Englands geboren. Schon als Junge schminkte er sich und tanzte auf dem Küchentisch. Später lernte er Tanz bei Hilde Holger und Pantomimik bei Marcel Marceau, bevor er Anfang der 60er seine eigene Tanzgruppe gründete.

Kemp liegt weniger die Pantomime als vielmehr der Konzepttanz am Herzen, wobei es ihm besonders die japanische Tanzform Butoh angetan hat – von der das »klassische« Erscheinungsbild des Pantomimen mit weißem Gesicht und Körper herrührt.

Kemps Einfluss auf Bowie kann gar nicht hoch genug veranschlagt werden. Bowies Theatererfahrung und die dadurch erworbene Vielfalt seiner Ausdrucksmöglichkeiten unterscheiden ihn grundsätzlich von den anderen Möchtegernstars der Sixties; sie sind es, die ihn maßgeblich dazu befähigten, so subtile Figuren wie Ziggy Stardust und den Thin White Duke zu erschaffen, ganz zu schweigen von seinen zahlreichen intelligent produzierten Liveshows.

»Seine Idee einer höheren Realität hat mich vom Make-up bis hin zu den Kostümen geprägt. Dasselbe gilt für sein Engagement, die Grenzen zwischen dem, was sich auf der Bühne, und dem, was sich jenseits davon abspielt, zu sprengen.« D. B. 2002

Bowie rezitiert Gedichte im Beckenham Arts Lab, Sommer 1969 (links). Lindsay Kemp, hier in der Rolle der Salome im Londoner Roundhouse (oben), hatte einen prägenden Einfluss auf Bowie, der hier in Kemps Bühnenstück *Pierrot in Turquoise* (gegenüber) zu sehen ist, das von Dezember 1967 bis März 1968 aufgeführt wurde.

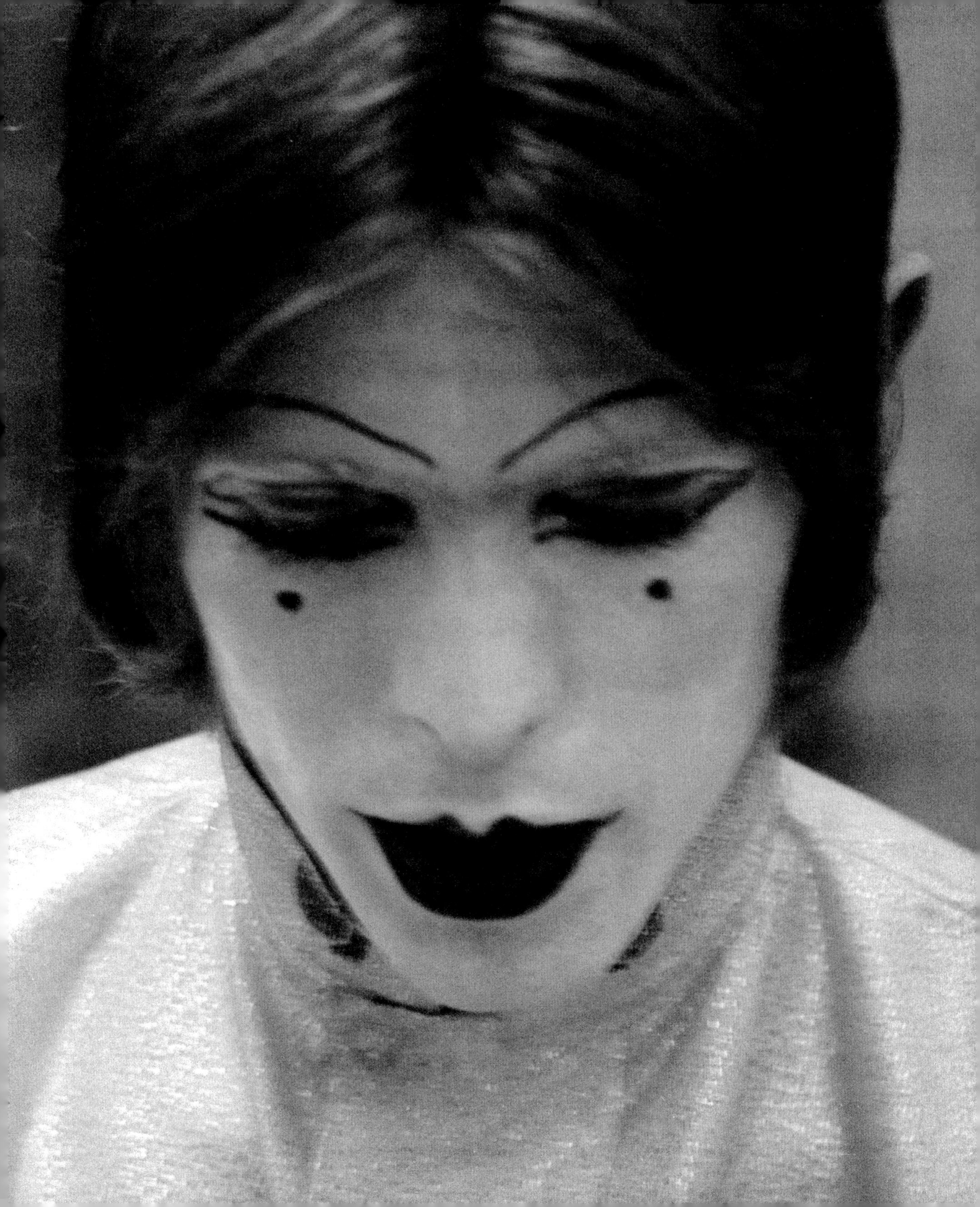

»ICH VERWAHRE MICH DAGEGEN, ALS MITTELMÄSSIG WAHRGENOMMEN ZU WERDEN. WENN ICH TATSÄCHLICH MITTELMÄSSIG WERDE, ZIEHE ICH MICH SOFORT AUS DIESEM GESCHÄFT ZURÜCK.«

DAVID BOWIE, 1971

1970

Februar–Mai
Auftritte mit der Backingband Hype.
März
UK-Veröffentlichung von »The Prettiest Star«/»Conversation Piece« (–).
ca. März
Tony Defries und Laurence Myers übernehmen Bowies Management.
20. März
Bowie heiratet Mary Angela »Angie« Barnett.
10. Mai
Für »Space Oddity« wird er mit dem Ivor Novello Award ausgezeichnet.
Juni
UK-Veröffentlichung von »Memory Of A Free Festival Part 1«/ »Memory Of A Free Festival Part 2« (–).
4. November
US-Veröffentlichung von *The Man Who Sold The World* (–).

1971

Januar
UK-Veröffentlichung von »Holy Holy«/»Black Country Rock« (–).
Februar–Mai
Um sein neues Album zu promoten, reist er zum ersten Mal in die USA.
April
UK-Veröffentlichung von *The Man Who Sold The World* (–).

Vorherige Seite: Bei einer Pause während der Aufnahmen zu der niederländischen TV-Show *Eddy, Ready, Go!*, 18. Juli 1970.

Gegenüber: An der Schwelle zum Erfolg richtet Bowie seinen Blick auf Höheres. Haddon Hall, Beckenham, Kent, 1970.

Oben: Mr. und Mrs. Bowie posieren mit Bowies Mutter Peggy vor dem Standesamt in Bromley für den Hochzeitsfotografen, 20. März 1970.

Dank der Tantiemen von seiner Top-Five-Single »Space Oddity« konnte sich Bowie erlauben, nach Beckenham zu ziehen in ein stattliches neogotisches Haus, das Haddon Hall genannt wurde. Zusammen mit seiner neuen Freundin Angie Barnett mietete er eine Wohnung im ersten Stock. Seit ihrem ersten Date waren die beiden unzertrennlich – und binnen eines Jahres verheiratet.

Haddon Hall war entscheidend für Bowies Wandlung. Er und Angie begannen hier in vielerlei Beziehung herumzuexperimentieren, nicht zuletzt auch sexuell. Ihr gemeinsames Zuhause umgab eine Aura der Dekadenz; und ebenso wie ihr Drogenkonsum spiegelten sich auch die neuen sexuellen Erfahrungen langsam in den Songs wider. Und so klingt Bowie, der nun anfängt, in einer lustbetonten, aufreizenden Art und Weise zu singen, auf *The Man Who Sold The World* endlich wie ein sexuelles Wesen.

Dessen ungeachtet war Bowie, was seine künstlerischen Ambitionen anbelangte, niedergeschlagen und alles andere als selbstsicher. Sein Vater war kürzlich verstorben und sein zweites Album drohte ein Ladenhüter zu werden.

Tony Visconti und seine Freundin Liz Hartley hatten sich ebenfalls in Haddon Hall einquartiert. In einem Radiointerview mit der BBC im Jahr 1976 erinnerte sich Visconti an die Zeit: »Er wusste nicht wirklich, was er wollte. Nachdem wir die Arbeit an *Space Oddity* abgeschlossen hatten, waren wir sicher, dass das nicht die Richtung war, in die wir gehen wollten, denn obwohl er so eine fantastische Single hatte, profitierte das Album davon überhaupt nicht.«

Die Anfang 1970 aufgenommene Single »The Prettiest Star« trug nicht dazu bei, Bowies Zweifel zu zerstreuen. Auch dieser geradlinige Popsong kam nicht in die Charts.

Doch Bowies Situation änderte sich schlagartig, als er bei seinem Auftritt im Marquee Club Anfang Februar einen Mann kennenlernte, der ihm helfen sollte, die höchsten musikalischen Gipfel zu erklimmen. Sein Name war Mick Ronson. Die beiden verstanden sich auf Anhieb bestens. Einen eindrucksvollen Beweis dafür lieferten sie zwei Tage später, als sie für die *John Peel Radio Show* die neue Bowie-Komposition »Width Of A Circle« spielten.

Ronsons Vorbilder waren Jeff Beck und Eric Clapton von Cream. Der Hardrock-Sound dieser Band in Verbindung mit Ronsons unbestreitbarem Talent als Leadgitarrist war perfekt geeignet, um Bowies neuem Songmaterial den richtigen Schliff zu verpassen.

Als Visconti Bowie riet, seinen Kurs zu ändern, stimmte dieser zu. Bowie war der Meinung, dass sie eine Band bräuchten. Und die hatten sie bald, mit Ronson an der Gitarre, Visconti am Bass und John Cambridge am Schlagzeug. Sie nannten sich David Bowie and The Hype und hatten ihren ersten Auftritt am 22. Februar 1970 im Londoner Roundhouse. Visconti behauptet, dass dieser Gig den Weg für das Phänomen Glamrock bereitet habe. Wenn dem wirklich so war, dann lag das an der fruchtbaren Beziehung von David und Angie.

Bowie war sich bewusst, welche Bedeutung dem Outfit zukam. Bei seinem Versuch, sich mit *Space Oddity* als Singer-Songwriter zu etablieren, kleidete er sich genau so wie die zeitgenössischen Rockstars: Schlaghosen, Batikshirts und lange Haare. Doch für das neue Projekt hatten David und Angie beschlossen, die Jeans im Schrank zu lassen und sich hemmungslos auszustaffieren.

»Wir trugen diese Kostüme, die ein paar Freundinnen von uns gemacht hatten und in denen wir aussahen wie Dr. Strange oder der Unglaubliche Hulk. Ich hatte schon ein paar Bedenken, so im Roundhouse aufzutreten, weil ich nicht einschätzen konnte, wie das Publikum reagieren würde. Wenn die Zuschauer das alles nur für Klamauk gehalten hätten, wäre der Schuss nach hinten losgegangen, doch sie schienen sich einfach damit abzufinden, was sehr nett von ihnen war.« D.B. 1970

Die Band wurde also für das Projekt parat gemacht und jeder mit einem neuen Namen und Kostüm ausgestattet. Visconti war der Hyper Man mit Cape und silberner Unterhose. Ronson gab im Goldlaméanzug den Gangster Man und Cambridge war fortan der Cowboy Man. Das Publikum war gleichermaßen verblüfft und beeindruckt. Dennoch blieb der Gig Bowie als ein einziges Desaster in Erinnerung. Er behauptete später, dass Marc Bolan, der mit einem Plastikkinderhelm und -brustpanzer wie ein bizarrer römischer Legionär aussah und direkt vor der Bühne stand, der Einzige gewesen sei, der applaudiert habe.

Im selben Jahr tat sich Bowie für eine Reihe von Auftritten wieder mit Lindsay Kemp zusammen, was es ihm nicht gerade einfacher machte, sich über seinen weiteren

In Haddon Hall nimmt Bowie auf der Chaiselongue die Pose ein, in der er später auf dem original UK-Cover von *The Man Who Sold The World* – allerdings in gemütlicherer Kleidung – zu sehen sein wird. Für die US-Veröffentlichung wurde eine weniger umstrittene Gunslinger-Illustration verwendet (vorherige Seite unten).

Weg klar zu werden. War er Singer-Songwriter, Rocksänger oder Pantomime? In Haddon Hall hat er schließlich angefangen zu verstehen, wie sein Weg aussehen konnte.

»Ich begriff, dass es mir eigentlich darum ging, berühmt zu werden. Ich wollte, dass man mich als Trendsetter sah und nicht als Modeerscheinung. Ich wollte ein Initiator neuer Ideen sein. Ich wollte die Leute mit neuen Dingen und neuen Perspektiven konfrontieren. Nach einiger Überlegung entschloss ich mich, dazu auf das einfachste Mittel zurückzugreifen, und das war der Rock'n'Roll. Ich wollte über die Jahre hier und da etwas von mir einbringen, sodass der Rock'n'Roll am Ende mein ganz eigenes Medium sein würde.« D. B. 1976

Als die Band im April 1970 ins Studio ging, hatte sie mit »Width Of A Circle« nur einen komplett ausgearbeiteten Song im Gepäck. Bowie hatte ansonsten noch ein paar neue Songtitel und Akkordwechsel, mehr nicht. Einer der bereits feststehenden Titel lautete »The Man Who Sold The World«, zu dem ihn das Buch *The Man Who Sold The Moon* von Robert Heinlein inspiriert hatte.

Als Produzent war Visconti sehr auf einen reibungslosen Ablauf bedacht. Wenn er sich heute daran erinnert, sagt er, dass es ein haarsträubendes Experiment gewesen sei, vor allem weil sich Bowie darauf nicht so sehr konzentriert hätte wie auf andere Projekte.

Die Verlockungen seiner neuen Frau Angie waren wohl der Grund dafür, dass Bowie nicht ganz bei der Sache war. Immerhin schrieb er in der zur Verfügung stehenden Studiozeit acht weitere Songs. Er präsentierte der versammelten Band die Ergebnisse seiner Arbeit, nahm seine Parts auf und überließ die Verantwortung für die Arrangements und die Produktion Ronson und Visconti.

Ronson insistierte, Visconti solle wie Jack Bruce spielen, damit der Bass auch vorbildgetreu zu seinem von Clapton und Beck inspirierten Gitarrenstil passte. Das Ergebnis war ein Hardrockalbum voller Songs, die entweder von Bowies Familienproblemen handelten und durch Science-Fiction-Metaphern verfremdet wurden – in »All The Madmen« sahen viele einen Song über seinen Halbbruder Terry – oder von radikalen philosophischen Ideen, über die Bowie kurz zuvor irgendwo etwas gelesen hatte. 1975 sagte Bowie, dass er öfter, nachdem er ein Buch gelesen habe, versuche, die Essenz in einem Song herauszudestillieren, so wie er es beispielsweise nach der Lektüre von Nietzsches *Jenseits von Gut und Böse* mit »The Supermen« getan hatte.

Auch wenn sich die Platte nicht gut verkaufte, gibt es doch einige Leute wie Morrissey, die *The Man Who Sold The World* zu ihrem Lieblings-Bowie-Album gekürt haben. Der Schöpfer selbst beurteilt die Platte etwas anders.

»Es war ein Albtraum. Ich habe den ganzen Produktionsprozess gehasst. Ich hatte nie zuvor ein so professionell aufgenommenes Album gemacht, was mich ganz schön verstört hat. Ich fand es irgendwie belanglos. Ich wünschte, wir hätten es damals einfach auf vier Spuren aufgenommen, fertig. Aber so wurde das Ganze viel zu glatt.« D. B. 1976

Kaum waren die Aufnahmen beendet, gingen Bowie, die Band und der Produzent ihrer Wege. Als das Album im April 1971 veröffentlicht wurde und die Beteiligten das Cover sahen, mussten sie schlucken. Darauf abgebildet war der auf einer Chaiselongue liegende, eine Spielkarte zwischen den Fingern haltende und nonchalant in die Kamera schauende Bowie – und er trug ein Kleid!

Das Kleid stammte von Mr. Fish, einem Londoner Schneider. Ein alter Schulfreund von Bowie, Geoff MacCormack (der auf späteren Bowie-Alben unter dem Namen Warren Peace mitwirkte), arbeitete dort und hatte ihn einmal mitgenommen. Fish hatte die weiße Tunika geschneidert, die Mick Jagger beim Stones-Konzert im Hyde Park getragen hatte. Bowie hatte dieses Bild verinnerlicht und spielte nun damit in einer sehr provokanten Weise.

Visconti sagte 1975: »Er wollte immer auffallen. Er lud eine Menge durchgeknallter Typen zu uns nach Hause ein, was auch ein Grund dafür war, dass ich auszog. Mir waren all diese Freaks, die hier ständig aus- und eingingen, einfach zuwider. Sobald einer zur Tür raus war, der, sagen wir, wie ein Teddyboy aussah, rannte David zum Lokus und stylte sich die Haare auf genau dieselbe Weise. Er war zu dieser Zeit eindeutig auf der Suche nach einem Image.«

Der Initiator neuer Ideen schritt zur Tat.

Gegenüber: Bei einem Auftritt mit seiner Band Hype im Roundhouse am 11. März 1970.

Unten: Der Hype-Gitarrist Mick Ronson sollte in den nächsten drei Jahren entscheidenden Anteil an Bowies Riesenerfolg haben, nicht nur als brillanter Gitarrist, sondern auch als exzellenter Arrangeur.

Ganz unten: Ein echter Rock'n'Roll-Star – vor Haddon Hall, der neogotischen Villa, in der Bowie von 1969 bis 1973 eine Wohnung gemietet und sich eine Reihe provokanter neuer Images ausgedacht hatte.

HUNKY DORY 1971

»MIR WURDE KLAR, DASS ICH NICHT EINFACH STIL- ODER GENRETREU SEIN KONNTE. ICH WAR KEIN R&B-MUSIKER UND AUCH KEIN FOLKSÄNGER, UND ICH HABE NIE VERSTANDEN, WARUM MAN VERSUCHEN SOLLTE, DAS EINE ODER DAS ANDERE IN REINFORM ZU SEIN. MIR SCHWEBTE EHER VOR, LITTLE RICHARD UND JACQUES BREL ZUSAMMENZUBRINGEN UND VON VELVET UNDERGROUND ALS BACKINGBAND BEGLEITEN ZU LASSEN.«

DAVID BOWIE, 2011

DAVID BOWIE
Exclusively on RCA
RCA Records and Tapes

1971
Mai
UK-Veröffentlichung von Arnold Corns Version von »Moonage Daydream«/»Hang On To Yourself« (–).
30. Mai
Geburt seines Sohns Duncan Zowie Haywood Jones.
23. Juni
Auftritt beim Glastonbury Fayre.
September
Reise nach New York, um den Vertrag mit RCA zu unterschreiben. Erste Begegnung mit Andy Warhol.
17. Dezember
Veröffentlichung von *Hunky Dory* (UK 3, US 93).

Vorherige Seite: PR-Aufnahme für *Hunky Dory*, Bowies erstem RCA-Album.

Gegenüber und oben rechts: Auf seiner ersten Amerika-Reise 1971 jamt Bowie bei der Party von einem Bekannten des Publizisten Rodney Bingenheimer in Los Angeles.

Oben links: Gemeinsam mit dem Modedesigner Freddie Burretti auf dem Cover von *Curious* – »the sex education magazine for men and women«. Burretti entwarf nicht nur Bowies Bühnenkostüme, sondern machte auch als Frontman bei dessen Nebenprojekt Arnold Corns mit.

Im Februar 1971 flog David Bowie in die USA. Ebenso wie Japan hatten ihn die Vereinigten Staaten schon sein ganzes Leben lang fasziniert. Ein Land voller Verheißungen und Möglichkeiten, in jeder Beziehung. Bowies Heimatland war im Vergleich dazu eine graue Maus. Dort war alles trüb und eng und die Leute wurden um Mitternacht mit einer Tasse Tee und der Nationalhymne ins Bett geschickt. Amerika war weit und riesengroß und offen für zielstrebige Menschen, zu denen Bowie zweifellos gehörte.

Er kam in die Staaten, um den Verkauf von *The Man Who Sold The World* anzukurbeln, doch war er diesbezüglich nicht sehr erfolgreich. Trotz der Beachtung, die man ihm schenkte, waren die Verkaufszahlen enttäuschend.

In einer anderen Beziehung war sein USA-Trip jedoch ein voller Erfolg. Bowie sog Amerika förmlich mit jeder Pore in sich auf, wodurch sich seine Musik unwiderruflich veränderte und sein Weg zum Ruhm geebnet wurde. Er vollzog in der Folge einen Wandel vom Epischen zum Prägnanten. *Hunky Dory* ist das erste Album, auf dem sich dies niederschlug.

»Es gab Gründe für die Veränderung. Zwei wichtige Ereignisse waren entscheidend. Zum einen war ich für drei Monate in den Staaten gewesen, um The Man Who Sold The World *zu promoten, und als ich zurückkehrte, hatte ich eine vollkommen neue Sicht aufs Songwriting. Das wirkte sich umgehend auf alle Songs aus, die ich seitdem geschrieben habe. Zum anderen hatte ich nach meiner Rückkehr mit RCA eine neue Plattenfirma – und überdies auch noch eine neue Band.«* D. B. 1972

Hunky Dory ist ein spontanes, souveränes Album, eher eine Selbstoffenbarung denn ein Versuch, sich zu verstellen. Auch wenn das Bowie-Porträt auf dem Cover den Geist von Greta Garbo heraufbeschwört, so schlüpft er in den Songs selbst nicht in eine Rolle oder versucht sich sonst auf irgendeine Weise zu verstecken. *Hunky Dory* zeigt den Songwriter David Bowie, einen Künstler, der sich überzeugend diverser Stile bedient und sich als begnadeter Texter etabliert. Wie alle Albumklassiker kann diese in sich geschlossene Platte ganz für sich allein bestehen. Obwohl in nur zwei Wochen aufgenommen, klingt sie keineswegs nach einem Schnellschuss, sondern besticht durch ihre ausgereiften musikalischen Ideen und ihre ausdrucksstarke – wenn auch teils verstörende – Metaphorik.

Als Bowie Anfang Juni 71 voller Zuversicht ins Studio ging, hatte er bereits die meisten der elf Songs, die schließlich auf das Album kamen, geschrieben – und noch weitere, die erst später auf *Ziggy Stardust* erscheinen sollten. Er tat sich wieder mit dem Gitarristen Mick Ronson zusammen und mit dem Schlagzeuger Mick »Woody« Woodmansey, der den Bassisten Trevor Bolder mit in die Band brachte. Bowies zunächst gar nicht für *Hunky Dory* vorgesehener Song »Oh! You Pretty Things« war in der von Peter Noone gesungenen Version gerade dabei, die englischen Charts hochzuklettern, wo er immerhin Platz zwölf erreichte. Seine Managementfirma GEM Productions – die schon bald unter dem Namen MainMan fortgeführt wurde – hatte vergeblich versucht, Stevie Wonder unter Vertrag zu nehmen, und konzentrierte sich nun voll und ganz darauf, Bowie zu unterstützen.

Mit »Changes« und »Life on Mars?« sind auf *Hunky Dory* zwei unbestreitbare Klassiker. »Changes« – vollgepackt mit großartigen Melodien und mit einem der hinreißendsten Refrains von Bowie – bringt die neue musikalische Ausrichtung und Inspiration des Künstlers auf den Punkt: »Ah, strange fascination fascinating me.«

»Life On Mars?« ist ein famoser Popsong mit einer betörenden Melodie und einem teils kryptischen Text – unverwechselbar Bowie. Inspiriert wurde er durch eine Zurückweisung, und zwar nicht, wie oft zu lesen ist, durch das Ende seiner so kurzen wie heftigen Affäre mit der Schauspielerin und Tänzerin Hermione Farthingale, sondern durch Frank Sinatras Erfolg mit der englischen Version des französischen Chansons »Comme d'Habitude«, für den Bowie 1968 einen eigenen englischen Text mit dem Titel »Even A Fool Learns To Love« geschrieben hatte, wobei ihm aber der französische Rechteinhaber nicht gestattet hatte, diesen Song aufzunehmen. Sinatras Version dieses Lieds hatte Paul Anka getextet, es hieß »My Way«.

Bowies Rache bestand darin, den Akkordwechsel von »My Way« in »Life On Mars?« zu integrieren – und dem Songtitel auf der Coverrückseite die Anmerkung »inspired by Frankie« beizufügen. Der Text enthält eine ganze Reihe Anspielungen auf die USA, und Bowie selbst sagte später, er sähe darin ein Liebeslied, einen Song über ein Kleinstadtmädchen mit großen Träumen.

Was an *Hunky Dory* bemerkenswert ist und vielleicht seinen anfänglichen Misserfolg erklärt – später wurde es, gemessen an den Wochen, die es in den Charts platziert war, Bowies zweiterfolgreichstes Album –, ist die Tatsache, dass es denkbar wenig mit der Musik zu tun hat, die 1971 gehört wurde. Abgesehen davon, dass Mick Ronsons Gitarre auf »Eight Line Poem« Faces-typisch und Bowie ab und an wie der »Lola« singende Ray Davis klingt und dass ein Großteil der Songs sehr pianolastig ist – wie Carole Kings »It's Too Late«, die meistverkaufteste Single des Jahres –, ist *Hunky Dory* ein vollkommen eigenständiges Album.

Diese Platte erlaubt uns, den Songwriter einmal näher in den Blick zu nehmen, seine Fähigkeit, scheinbar mühelos fantastische Melodien aus dem Ärmel zu schütteln und unterschiedliche Stimmungen heraufzubeschwören, vom bezaubernden »Kooks« (das er am Tag der Geburt seines Sohnes Duncan über diesen geschrieben hat) über die warmherzige Coverversion von »Fill Your Heart« bis hin zu den sehr überzeugenden Abstechern in Singer-Songwriter-Gefilde wie »Quicksand« und »The Bewlay Brothers«.

»Quicksand« ist ein Musterbeispiel dafür, wie an den Songs gefeilt wurde, bis sie dem gewünschten Resultat entsprachen: Obwohl schon das Demo – auf dem Bowie Akustikgitarre spielt – wunderschön ist, wird bei der Plattenaufnahme durch das verlangsamte Tempo noch mehr Gewicht auf den Text gelegt, was durch die dramatischen musikalischen Pausen, die Bowies lebendige Bildsprache besonders betonen und die Unentschlossenheit des lyrischen Ichs unterstreichen, noch gesteigert wird.

Mick Ronson muss an dieser Stelle besonders hervorgehoben werden. Bowie ließ ihm freie Hand beim Arrangieren der Songs, und der Gitarrist hat sich dieses Vertrauens mehr als würdig erwiesen. Seine Arrangements zeichnen sich durch eine ungeheure musikalische Originalität aus.

Auf den Einfluss, den die Beschäftigung mit Amerika auf das Album hatte, weist schon der Titel hin, eine amerikanische Redewendung, die in England seinerzeit noch unbekannt war und soviel bedeutet wie »alles paletti«. Hinzu kommen noch die drei aufeinanderfolgenden »amerikanischen« Songs »Andy Warhol«, »Song For Bob Dylan« und »Queen Bitch« (denen »Fill Your Heart« vorangeht, dessen Co-Autor der in England ziemlich unbekannte Sänger und Komiker Biff Rose war).

Andy Warhols Pop-Art-Ansatz, sich mit den kulturellen Symbolen auseinanderzusetzen, stimmte mit der Ästhetik von Bowie weitgehend überein. Er hatte Warhol in New

Beim Bummeln durch Beckenham mit Angie und dem neugeborenen Sohn Zowie, Juni 1971. Zowie entschied sich später, Joe genannt werden zu wollen; als Erwachsener griff er dann auf seinen Geburtsnamen Duncan Jones zurück. Duncan Jones ist ein erfolgreicher Regisseur, der mit Filmen wie *Moon* (2009) und *Source Code* (2011) bekannt wurde.

York getroffen, und die beiden haben eine Stunde lang schweigend beieinandergestanden. Dann begann Warhol, von Bowies Schuhen zu schwärmen. Das war alles.

»Das waren so kleine gelbe Teile mit einem Riemchen, sie sahen aus wie Mädchenschuhe. Er fand sie entzückend. Ich habe später herausgefunden, dass er in jüngeren Jahren eine Menge Schuhe designt hat. Er war ein kleiner Schuhfetischist.« D. B. 2003

Immer, wenn in späteren Jahren Bowies Song im Radio lief, stellte Warhol das Gerät sofort aus. Er hatte sich erkundigt, ob ihm für die Verwendung seines Namens Lizenzgebühren zustünden. Die Antwort fiel negativ aus.

»Song For Bob Dylan« ist ebenso wie »Andy Warhol« eine in Pop-Art-Manier geschaffene Nummer, eine Botschaft an einen tollen Menschen, der eine ganze Generation verzaubert hatte. Dylans Rückzug aus der Öffentlichenlichkeit hatte damals viele Leute irritiert. In der Gewissheit, dass hinter jedem Star ein Mensch steht, stellt sich Bowie vor, dass Dylan nur eine Fassade von Robert Zimmermann ist.

»Queen Bitch« ist Bowies Verneigung vor Velvet Underground, von denen er ein großer Fan ist. Der Song ist nicht nur eine Referenz an Lou Reeds New York mit seinen schäbigen Hotels, Drag Queens, Drogen und dem wilden Sextreiben, sondern zeigt auch die musikalische Richtung auf, in der es mit *Ziggy Stardust* weitergehen sollte.

Der Schlusspunkt des Albums, »The Bewlay Brothers«, ist entsprechend bedeutungsschwer, voller falscher Fährten, die Bowie, wie er später zugab, absichtlich legte, um auch seine größten Fans bewusst in die Irre zu führen.

Nach seiner Veröffentlichung war *Hunky Dory* mit nur 5000 verkauften Platten in den ersten drei Monaten fast ein Flopp, doch infolge der Ziggymania wurde die Platte noch ein großer kommerzieller Erfolg. Ein unzeitgemäßes Album, das sich nirgendwo einordnen ließ. Mit der Rock- oder Popmusik seiner Zeit hatte es nichts gemein. Es hat kein übergeordnetes Thema und soll keinem aufgesetzten Zweck dienen, es ist einfach eine unprätentiöse Sammlung zeitloser Songs. Dass Bowie, noch während er die Songs für dieses grandiose Album schrieb und aufnahm, bereits an dem Nachfolger arbeitete, macht deutlich, weshalb er bald ein so großer Star sein sollte.

»... das originellste Songwriting seit geraumer Zeit.«

Melody Maker, Januar 1972

ANDY, IGGY UND LOU

Als Bowie im Februar 1971 zum ersten Mal nach New York kam, führte ihn sein Weg direkt zu Andy Warhols Factory und Mickey Ruskins Nachtclub Max's Kansas City, den Zentren der avantgardistischen Kunstszene in der Metropole. Die Leute, die er dort traf, spielten in seinem Leben und seiner Karriere fortan eine wichtige Rolle.

Da waren zum einen die fast zum Inventar des Max's gehörenden Cherry Vanilla und Leee Black Childers, die später in Bowies Managementfirma MainMan mitarbeiteten. Und dann waren da noch der legendäre Lou Reed und der schon bald ebenfalls legendäre Iggy Pop.

Bowie half, Reeds Karriere wieder in Schwung zu bringen, indem er seine Songs coverte, ihn in der Londoner Royal Festival Hall zu sich auf die Bühne holte und auf dem Höhepunkt der Ziggymania sein Album *Transformer* co-produzierte. Nach einer Prügelei während eines gemeinsamen Abendessens im Jahr 1979 sprachen sie bis zu Reeds Auftritt beim Konzert zu Bowies fünfzigsten Geburtstag im Madison Square Garden 1997 fast zwanzig Jahre lang nicht mehr miteinander.

1972 half Bowie auch bei der Produktion des Kultalbums *Raw Power* von Iggy and The Stooges. 1974 hatte sich Iggy Pop selbst in eine Klinik eingewiesen, um etwas gegen sein massives Drogenproblem zu unternehmen; Bowie besuchte ihn dort regelmäßig. 1976 zogen beide nach Berlin. Bevor Bowie *Low* aufnahm, half er Iggy, Songs für sein Soloalbum *The Idiot* zu schreiben und es aufzunehmen. Anschließend ging er mit Iggy als einfacher Keyboarder in dessen Band auf Tour. Direkt im Anschluss daran schrieb und produzierte er mit Iggy innerhalb von acht Tagen die Songs für den Nachfolger *Lust For Life*. Als Co-Produzent war Bowie 1986 auch an Iggys *Blah Blah Blah* beteiligt.

Bowies Verhältnis zu Warhol war wesentlich distanzierter. Die beiden wurden nie richtig warm miteinander. Gleichwohl spielte Bowie die Rolle des Künstlers in dem 1996 erschienenen Film *Basquiat*.

Just a perfect day? – David Bowie, Iggy Pop und Lou Reed im Londoner Dorchester Hotel im Juli 1972. Im vorangegangenen Jahr war Bowie mit Iggy und Lou durch die New Yorker Clubs gezogen. Oft waren sie in Max's Kansas City, das hier auf dem Cover von *The Velvet Underground Live At Max's Kansas City* abgebildet ist. Seinen ersten Auftritt in den USA hatte er allerdings erst ein Jahr später am 22. September 1972 in der Cleveland Music Hall (nächste Seite, mit Mick Ronson).

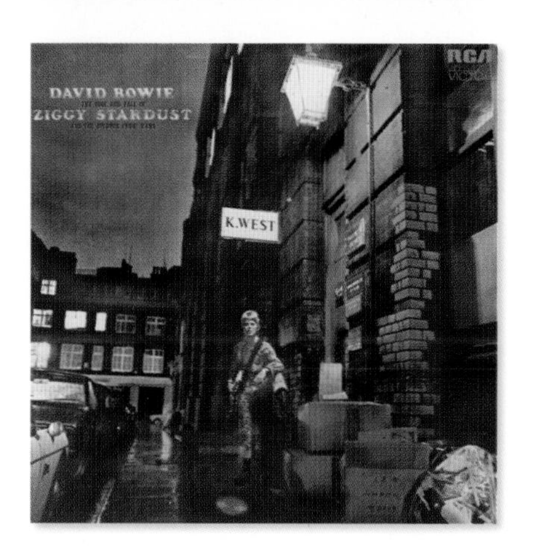

»ICH WURDE ZU ZIGGY STARDUST. DAVID BOWIE HATTE SICH VERFLÜCHTIGT. JEDER VERSUCHTE MICH DAVON ZU ÜBERZEUGEN, DASS ICH EIN MESSIAS BIN, BESONDERS AUF UNSERER ERSTEN AMERIKA-TOURNEE. ICH HATTE MICH HOFFNUNGSLOS IN DIESEM FANTASIEGESCHÖPF VERLOREN.«

DAVID BOWIE, 1976

1972

Januar
Veröffentlichung von »Changes«/»Andy Warhol« (UK –, US 41).

22. Januar
In einem Interview mit dem *Melody Maker* erklärt er, bisexuell zu sein.

29. Januar
Erster Auftritt von Ziggy Stardust and The Spiders From Mars im Friars Club in Aylesbury, Buckinghamshire.

April
Veröffentlichung von »Starman«/»Suffragette City« (UK 10, US 65).

6. Juni
UK-Veröffentlichung von *The Rise And Fall Of Ziggy Stardust And The Spiders From Mars* (5).

17. Juni
In der Oxford Town Hall simuliert Bowie zum ersten Mal eine Fellatio an Mick Ronsons Gitarre.

30. Juni
Tony Defries gründet MainMan und wird Bowies Manager.

Juli
UK-Veröffentlichung von Mott The Hooples »All The Young Dudes«.

6. Juli
Legendärer Fernsehauftritt mit »Starman« in *Top Of The Pops*.

8. Juli
Auftritt beim Save-the-Whale-Wohltätigkeitskonzert, Royal Festival Hall, London; er singt ein Duett mit Lou Reed bei dessen erstem Auftritt in Großbritannien.

August
UK-Veröffentlichung von Arnold Corns Version von »Hang On To Yourself«/»Man In The Middle« (–).

19.–20. August
Fortsetzung der *Ziggy Stardust*-Tour mit bemerkenswerten Shows im Rainbow Theatre, London.

September
UK-Veröffentlichung von »John, I'm Only Dancing«/»Hang On To Yourself« (12).

1. September
US-Veröffentlichung von *The Rise And Fall Of Ziggy Stardust And The Spiders From Mars* (75).

Vorherige Seite: »Jamming good« (auch wenn bei dieser Gelegenheit Weird und Gilly nicht mit dabei sind), Birmingham Town Hall, 17. März 1972. Das Porträt machte Mick Rock, der Ziggy auf seiner Tour begleitete. Rock führte auch Regie bei den Videos zu »John, I'm Only Dancing«, »The Jean Genie«, »Space Oddity« und »Life On Mars?«.

Gegenüber: Beim Interview im April 1972. Die Musikpresse hatte ein gesteigertes Interesse an dem, was Bowie zu sagen hatte, seit er im Januar erklärt hatte, bisexuell zu sein.

Am Abend des 6. Juli 1972, einem Donnerstag, sahen Millionen Teenager, wie David Bowie seinem Gitarristen Mick Ronson den Arm um die Schultern legte und sang: »There's a starman waiting in the sky …«. Es war diese Aktion, die Bowie von einem Popstar zu einem Phänomen machte. Am nächsten Tag rannten landauf, landab die Schüler auf die Pausenhöfe und fragten einander aufgeregt: »Hast du in *Top Of The Pops* diesen Typen gesehen, der seinen Gitarristen in den Arm genommen hat?«

In der Mittagspause stürmten sie in den nächsten Plattenladen, um *The Rise And Fall Of Ziggy Stardust And The Spiders From Mars* zu kaufen. Die Bowiemania war ausgebrochen. Und es war tatsächlich der schiere Wahnsinn, dieser besondere Moment in der Popgeschichte, als sich wirklich alle englischen Jugendlichen für ein- und denselben Menschen begeisterten. Damit das überhaupt passieren konnte, musste einiges zusammenkommen: herausragende, einzigartige Musik, eine markante äußere Erscheinung, ein individueller Stil und eine faszinierende Weltanschauung. Und all das hatte Bowie zu bieten. Nach mühseligen, erfolglosen Jahren hatte er es schließlich geschafft, aus einem Sound und einer Vision etwas zu kreieren, das die Jugendlichen tief in ihrem Inneren ansprach. Alle Jungs und Mädchen waren verrückt nach ihm.

Bowies Schaffensrausch, der diesem denkwürdigen Moment vorausging, begann auf seiner USA-Reise Anfang 1971. In Chicago hatte ihm jemand eine Single des Sängers The Legendary Stardust Cowboy in die Hand gedrückt. Norman Carl Odom – wie der Cowboy eigentlich hieß – war ein Psychobilly-Künstler mit einem Faible für den Mond.

Zwei Wochen später hörte Bowie im Radio zum ersten Mal den Namen Iggy Pop. Dieser Künstlername hatte ihn dermaßen beeindruckt, dass er einfach den Vornamen Iggy nahm, ihm noch ein Z voranstellte und als Nachnahmen Stardust wählte. Ziggy Stardust. Bowie war vollauf begeistert, denn mittels eines Alter Ego sah er sich in der Lage, all seine gegensätzlichen Interessen – ausgefallene Klamotten, Pantomime, Schauspiel und Rock'n'Roll – miteinander zu verbinden.

Das war sein Heureka-Erlebnis. Seine Unsicherheit war auf einen Schlag verflogen, nun stand ihm die ganze Welt offen. Er verfiel in einen regelrechten Schaffensrausch, der die ganzen 70er-Jahre hindurch anhalten sollte. Seine »Golden Years« hatten soeben begonnen, was die großartigen Songs belegten, die er für *Hunky Dory* geschrieben hatte, seinem ersten wirklich klassischen Album.

Doch trotz der Hingabe, mit der Bowie an dieser Platte arbeitete, stand an erster Stelle der Gedanke an Ziggy. Bereits vier Monate bevor *Hunky Dory* herauskam, sprach er davon, eine *Ziggy Stardust Show* auf die Beine stellen zu wollen. Ihm schwebte dabei ein Musical vor, zu dem es auch ein Album mit demselben Titel geben sollte – eine Rockoper in der Tradition von *Tommy*. Erzählt werden sollte die Geschichte eines Außerirdischen, der auf die Erde kommt und nur noch fünf Jahre zu leben hat.

»Seit Ende 1970 hat mich die Idee einer überlebensgroßen Rockfigur umgetrieben. Der Rock'n'Roll schien sich damals in eine Jeans-Hölle verkrochen zu haben. Das war eigentlich alles nur noch eine ziemlich glanzlose und dumpfe Pose, keine Spur mehr von den großartigen Idealen der Sixties.« D. B. 2002

Drei Monate später, im November 1971, ging Bowie erneut in die Trident Studios – mit dabei war wieder Ken Scott als Co-Produzent. Vor den Aufnahmesessions warnte er Scott: »Du wirst dieses Album nicht mögen. Es geht eher Richtung Iggy Pop.« Doch dem war am Ende nicht so.

Bowie hatte Iggy Pop und Andy Warhol zwei Monate zuvor in New York kennengelernt. Warhol war distanziert und überheblich, doch Bowies Bewunderung für ihn tat das keinen Abbruch. Warhol war exzentrisch, kreativ und erfolgreich. Er war der lebende Beweis dafür, dass man mit einer eigenen Vision die Welt erobern konnte. Allein die Tatsache, dass es ihn gab, stimmte Bowie zuversichtlich.

Iggy Pop war ein unglaubliches Energiebündel, voller Adrenalin. Obwohl er drei Tage nicht geschlafen hatte, wirkte er auf Bowie wie eine alles zermalmende Naturgewalt. Einmal zertrümmerte er sogar eine Bierflasche auf seinem eigenen Schädel. Bowie wollte, dass seine nächste Platte auch etwas von dieser unbändigen Energie vermittelt.

Er hatte bereits Demos von zwei neuen Songs aufgenommen – die es allerdings nicht auf das neue Album schafften: »Shadowman« und »Something Happens« – und begann nun an drei anderen zu schreiben, die er jedoch nicht fertigstellen sollte: »It's Gonna Rain Again«, »Only One Paper Left« und »Looking For A Friend«.

Dass die Ideen damals nur so aus ihm heraussprudelten, lässt sich schon allein daran ablesen, dass er anschließend noch 13 Eigenkompositionen aufnahm, von denen zehn auf das Album kamen, sowie zwei Coverversionen: »It Ain't Easy« von Ron Davies und »Port Of Amsterdam« von Jacques Brel. Zwischen dem 8. und dem 15. November 1971 spielten er und seine Band »Star« ein (das ursprünglich »Rock'n'Roll Star« hieß), »Hang On To Yourself«, »Moonage Daydream«, »Five Years«, »Soul Love«, »Lady Stardust« (ursprünglich »He Was Alright – The Band Was Together«), »Sweet Head«, »Velvet Goldmine« (ursprünglich »He's A Goldmine«) und eine Überarbeitung von »The Supermen«, das Bowie als seinen Beitrag für den 1972 erschienenen Sampler *Revelations: A Musical Anthology for Glastonbury Fayre* beisteuerte. (»Sweet Head« und »Velvet Goldmine« blieben schließlich außen vor.)

Als *Hunky Dory* im Dezember 1971 herauskam, war *Ziggy Stardust* bereits zu zwei Dritteln fertig. Der Rest des Albums – »Suffragette City«, »Rock'n'Roll Suicide« und »Starman« – wurde zwischen dem 12. und 18. Januar und am 4. Februar 1972 in zwei weiteren kurzen Sessions aufgenommen.

Wenn man sich mit dem Ziggy-Stardust-Phänomen befasst, muss man sich auch mit Bowies Outfit beschäftigen. Wie Bowie später bekannte, lassen sich intellektuelle Konzepte einfacher verkaufen, wenn sie cool aussehen:

»Beide [2001: Odyssee im Weltraum *und* Uhrwerk Orange] *kreisen um dasselbe große Thema: Unser Leben verläuft nicht linear. Wir entwickeln uns nicht, wir überleben bloß. Hinzu kam, dass die Klamotten einfach fantastisch waren:* 2001 *mit den Courreges-artigen Freizeitanzügen und* Uhrwerk Orange *mit den todschicken Droogs.«* D. B. 2002

In den USA hatte Bowie Anzüge von Mr. Fish getragen. Und zu Hause in Haddon Hall hatte er mit verschiedenen Frisuren und Make-up experimentiert. Er war zweifellos einer der Ersten, die Make-up auflegten und verschiedene Kostüme ausprobierten, doch in kommerzieller Hinsicht war ihm sein Freund und Rivale Marc Bolan voraus.

Bolan war in einem Glitter-Outfit 1970 im Fernsehen aufgetreten (kurz nach Bowies Kostüm-Auftritt im Roundhouse) und wurde seitdem als Glamrock-Pionier gefeiert. Nicht ohne Neid blieb Bowie nichts anderes übrig, als abzuwarten, während Bolan eine Reihe von eingängigen Singles veröffentlichte und auf der Erfolgswelle ritt. Ihm war klar, dass er, um den Gegner auf seinem eigenen Feld

Spacige Outfits wie dieses – Lichtjahre entfernt von der »Jeans-Hölle des Rock'n'Roll« in den frühen 70em – bildeten die Basis für Ziggys wilde Mutation in einen Rockstar.

übertrumpfen zu können, einen riesigen Schritt weitergehen musste. Jagger trug ein Kleid bei einem Auftritt, Bowie präsentierte sich in einem auf einem Albumcover. Bolan veränderte sein Äußeres mithilfe von Glitter und Make-up, doch Bowie verwandelte sich in eine komplett andere Person, wobei ihm der Designer Freddie Burretti half.

Bowie hatte Burretti 1971 kennengelernt und schon bald gehörte Burretti zu den regelmäßigen Besuchern in Haddon Hall. Er gründete eine Band namens The Arnold Corns – mit Burretti als Frontman. Im Mai 1971 brachte diese Formation tatsächlich eine – erfolglose – Single heraus, die mit »Moonage Daydream« und »Hang Onto Yourself« zwei spätere *Ziggy Stardust*-Songs enthielt. Bowie bat Burretti ihm zu helfen, Ziggys Look zu kreieren. Ihr Ausgangspunkt war Stanley Kubricks Film *Uhrwerk Orange*. Bowie stand bereits in Kubricks Schuld, da dieser ihn schon zu »Space Oddity« inspiriert hatte. Nachdem er dann im Januar 1972 *Uhrwerk Orange* gesehen hatte und

Links: Moonage daydream – Mick Rock hält einen der seltenen ruhigen, nachdenklichen Momente im wohl aufregendsten Jahr in Bowies bisherigem Leben fest. Haddon Hall, 1972.

Oben: Freddie Burretti mit Suzi Fussey, der Friseurin aus Beckenham, die Ziggy zu seinen roten Haaren verhalf und später Mick Ronson heiratete.

von den Outfits der Droogs-Bande hingerissen war, bezog er erneut wichtige Anregungen aus einem Kubrick-Film.

»Die Overalls in dem Film fand ich großartig. Mich beeindruckte dieses Fiese und Gemeine an den vier Jungs, auch wenn ich der Gewaltdarstellung als solcher nicht viel abgewinnen konnte.« D. B. 1993

Alle originalen Ziggy-Kostüme waren einteilige Anzüge in grellen Farben, die Bowie mit ausgefallenen Accessoires wie Ringerstiefeln kombinierte.

Sein Timing war perfekt. Glamrock war mittlerweile im Mainstream angekommen, und Bowie, der viel zu clever war, um einfach auf irgendeinen Zug aufzuspringen, entschied sich, einen anderen Weg einzuschlagen. Er präsentierte sich als ein Außenseiter, als ein gesellschaftlicher Fremdling. Und damit traf er bei den Jugendlichen, die sich entfremdet und unverstanden fühlten, mitten ins Schwarze. Sie hatten in ihm ihren Erlöser gefunden. Hingegen verstörte er die Eltern. Am 22. Januar brachte der *Melody Maker* ein Interview mit Bowie, in dem er sagte: »Ich bin schwul und bin es immer schon gewesen, auch schon als ich noch David Jones war.«

Ein genialer Schachzug. Am nächsten Tag standen die Zeitungsredakteure Schlange, um ihn zu interviewen. Jedoch war all dies für sich genommen völlig bedeutungslos ohne das entscheidende Element – die Musik. Und die war exzellent, denn *Ziggy Stardust* war ein Album, das den Kriterien großer Popmusik vollauf genügte: sonderbar genug, um die Alten zu vergrätzen, und außergewöhnlich genug, um die Jungen zu verführen.

Jugendliche laufen keinem gefühllosen Menschen hinterher. Sie begeistern sich für einen Künstler, weil sie glauben, dass er ihnen etwas geben kann, was sie brauchen, und das sind in erster Linie Antworten. Viele Leute, die sich damals über ihn unterhielten, fanden Bowie als Menschen hochnäsig und unnahbar, und sie hatten vermutlich Recht. Ein gewisses Maß an Abstandswahrung ist ein Markenzeichen aller großen Künstler, denn es ist ja die Musik, durch die sich das Wesen eines Musikers offenbart. Bedeutende Musik lässt keinen Raum für einen heimlichen Rückzugsort, und diese Wahrhaftigkeit erkennen die Hörer auch.

Auf *Ziggy Stardust* ist Bowies Gesang warm und verführerisch, teils geradezu verschwörerisch. »Starman« singt er so, als würde er uns in ein großes Geheimnis einweihen. In »It Ain't Easy« hört er sich wie ein fremdartiges sexuelles Wesen aus dem Jenseits an. Und in »Five Years« vermittelt seine Stimme die ganzen Nuancen der Verzweiflung angesichts der beschriebenen apokalyptischen Szenen.

Viele der Songs haben eingängige Mitsing-Refrains – beispielsweise »Five Years«, »Lady Stardust« oder »Starman« –, die ja generell warmherzig zum Mitmachen auffordern. Die von Bowie dargestellte Figur mag kalt und fremdartig gewesen sein, seine Musik war es ganz und gar nicht.

Darüber hinaus kommt es auf den Sound von *Ziggy Stardust* an. Entscheidend ist, dass 1972 kein anderes Album so klang; der Sound war so einzigartig wie Ziggy selbst.

»You're not alone!«, schreit er in »Rock'n'Roll Suicide«, »Give me your Hand«. Und genau das taten die britischen Teenager, sie reichten ihm die Hand. Von da an hatte die Jugend ein neues Idol. Und Bowie hatte Ziggy Stardust, womit er einstweilen klarkommen musste.

Memorabilia begannen sich anzuhäufen, zu denen auch dieses bekritzelte Foto (gegenüber) gehört, das Mick Rock in der Oxford Town Hall am 17. Juni 1972 schoss – und das als ganzseitige Anzeige im *Melody Maker* erschien.

WER WAR ZIGGY STARDUST?

Laut Bowie war die Hauptinspiration für Ziggy Vince Taylor, ein Leder und Make-up tragender britischen Rock'n'Roller, der »Brand New Cadillac« geschrieben hatte. Nach frühen Erfolgen trübte sich Taylors Geisteszustand infolge von Alkohol- und Drogenmissbrauch zunehmend ein, bis er schließlich glaubte, Gottes Sohn zu sein.

Zu dem Namen inspirierten ihn Iggy Pop und der Legendary Stardust Cowboy, der eigentlich Norman Carl Odom hieß und beim selben Label unter Vertrag war wie Bowie. Bowie coverte auf *Heathen* seinen Song »I Took A Trip On A Gemini Spaceship«.

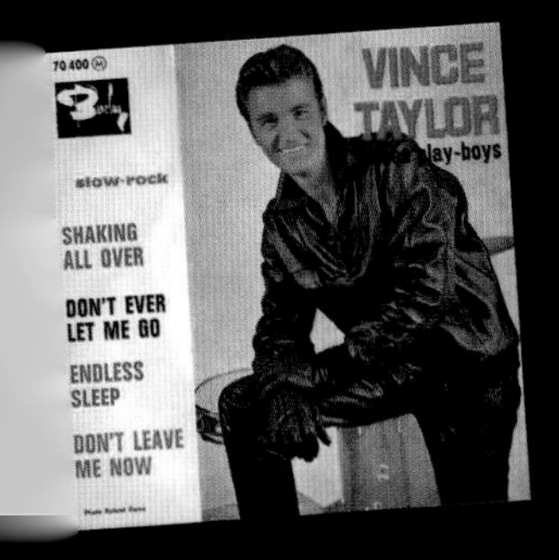

»Er war so eine Art Wild-Man-Fischer-Charakter, er spielte Gitarre und hatte einen einbeinigen Trompeter. In seiner Autobiografie schrieb er: »Das Einzige was ich bedauere, ist, dass mein Vater nicht mehr miterleben konnte, wie ich erfolgreich wurde.« Mir gefiel dieses Stardusthafte, weil es so albern war.«

D. B. 1990

ARTWORK

Brian Wards legendäre Fotografien für das Cover wurden in der Londoner Heddon Street gemacht. Die in einer kalten, regnerischen Nacht geschossenen Schwarz-Weiß-Aufnahmen kolorierte Terry Pastor, der zusammen mit Bowies Schulfreund George Underwood das Designstudio Main Artery führte, später von Hand. Vieles wurde in das Bild hineininterpretiert, nicht zuletzt aufgrund dessen, dass Bowie unter dem Firmenschild eines Pelzhändlers mit der Aufschrift »K. West« steht. Fraglos ist dies eine wirklich gelungene Arbeit. David Bowie und Ziggy Stardust sind in derselben Schriftgröße gesetzt, wodurch die klare Abgrenzung zwischen Künstler und Kunstwerk ein Stück weit aufgehoben wird.

ALADDIN SANE 1973

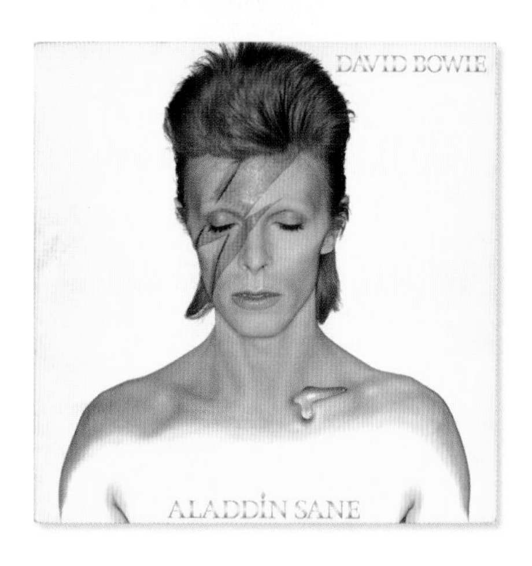

»MANCHMAL HABE ICH DAS GEFÜHL, EIN SEHR KALTER UND EMOTIONSLOSER MENSCH ZU SEIN. UND MANCHMAL WÜNSCHTE ICH, ICH WÄRE MENTAL WENIGER VERWUNDBAR. ICH NEHME AB UND ZU EINE AUSSENSEITERPOSITION EIN. ICH WEISS NICHT, OB DAS EINE SCHWÄCHE IST ODER EIN VORTEIL.«

DAVID BOWIE, 1973

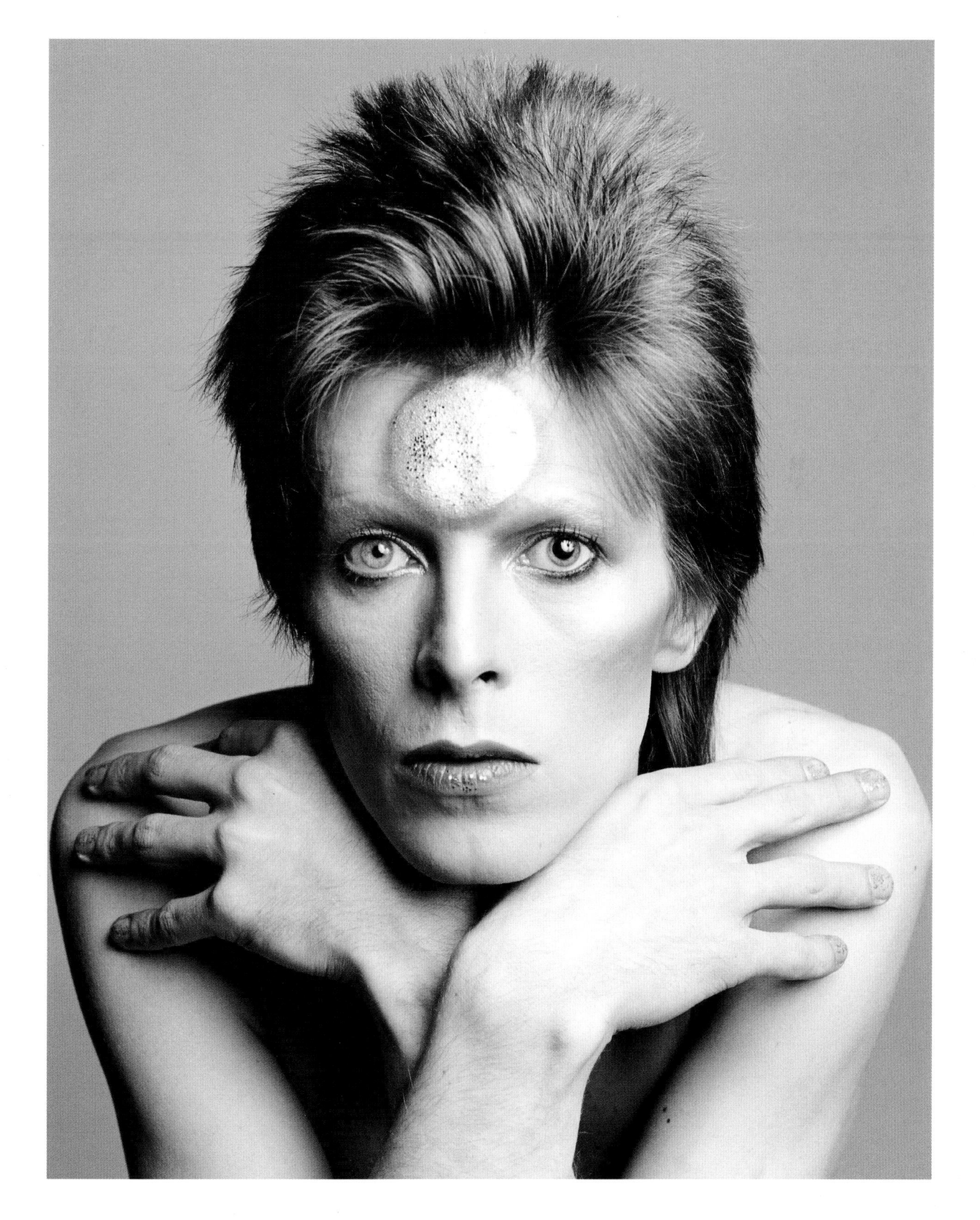

2/1258
17
2/1258
18
2/1258
19
2/1258
13
2/1258
16
2/1258
15
2/1258
14

1972

22. September
Erster Auftritt in den USA in der Music Hall in Cleveland, Ohio.
November
UK-Veröffentlichung von »The Jean Genie«/»Ziggy Stardust« (2).
US-Veröffentlichung von »The Jean Genie«/»Hang On To Yourself« (71).
8. November
Transformer von Lou Reed veröffentlicht.

1973

Januar
US-Veröffentlichung von »Space Oddity«/»The Man Who Sold The World« (15).
7. Februar
Raw Power von Iggy and the Stooges veröffentlicht.
April
UK-Veröffentlichung von »Drive-In Saturday«/»Round And Round« (3).
13. April
Veröffentlichung von *Aladdin Sane* (UK 1, US 17).

Vorherige Seite: Das Porträt entstand bei einer Fotosession mit Masayoshi Sukita in den New Yorker RCA Studios, Februar 1973. Von Sukita stammen einige der unvergesslichsten Bowie-Fotografien wie etwa das Coverfoto von *"Heroes"*.

Gegenüber: Kontaktabzug von Brian Duffys Fotosession für das *Aladdin Sane*-Cover, Januar 1973.

Alles, was er tat, musste stilvoll und einflussreich sein. Sein Image zu kontrollieren, stand stets an erster Stelle, und in besonderem Maße galt das für die Gestaltung des Covers von *Aladdin Sane*, veröffentlicht auf der Höhe seines außergewöhnlichen Erfolgs im April 1973.

Fünfzehn Monate zuvor war Bowie in einen wild gemusterten Overall geschlüpft, hatte die Hosenbeine hochgekrempelt, Boxerschuhe übergestreift und sich in einer finsteren Londoner Seitenstraße für das Album ablichten lassen, das ihm den Durchbruch bringen sollte. Doch seine Frisur wirkte damals noch nicht fremdartig, sie erinnerte an einen Mod, an den Bowie Mitte der 60er-Jahre. Das änderte sich im März 1972, als Bowie mit dem heute berühmten Ziggy-Schnitt in die Öffentlichkeit trat.

Verantwortlich dafür zeichnete eine Frau namens Suzi Fussey, die als Friseurin in Beckenham arbeitete. Bowie mochte sie und engagierte sie für seine Tourneen. Auch Mick Ronson fand Gefallen an ihr und heiratete sie später.

Zwei Monate nach dem Covershooting waren Bowies Haare deutlich länger geworden und er hatte begonnen, sie hellrot zu färben. Die Idee mit dem Färben ging auf Freddie Burettis Freundin Daniella Parmar zurück. Bowie erinnerte sich an sie als »die erste Frau, die ich je sah, die sich hinten in ihr platinblondes Haar Cartoons hatte reinschneiden und reinfärben lassen«. Zu der Farbwahl inspirierten sie Fotos von Marie Helvin, damals Model für die Roben des japanischen Designers Kansai Yamamoto. »Ich trug eine traditionelle Kabuki-Perücke für Männer«, erinnerte sich Helvin 2009. Also färbte Fussey Bowies Haar rot, dann toupierte sie es und rundete es an den Seiten ab.

»Ich fand, es war die dynamischste aller Farben, daher versuchten wir, sie so gut wie möglich zu kopieren. Ich erinnere mich, dass es Schwarzkopf-Rot war. Ich brachte sie [die Haare] in Form mit endlosen Föhn-Sessions und diesem grauenhaften Haarspray, das es damals gab.« D. B. 1993

Es war ein wichtiger Schritt für den damals 25-jährigen Sänger. 1973 war die Frisur immer noch der zentrale Streitpunkt zwischen Jung und Alt. Für Autoritäten wie Lehrer und Polizisten war langes, ungebändigtes Haar gleichbedeutend mit Drogenmissbrauch und schlechten Manieren. Also ideal für jemanden, der jung war und eine einfache Möglichkeit suchte, sich aufzulehnen. Tausende verlangten jetzt vom Friseur »einen Bowie«, während sie kurz zuvor noch ein »Rod« (Stewart) haben wollten.

Bowies neue Frisur passte perfekt zu seinen Outfits. Den Bandmitgliedern wurden ähnliche Frisuren verpasst und sie trugen trotz anfänglichen Unbehagens ähnliche Glitterroben.

»Woody Woodmansey sagte: ›So einen Scheiß werd' ich nicht tragen!‹ Natürlich gab es blöde Bemerkungen, es kostete eine Menge Nerven. Aber dann merkten sie, dass die Mädels darauf abfuhren. Sie waren schier verrückt nach ihnen, weil sie aussahen wie niemand sonst. Innerhalb weniger Tage hieß es nur noch: ›Heute Abend trag ich die Roten.‹« D. B. 2002

Im Januar 73 stattete Bowie, immer noch mit Ziggy-Frisur, dem Fotografen Brian Duffy in seinem Nordlondoner Studio einen Besuch ab. Zusammen mit David Bailey und Terence Donovan gehörte er zu dem Triumvirat Londoner Fotografen, das die Modefotografie revolutioniert hatte.

Dem 2010 verstorbenen Duffy zufolge inspirierte Elvis Bowie zu dem Blitz auf seinem Gesicht, wenngleich es auch ein Motiv war, das Kansai Yamamoto in jener 71er-Kollektion verwendete, die auch zu der Ziggy-Frisur angeregt hatte. Doch Duffy erinnerte sich: »Bowie interessierte sich für Elvis' Ring mit der Aufschrift TCB [taking care of business] und dem Blitz. Ich zeichnete die Form auf sein Gesicht und malte sie mit Lippenstift aus.«

Bowies Visagist Pierre La Roche kopierte das Design, das Bowies Gesicht so markant in Szene setzte, letztendlich von einem National-Panasonic-Reiskocher aus Duffys Studio. Ein brillantes Symbol für eine gespaltene Persönlichkeit; bezeichnenderweise war kurz zuvor bei Bowies Halbbruder Terry Schizophrenie diagnostiziert worden. Um die Provokation noch zu verstärken, posierte Bowie auf der Innenseite des Gatefold-Covers fast nackt: Der Künstler Phillips Castle hatte seinen Unterkörper mittels Airbrushtechnik silber eingefärbt.

Auf dem Cover sind neben den Titeln der neuen Songs die Orte genannt, an denen Bowie sie geschrieben hatte. Von den zehn Tracks waren sechs auf der Amerika-Tournee entstanden, was erklärt, warum Bowie die Platte als »Ziggy Goes to America« bezeichnete.

Es war das erste Album, das Bowie als echter Rockstar schrieb. Die ganze Welt hing an seinen Lippen, beobachtete jede seiner Bewegungen. Unter der Doppelbelastung der immensen Erwartungshaltung und der Tour durch die USA schrieb er eine Reihe von Songs, die die manischen Exzesse, denen er sich damals hingab, klanglich und inhaltlich perfekt widerspiegeln.

Obschon die 72er-US-Tour schlecht organisiert war und einige Shows nur wenig Publikum anzogen, zog Bowie derart viel Aufmerksamkeit auf sich, dass seine Entourage letztlich auf 46 Personen anwuchs. Der durchtriebene Defries brachte RCA Records tatsächlich dazu, all ihre Rechnungen zu bezahlen. Es war der reine Wahnsinn.

Bowie verarbeitete diese Erfahrung auf fesselnde Weise in seinen Songs. »Watch That Man« entstand nach einer ihm zu Ehren ausgerichteten Party in einem New Yorker Hotel. »Panic in Detroit« wurde von einem Gespräch mit Iggy Pop in eben jener Metropole der amerikanischen Automobilindustrie inspiriert und »Cracked Actor« war eine schäbige Momentaufnahme Hollywoods: ein langsam verblassender Superstar, der es einem jungen Callgirl besorgt; Bowie beschreibt hier jene Art von lieblosem Sex, die sich womöglich ständig um ihn herum abspielte.

»Drive-In Saturday« entstand während einer Zugfahrt zwischen L. A. und Chicago. Bowie war so begeistert von dem Refrain und der surrealen Bildwelt des Songs – in dem er auch Twiggy und den ihn damals stark beeinflussenden Mick Jagger namentlich erwähnt –, dass er während einer Show in Miami eine Akustikversion davon zum Besten gab. Das Stück handelt von einer Gesellschaft, die vergessen hat, wie man Liebe macht, und alte Pornos braucht, um die Erinnerung daran wachzurufen.

»Time« war in New Orleans entstanden. Der Song enthält nicht nur eine denkwürdige Anspielung auf einen masturbierenden Mann, der zu Boden geht, sondern auch auf Billy Murcia, den Drummer der New York Dolls, der kurz zuvor infolge einer Überdosis gestorben war – von dem letzten, äußert poetischen Vers ganz zu schweigen.

»Ich dachte, es ging um Zeit, und ich schrieb ziemlich viel über Zeit und was ich – zeitweilig – damit verband. Und dann spielte ich den Song noch mal, nachdem wir ihn aufgenommen hatten, und, mein Gott, es war ein Schwulensong! Es war gar nicht meine Absicht gewesen, irgendetwas Schwules zu schreiben … Ich dachte, hey, das ist echt verrückt …« D. B. 1973

»Crouching in his overalls«: aus der Sukita-Fotosession in den RCA Studios. Das Outfit stammt von dem bekannten japanischen Designer Kansai Yamamoto, den Bowie über Sukita kennenlernte und der viele von Ziggys auffälligsten Kostümen entwarf.

Gegenüber: Als dem Fliegen sehr abgeneigter Reisender lässt sich Bowie gerne von einem Bahnhofsmitarbeiter am Gare du Nord in Paris helfen.

Unten links: Porträt von Brian Ward, 1972.

Unten rechts: Beim Autogrammeschreiben während des britischen Teils der *Aladdin Sane*-Tour 1973.

Der zweifellos erfolgreichste Song, den Bowie zu jener Zeit schrieb, war »The Jean Genie«. Seine Entourage sang im Tourbus regelmäßig »We're going bus, bus, bus-ing« im Stil der 65er-Yardbirds-Coverversion des Bo-Diddley-Songs »I'm A Man«. Den Riff dieser Version kombinierte Bowie in der Wohnung von Cyrinda Foxe – eine atemberaubende Schönheit, die er auf der Party kennengelernt hatte, die ihn zu »Watch That Man« inspirierte – mit einem Text über Iggy Pop. (Cyrinda ist übrigens die im Text erwähnte »Lorraine«.) Der Titel ist eine Anspielung auf den französischen Schriftsteller und Künstler Jean Genet, den Bowie sehr schätzte. Der Song wurde Anfang Oktober in New York aufgenommen und kam Ende November in Großbritannien auf den Markt. 13 Wochen lang war er in den Charts und ist bis heute Bowies größter Hit in England.

Von den restlichen vier Songs des Albums wurden zwei in London geschrieben. Der eine war eine Überarbeitung von »The Prettiest Star«, der andere der Ausnahmesong des Albums: »Lady Grinning Soul«. Den Titelsong – ein weiteres Highlight des Albums – schrieb Bowie auf dem Schiff, das ihn zurück nach England brachte. (Bowie war damals ein notorischer Nichtflieger und genoss die Rolle des leicht exzentrischen, stilvollen Überseereisenden.) Seine Coverversion des Stones-Klassiker »Let's Spend The Night Together« komplettiert die Titelliste.

Unterstützt wurde die Band auf dem Album von Mike Garson, einem Jazzpianisten, den die Musikerin und Komponistin Annette Peacock Bowie empfohlen hatte. Auf Tracks wie »Aladdin Sane« und »Lady Grinning Soul« konnte sich Garson austoben, wodurch Bowies Sound eine ganz neue Dimension erhielt. Eine weitere innovative Nuance erhielt sein Sound durch den intensiven Einsatz des Backgroundgesangs, der auf das vorausdeutete, was Bowie mit *Young Americans* schaffen sollte.

Damals sagte Bowie über den vage anklingenden Stilwandel in einem Interview in der *Music Scene:*

»Ein paar Songs auf meinem neuen Album Aladdin Sane *sind ziemlich kurios. Ich habe mich von einigen der besten Avantgarde-Jazzmusiker wie Keith Tippett und dem Pianisten Mike Garson beeinflussen lassen. Mike spielt sogar mit den Spiders. Meist entwickelt sich dabei ein Motiv; ich und die anderen Musiker improvisieren dazu und nehmen es als Kern, der alles zusammenhält. Das Problem ist: Glamrock hat für mich zwar alles in Gang gebracht, gibt mir aber so gut wie keine Richtung vor.«*
D.B. 1973

Ebenso wie die Tour, auf der das Album entstand, macht *Aladdin Sane* mit seinem metaphorischen Durcheinander einen etwas chaotischen Eindruck. Doch trotz des auf ihm lastenden Drucks ist es Bowie gelungen, eine Sammlung erstklassiger Songs zusammenzustellen, von denen einige bis heute als Highlights seiner gesamten Karriere gelten. Und Bowies Resonanz in der Öffentlichkeit war überwältigend. Für rund 100.000 Exemplare waren bei RCA Vorbestellungen eingegangen.

Als Bowie von seiner US-Tour zurückkehrte, erklärte er, der Albumtitel spiele auf seine Angst an, verrückt zu werden – eine Angst, die angesichts der allzu realen Probleme seines Halbbruders Terry nachvollziehbar war. Und es ist eindeutig so, dass sich der Wahnsinn wie ein roter Faden durch das Album zieht – aber das war nichts im Vergleich zu dem, was sich in den Jugendzimmern der Teenager überall in der Welt abspielte.

Gegenüber: Bei einem Auftritt in Santa Monica im Oktober 1972, bei dem er geliehene Kleidung von Cyrinda Foxe trägt, die ihn zu »Watch That Man« inspiriert hatte.

Oben: Nach dem *Aladdin Sane*-Nachfolger *Pin Ups* gingen Bowie und Ronson getrennte Wege – nicht nur auf der Bühne.

»ES GEHT MIR NICHT DARUM, DEN ROCK'N'ROLL ZU VERHERRLICHEN. ICH BIN NUN EINMAL MIT ROCK'N'ROLL GROSS GEWORDEN UND DAMALS SCHIEN DAS MEINE LEERE LEINWAND ZU SEIN. SO EINFACH IST DAS, ES GEHT UM NICHTS ANDERES ALS DAS ARBEITSMATERIAL EINES KÜNSTLERS.«

DAVID BOWIE, 1973

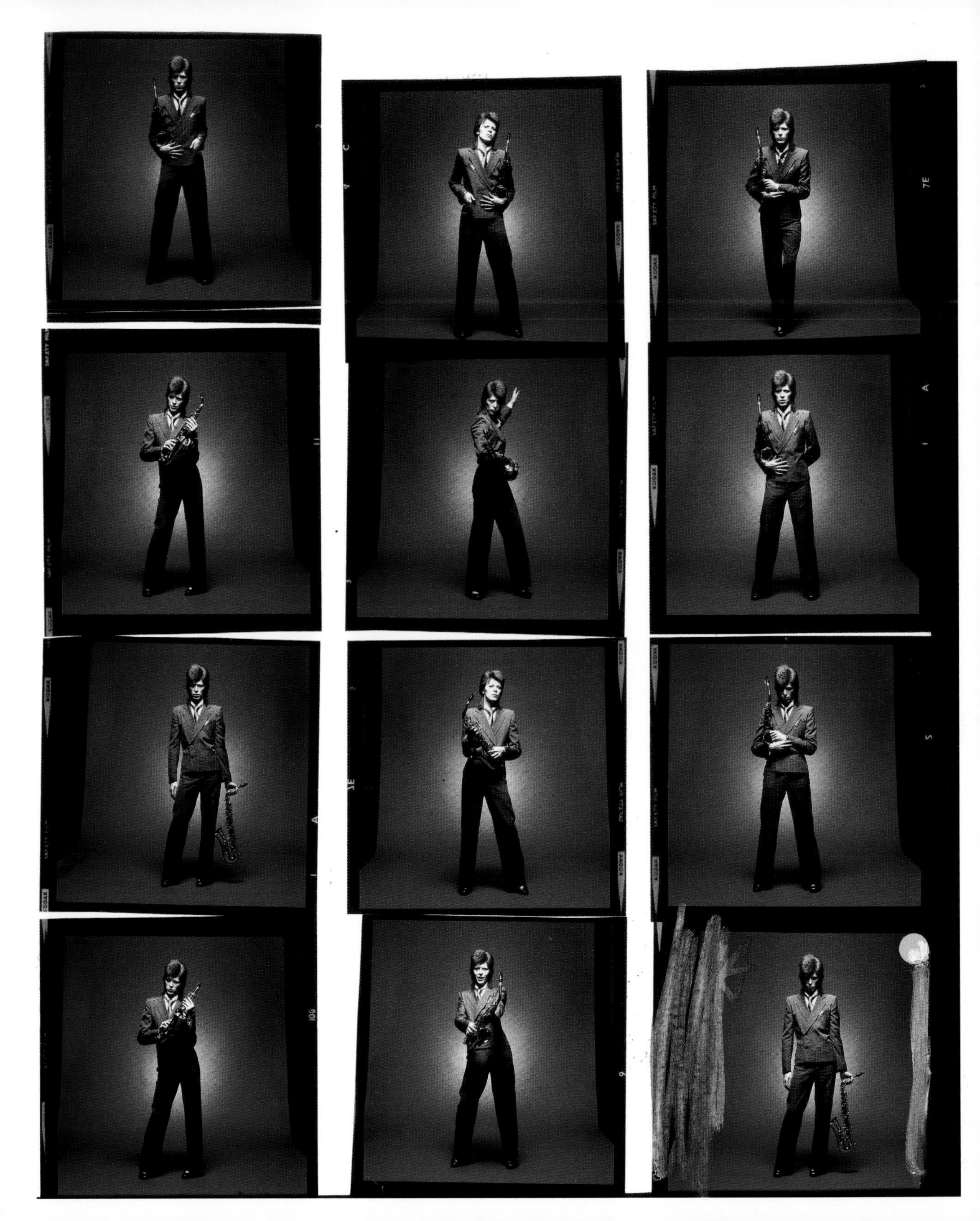

1973

Juni

US-Veröffentlichung von »Time«/»The Prettiest Star« (–).
UK-Veröffentlichung von »Life On Mars?«/
»The Man Who Sold The World« (3).

August

US-Veröffentlichung von »Let's Spend The Night Together«/
»Lady Grinning Soul« (–).

3. Juli

Letzter Auftritt von Ziggy Stardust and The Spiders From Mars, Hammersmith Odeon (gefilmt von D. A. Pennebaker, veröffentlicht 1983).

September

UK-Veröffentlichung von »The Laughing Gnome«/
»The Gospel According To Tony Day« (6).

Oktober

UK-Veröffentlichung von »Sorrow«/»Amsterdam« (3).

19. Oktober

Veröffentlichung von *Pin Ups* (UK 1, US 23).

NEW MUSICAL EXPRESS

BOWIE QUITS

ZAPPA FOR WEMBLEY page 2

Ally festival album

CAROLE KING RUSH

'That's it.' page 3

Vorherige Seite: Aus dem Fotoshooting von Justin de Villeneuve, der die *Vogue* davon überzeugt hatte, mit Bowie zum ersten Mal in ihrer Geschichte einen Mann aufs Cover zu bringen. Villeneuve hatte die Idee, dafür ein Doppelporträt von Twiggy und Bowie zu nehmen, doch wollte der Rockstar diese Aufnahme lieber für das *Pin Ups*-Cover verwenden.

Gegenüber: In dieser Fotoserie, die Mick Rock für die Coverrückseite von *Pin Ups* machte, dem Album, mit dem Bowie den Sixties seine Reverenz erweist, posiert er mit dem Instrument, das er in seiner ersten Band, The Konrads, spielte.

Oben: »Das ist nicht nur die letzte Show der Tour, das ist unsere letzte Show überhaupt.« Bowies Ankündigung schockierte seine Fans – und einige Bandmitglieder.

RCA erinnerte David Bowie 1973 daran, dass er ihnen noch ein Album schuldete. Doch Bowie sträubte sich. Zwei Jahre lang war er nonstop auf Tour gewesen und hatte währenddessen noch *Aladdin Sane* geschrieben und aufgenommen. Nun war er müde und ausgebrannt. Außerdem war es ja nicht so, als hätte seine Plattenfirma mit ihm nicht schon reichlich Geld verdient. Im Gegenteil: Er war mit fünf Titeln in den Top 50 vertreten. Zehn Wochen lang. Das war absolut einzigartig. Aber sie wollten noch mehr.

Bowies Rettung kam in Gestalt von Bryan Ferry, denn es sickerte gerade durch, dass der Roxy-Music-Sänger ein Soloalbum mit Coverversionen plane. Bowie war von dieser Idee sehr angetan, denn so wäre es ihm möglich, seine vertraglichen Verpflichtungen zu erfüllen, ohne etwas sonderlich Kreatives abliefern zu müssen, was ihm angesichts seiner völligen Erschöpfung nur schwer möglich schien. Zur selben Zeit spielte Bowie auch mit dem Gedanken, sich von seiner legendären Band The Spiders from Mars zu trennen. Und so fasste er den Entschluss, dass dieses Studioalbum für die Band eine famose Gelegenheit wäre, sich mit Pauken und Trompeten für immer zu verabschieden.

»*Mir war klar, dass es mit der Band The Spiders from Mars vorbei war. In gewisser Weise war es ein letzter Abschiedsgruß an sie.*« D. B. 1974

Ziggy Stardust hatte Bowie einen beispiellosen Erfolg beschert; und genau davon hatte er sein Leben lang geträumt. Doch jetzt begann ihn dieser Erfolg einzuengen.

»Aladdin Sane *brachte gewissermaßen Ziggys Sicht auf die Dinge zum Ausdruck: ›Oh, mein Gott, ich habe es tatsächlich geschafft und es ist total irre, aber ich weiß nicht genau, was ich jetzt daraus machen soll …‹ Das Album war voller Selbstzweifel. Ein Teil von mir hielt die Ziggy-Stardust-Pose aufrecht, der andere Teil schien zu sagen: ›Ich bin mir nicht sicher, ob ich zu Hause nicht glücklicher wäre.‹*« D. B. 1976

Zumindest musikalisch kam er wieder nach Hause. Die zum Covern ausgewählten Songs stammten alle aus den Jahren 1964 bis 1967, also der Zeit, als in London die Hippies die Mods ablösten. Bowie sagte: »Jede dieser Nummern hatte für mich seinerzeit eine besondere Bedeutung. In ihnen spiegelte sich mein London jener Jahre wider.«

Viele der Songs, die er zusammen mit dem Sänger Scott Richardson auswählte, stammten von sehr bekannten, einflussreichen Bands wie The Who, The Yardbirds, The Kinks, Pink Floyd, The Pretty Things und The Easybeats.

Das Interessante an *Pin Ups* sind weniger die Songs, die er coverte, als vielmehr die, die er außen vor ließ. So gibt es in der Zusammenstellung weder Soulmusik noch Blues, obwohl Bowie ein großer Fan von beiden war – und Soul und Blues für die Musiker in den Sixties gewissermaßen das musikalische Grundnahrungsmittel darstellten.

Manche erklären sich dieses Fehlen dadurch, dass Bowie schon bis zum zwei Jahre später erscheinenden Soulalbum *Young Americans* vorausgeplant habe. Doch selbst wenn dem so gewesen wäre, liefert das keine Erklärung dafür, dass auch keinerlei Bluesmusik, wie er sie mit den King Bees oder den Manish Boys gespielt hatte, vertreten war.

Seinerzeit wurde Bowie oft in einer Mod-Kluft fotografiert, worauf sein damaliger Manager Ralph Horton bestanden hatte. Horton war stark beeindruckt von Brian Epsteins immensem Erfolg, den er damit gehabt hat, die widerspenstigen, gammelig wirkenden Beatles in Anzüge zu stecken. Ähnliches schwebte Horton nun mit Bowie vor, der es durchaus begrüßte, dass die Männermode femininer geworden war. Jungen Männern war es nun gestattet, die Anzüge ihrer Väter im Schrank zu lassen und sich knallbunte Hemden und Hosen anzuziehen. Doch Bowie hätte sich selbst niemals als Mod bezeichnet, da dies ja eine Festlegung gewesen wäre, und nichts lag dem launischen Bowie ferner, als sich in eine stilistische Zwangsjacke zu zwängen. Sein Selbstwertgefühl war viel zu ausgeprägt, um sich auf eine Sache oder einen Look festzulegen. Und genau das war ausschlaggebend für einen seiner größten Beiträge zum Pop-Zirkus: die Einführung der fortwährenden optischen Veränderung als ein wesentliches künstlerisches Element.

Während er *Pin Ups* aufnahm, tauschte er sich mit Charles Shaar Murray aus und definierte dann das Mod-Konzept als Teil seines eigenen Images neu.

»Mir war bewusst, dass ein Mod zu sein bedeutete, dass ich Klamotten tragen musste, die sonst keiner trug. Mods gab es überhaupt nur, weil es Rock'n'Roll-Stars gab.« D. B. 1973

Viele Leute, die Anfang der 60er in und rund um Beckenham lebten, erinnern sich daran, dass Bowie »seltsame Klamotten« trug, wie sie es nannten. Einem Mädchen war es immer sehr peinlich gewesen, wenn Bowie sie im Zug erblickte und dann zu ihr kam und sich neben sie setzte.

Bowie hatte begonnen, sich intensiv mit Mode zu befassen, als er 1964 Berufsmusiker wurde, und, was noch entscheidender war, Frontman. Als Leadsänger kam es darauf an, dass er auch optisch diese Rolle ausfüllte. Das erklärt auch, warum er, nachdem er George Underwood mit langschaftigen Wildlederstiefeln gesehen hatte, für kurze Zeit in einem Robin-Hood-Look herumlief und dieselben Stiefel mit einem Lederwams und Lockenkopf kombinierte.

Alle Bands, deren Songs er auf *Pin Ups* coverte, hatten Einfluss auf seinen Look und seine Performance. Die Pretty Things hatten lange Haare und trugen abgewetzte Klamotten. Die selbstzerstörerischen, gitarrenzertrümmernden Mätzchen der Who fand er aufregend. Syd Barretts eigenartige, verzaubernde Kompositionen und Ray Davies' wunderbare Vignetten aus dem Londoner Alltag und die von ihm skizzierten Charaktere waren allesamt für Bowies Entwicklung als Songwriter von enormer Bedeutung.

Das Album wurde in Südfrankreich im Studio Château d'Hérouville aufgenommen. Ein Jahr zuvor hatten hier T. Rex *The Slider* eingespielt, und auch Elton John und Pink Floyd hatten 1972 in diesem Studio gearbeitet.

Nach Ziggys spektakulärem letzten Auftritt am 3. Juli im Londoner Hammersmith Odeon hatte Aynsley Dunbar Mick Woodmansey an den Drums ersetzt; am Bass hätte Bowie gerne Jack Bruce dabei gehabt. Doch der Cream-Bassist war nicht abkömmlich, und so engagierte er wieder Trevor Bolder. Dem war klar, dass er nur zweite Wahl war, weshalb er nur rasch seine Parts einspielte und dann wieder abrauschte.

Trotz der potenziellen Spannungen hat die Band außergewöhnlich gut harmoniert. *Pin Ups* klingt nach einer Garagenband, die einfach drauflosrockt. Die Gitarren sind laut, die Rhythmusgruppe ist sehr kompakt und Bowies Gesang ist enorm variationsreich; mal singt er in reinem Cockney, mal klingt seine Stimme neckisch, mal gefühlvoll und sehr ausdrucksstark. Es ist der Rock'n'Roll-Sound von *Aladdin Sane*, nur wurde der Lautstärkeregler diesmal noch ein Stück weiter aufgedreht.

Erstaunlicherweise hat sich Bowie in den allermeisten Fällen mit größter Ehrfurcht der Songs angenommen, so-

Im Château d'Hérouville ist Bowie mit Mick Ronson konzentriert bei der Arbeit an dem Album mit Coverversionen, das sein Entstehen eher Bowies vertraglichen Verpflichtungen als seinem Wunsch, eine neue Platte zu machen, verdankte.

8
1
3
L
R
16
2
4

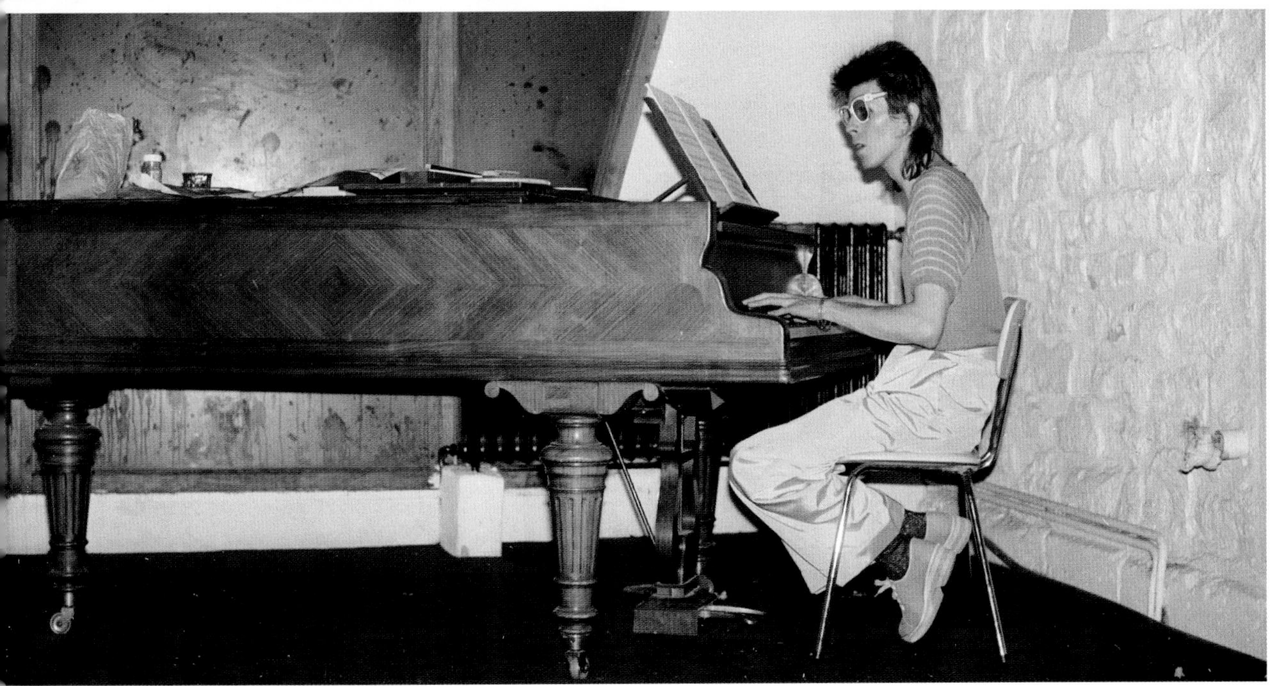

dass er oft sehr nah am Original blieb. Eine Ausnahme ist »I Can't Explain« von The Who, wo er sich von der Vorlage löst, indem er das Tempo verlangsamt, das messerscharfe Riff in ein wummerndes Dröhnen verwandelt und ziemlich schmachtend und gleichzeitig verwirrt klingend singt.

Bei Pink Floyds »See Emily Play« fügt er frecherweise seltsame Backgroundvocals in unterschiedlicher Geschwindigkeit hinzu, die typisch für Bowie sind und dem Hörer einen wichtigen Hinweis geben bezüglich der Herkunft eines entscheidenden Elements seines Sounds.

Das wegen der bevorstehenden Tourneen ziemlich zügig aufgenommene Album war auf Anhieb erfolgreich. Es stieg auf Platz 21 in die Charts ein, kletterte bis auf Platz eins und konnte sich insgesamt 21 Wochen in der Hitliste halten. Davids liebliche, ergreifende Version von »Sorrow« von den Merseys schaffte es als Single auf Platz drei. Es zeigte sich, dass alles, was er anpackte, zu Gold wurde – zumindest in diesem Moment.

Vorherige Seite (links): Während der Aufnahme von *The 1980 Floor Show* im Marquee, Oktober 1973. Das Konzert wurde einen Monat später im Rahmen der Sendung *Midnight Special* auf NBC ausgestrahlt.

Ganz Oben: Beim Treffen mit Fans in Los Angeles, 1973. Sein in den Union-Jack-Farben gemusterter Anzug scheint von so etwas wie Heimweh zu zeugen, doch schon ein Jahr später zog Bowie in die Staaten – in England hat er nie wieder gelebt.

Oben: Das Comic-Strip-Cover von *Images 1966–1967*, einer Kompilation von frühen, wiederveröffentlichten Songs, die 1973 herauskam, um von der Bowiemania zu profitieren.

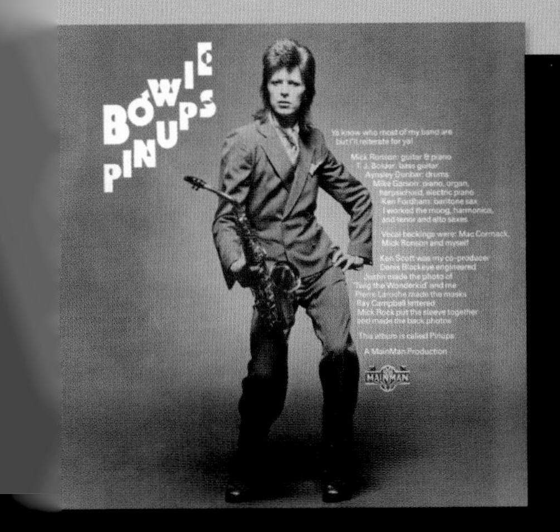

ARTWORK

Der Fotograf Justin de Villeneuve – mit bürgerlichem Namen Nigel Davies – war viele Jahre lang der Lebensgefährte und Manager des britischen Fotomodels Twiggy. Während diese bereits etliche Male auf dem Cover der *Vogue* zu sehen gewesen war, hatte dies bis 1973 noch kein einziger Mann geschafft. De Villeneuve überzeugte die Redakteurin Bea Miller, dass Bowie der Erste sein sollte.

Twiggys sonnengebräunter Teint bildete einen extremen Kontrast zu Bowies Blässe. Der Maskenbildner Pierre La Roche schuf daraufhin Make-up-Masken, durch die sich auf Twiggys Gesicht die Farbe von Bowies Brust spiegelte und umgekehrt. Das Cover erweckt dadurch den Eindruck von zwei Menschen, die im Bildnis des anderen aufgehen. Twiggy blickt schicksalsergeben, fast leblos direkt in die Kamera; Bowie scheint seine Verzweiflung kaum unterdrücken zu können.

Bowie war sofort klar, wie sehr sich diese Aufnahme fürs Cover eignete. 1999 erinnerte sich de Villeneuve: »Ich fragte David: ›Wie viele Exemplare wirst du von dem Album verkaufen?‹ Er antwortete: ›Etwa eine Million, hoffe ich.‹ Die *Vogue* erschien damals in Großbritannien mit einer Auflage von 80.000 Exemplaren. Ich besaß die Rechte an diesem Bild und überließ sie ihm. Ich wusste, dass ich das Richtige getan hatte, als ich Monate später durch L.A. fuhr und auf dem Sunset Boulevard eine riesige Plakatwand mit dem Albumcover meine Blicke auf sich zog.«

Oben: Die Rückseite des *Pin Ups*-Covers, für das ein Bild aus der Fotosession mit Mick Rock ausgewählt wurde.

Rechts: Bowie ist hier keinesfalls auf seinen Maskenbildner sauer, sondern übt sich gerade in der Mimik eines Kabuki-Schauspielers.

DIAMOND DOGS 1974

»EINE MUSIKALISCHE PARODIE, DIE AUF DEM MASSENSTERBEN ABERTAUSENDER MENSCHEN BASIERT.«

DAVID BOWIE, 1974

1973

November

US-Veröffentlichung von »Sorrow«/»Amsterdam« (–).

16. November

The 1980 Floor Show (im Oktober im The Marquee aufgezeichnet) wird von NBC ausgestrahlt.

1974

Februar

UK-Veröffentlichung von »Rebel Rebel«/»Queen Bitch« (5).

April

UK-Veröffentlichung von »Rock'n'Roll Suicide«/»Quicksand« (22).

Umzug nach New York.

Mai

US-Veröffentlichung von »Rebel Rebel«/»Lady Grinning Soul« (64).

31. Mai

Veröffentlichung von *Diamond Dogs* (UK 1, US 5).

Vorherige Seite: Man fragt sich, ob man die Dinge genauso sieht wie er: Skeptisch präsentiert sich Bowie auf diesem von Terry O'Neill erstellten Porträt für *Diamond Dogs*.

Gegenüber: Bowie singt »Rebel Rebel« in der niederländischen Musiksendung *Top Pop*, 13. Februar 1974.

Irgendwann im Jahr 1970: Gitarrist Mick Ronson und Drummer Woody Woodmansey sitzen eingeklemmt zwischen einem Haufen Equipment in einem Taxi Richtung Birmingham. Ihr Arbeitgeber, Mr. David Bowie, tritt die Fahrt in einem komfortablen Rover an. Nicht nur das missfällt den Musikern. Seit sie sich mit Bowie zusammengetan haben, wird ihre Gage nur sporadisch ausgezahlt.

Kurz vor Birmingham weisen sie plötzlich den Fahrer an, die Stadt links liegen zu lassen und sie nach Hull, ihrer Heimatstadt, zu fahren. Bowie muss den Gig alleine bestreiten. Und obschon Ronson und Woodmansey neun Monate später zu Bowie zurückkehren, sollte der ihnen diesen Treuebruch nie vergessen.

Im Januar 73 ist die Band wieder auf Tour und abermals macht sich Unzufriedenheit breit. Die Musiker haben nämlich herausgefunden, dass Mike Garson, der Neue, pro Woche 300 Pfund mehr bekommt als sie. Um etwas gegen diese Ungerechtigkeit zu unternehmen, schmieden Ronson, Woodmansey und Bassist Trevor Bolder einen Plan. Ist es nicht an der Zeit, dass auch sie von dem Erfolg profitieren und ein Stück vom Kuchen abbekommen? CBS Records hat Kontakt zu ihnen aufgenommen und eine hohe Summe für ein Spiders-from-Mars-Album ohne Bowie geboten.

Bowies Manager Tony Defries bekommt Wind davon und bittet die Band abzuwarten; er will RCA ein Angebot entlocken, das wesentlich besser ist als der mögliche CBS-Deal. Und so legt die Band die Angelegenheit in seine Hände – ein großer Fehler, wie sich bald zeigen wird.

Insgeheim ärgert sich Defries maßlos über das Verhalten der Bandmitglieder und versucht nun, die Jungs loszuwerden. Zunächst bietet er Mick Ronson bei RCA einen Solodeal an und treibt so einen Keil zwischen ihn und die anderen. Dann lässt er Woody Woodmansey und Trevor Bolder während der Japantour wissen, dass die Roadcrew einen höheren Stellenwert besitzt als sie. Bowie, der von all diesen Vorgängen nichts mitbekommt, erklärt zur gleichen Zeit Ronson, dass er sich am Ende der Tour von der Bühne verabschieden will. Woodmansey und Bolder werden hingegen nicht in diese Pläne eingeweiht.

Am Dienstag, dem 3. Juli 1973 spielt die Band im Hammersmith Odeon. Der renommierte Regisseur D. A. Pennebaker filmt den Gig. Mick Jagger, Rod Stewart und Ringo Starr sind unter den Zuschauern. Gegen Ende der

Show kommt Jeff Beck auf die Bühne und spielt bei »The Jean Genie« und »Round And Round« mit. Und dann ist es so weit. Bowie tritt ans Mikrofon und sagt: »Das hier ist nicht nur die letzte Show der Tour, es ist unsere letzte Show überhaupt.«

Woodmansey und Bolder sind wie vom Donner gerührt. Davon hören sie zum ersten Mal. Bowie hat sie auf offener Bühne vor Tausenden von Zuschauern quasi in die Arbeitslosigkeit entlassen. Später finden sie heraus, dass alle anderen wussten, was passieren würde. Bowies Vorgehen war skrupellos und unbedacht, aber ebenso bahnbrechend. Nie zuvor hatte sich ein Solokünstler noch während einer Show von der Bühne verabschiedet. Das war pures Öl auf Bowies loderndes PR-Inferno.

Das Interesse an ihm wuchs schlagartig, vor allem in Amerika. Ein Jahr später sollte er Kapital daraus schlagen. In der Zwischenzeit wollte er beweisen, dass er auch ohne das Team zurechtkam, das ihn bis ganz nach oben gebracht hatte – und auch ohne seinen Produzenten.

Sein nächstes Album produzierte Bowie selbst, zudem spielte er Leadgitarre, Saxofon und Percussion. Und er holte Drummer Aynsley Dunbar, Bassist Herbie Flowers und Mike Garson als Keyboarder wieder an Bord.

Ursprünglich hatte er eine Musical-Fassung von Orwells Antiutopie *1984* geplant. Doch Orwells Erben erhoben Einspruch gegen dieses Vorhaben, sodass *Diamond Dogs* zwangsläufig zu etwas ganz Neuem wurde. Apokalyptische Visionen eines gesellschaftlichen Zusammenbruchs, eingebildete Massenglückseligkeit und staatliche Überwachung und Kontrolle hatten ihn schon immer fasziniert. Seit er als Jugendlicher Frank Edwards Buch *Strange People* gelesen hatte, war er überdies gefesselt vom Schicksal missgebildeter Charaktere, die aufgrund ihrer Andersartigkeit an den Rand der Gesellschaft gedrängt werden. Aus all dem wollte er nun ein Album machen.

Das Jahrzehnt, das er überstrahlte, motivierte diesen künstlerischen Impuls in gewisser Hinsicht. Die 70er waren eine Zeit der ökonomischen Unsicherheit und Rezession. Hinter jeder Ecke lauerte eine neue Krise und es gab eine große Gewaltbereitschaft in der Bevölkerung, ob auf den Straßen oder in den Fußballstadien.

Oben: Beim Konzert im Tower Theater in Philadelphia im Juli 1974. Dieses Foto wurde seitenverkehrt für das Cover des Livealbums *David Live* verwendet, das während sechs aufeinanderfolgender Shows in der Stadt aufgenommen wurde.

Gegenüber: Beim Gitarrestimmen vor seinem *Top Pop*-Auftritt (siehe auch vorherige Seite). Bowie war zu dieser Zeit in den Niederlanden, um die Aufnahmen für *Diamond Dogs* fertigzustellen.

Bowie erschuf eine Welt untergehender Großstädte, in der die Jungendlichen Amok liefen. In gewisser Weise war das eine prophetische Vision des Punk.

»Das waren alles irgendwie kleine Johnny Rottons und Sid Vicious'. In meiner Vorstellungswelt gab es keine Transportmittel, daher liefen alle mit diesen Rollschuhen rum, deren überdimensional große Reifen ständig quietschten, weil sie nicht gut geölt waren. Da waren also all diese Gangs mit den quietschenden, Rollschuh fahrenden, gewalttätigen Typen, die Bowie-Messer, Pelze und seltsam bunte Frisuren trugen und extrem dürr waren, weil sie nicht genug zu beißen hatten.« D.B. 1993

Der Sound war aggressiv, teilweise beeinflusst von den Stones, zugleich aber ähnlich hart wie das, was man von Bands wie den Stooges gewohnt war, deren Platte *Raw Power* Bowie co-produziert hatte. Er war wie immer sehr ambitioniert und lieferte mit *Diamond Dogs* ein durchgehend faszinierendes, außerordentlich kreatives Album ab.

Die erstaunlichen Stimmungen und Sprünge auf *Diamond Dogs* widerlegen Bowies mehrfach wiederholte Aussage, Musik sei für ihn lediglich ein Mittel zum Zweck. Nur ein überragender Songwriter ist in der Lage, das zu schaffen, was er hier vorgelegt hat. »Rebel Rebel«, sein nächster großer Hit, zeigt deutlich, wie bewusst er sich der großen Verwirrung ist, die er bei der Elterngeneration stiftete. »You've got your mother in a whirl, she's not sure if you're a boy or a girl…« – ein brillantes Resümee der Bowie-Ära. Den Protagonisten in »Rebel Rebel« erklärt er später zum »juvenile success«, wie es in dem Song heißt.

Noch zwei weitere Tracks müssen unbedingt erwähnt werden: »1984« erinnert mit seinen Wah-Wah-Effekten klar an Isaac Hayes' großen Hit »Shaft« und weist in die Richtung voraus, die Bowie mit seinem nächsten Album einschlagen wird, während die beeindruckende Schlussnummer »Chant of The Ever Circling Skeletal Family« auf das vorausdeutet, was er drei Jahre später machen wird.

Diamond Dogs war nach seiner Veröffentlichung sehr erfolgreich; in Großbritannien kletterte das Album bis auf Platz eins der Charts, in den USA erreichte es Platz fünf. Seine tatsächliche Stärke offenbarte es jedoch erst nach eingehender Beschäftigung mit ihm, bis einem die eigentliche Absicht seines Schöpfers klar wurde.

»In der Hauptsache ging es darum, Rock'n'Roll ad absurdum zu führen, einfach allem, was ernst gemeint war, den Wind aus den Segeln zu nehmen. Diamond Dogs *sollte, soweit ich mich erinnere, den Rock'n'Roll von vorn bis hinten verballhornen. Das schien damals irgendwie mein Programm gewesen zu sein, warum weiß ich nicht.«* D.B. 1991

Es sollte das letzte Mal sein, dass Bowie sich mit klassischem Rock'n'Roll beschäftigte. *Ziggy*, *Aladdin* und *Diamond Dogs* halfen ihm, die Welt zu erobern. Von nun an nutzte er diesen Erfolg, um zu einem der interessantesten und aufregendsten Künstler unseres Planeten zu werden.

ARTWORK

Die berühmt-berüchtigte Coverillustration stammt von dem belgischen Illustrator Guy Peellaert, der auch für das Artwork des Stones-Albums *It's Only Rock'n'Roll* verantwortlich zeichnete und für die Umschlagillustration des Nik-Cohn-Bestsellers *Rock Dreams*.

Zu Beginn seiner Karriere arbeitete Peellaert als Bühnenbildner für das berühmte Pariser Revuetheater Crazy Horse, dem Bowie 1974 zusammen mit Ronnie Wood und seinem Freund Geoff MacCormack einen Besuch abstattete. Später gab Bowie zu, die Lichteffekte für seine 78er-*Stage*-Tour hier abgekupfert zu haben.

Auf Peellaerts Originalillustration sind die Genitalien des Diamond Dog zu sehen, doch nach einem ersten Andruck ordnete RCA eine Airbrush-Kastration an. Jene Erstdrucke des Originalcovers zählen seither zu den begehrtesten Sammlerobjekten der Welt.

Als Vorlage dienten Peellaert Aufnahmen des britischen Fotografen Terry O'Neill, von denen eine für die PR-Kampagne des Albums verwendet wurde. Bei dem Buch, das Bowie auf diesem Bild (rechts) zu Füßen liegt, handelt es sich um den Roman *The Immortal* von Walter Ross. Von diesem Werk existieren verschiedene Ausgaben, für eine davon schuf Andy Warhol die Umschlagillustration (allerdings nicht für die in Peellaerts Bild abgebildete).

Im Jahr 2000 gestaltete Peellaert das Cover von *Bowie At The Beep*. Er starb im Jahr 2008.

Angie und der zweijährige Zowie reisten mit Bowie für die letzten *Diamond Dogs*-Sessions in die Niederlande. Während dieses Aufenthalts begleitete Zowie seinen Vater zu einer Pressekonferenz (gegenüber); die Familie fand noch Zeit für einen gemeinsamen Fototermin (links).

YOUNG AMERICANS 1975

»DIE LEUTE HATTEN DEN ROCK'N'ROLL BITTER NÖTIG ... ABER ER IST ZU EINEM DIESER VIELEN TANZENDEN GÖTZEN GEWORDEN, DIE SICH AUF EWIG IM KREIS DREHEN.«

DAVID BOWIE, 1975

1974

Juni

Veröffentlichung von »Diamond Dogs«/»Holy Holy« (UK 21, US –).

14. Juni

Die *Diamond Dogs*-Tour startet im Forum, Montreal.

20. Juli

Die *Diamond Dogs*-Tour endet im Madison Square Garden, New York.

September

UK-Veröffentlichung von »Knock On Wood (live)«/ »Panic In Detroit« (10).

US-Veröffentlichung von »Rock'n'Roll With Me (live)«/ »Panic In Detroit« (–).

2. September

Die Philly-Dogs-Tour startet im Universal Amphitheater, Los Angeles.

29. Oktober

Veröffentlichung von *David Live* (UK 2, US 8).

1. Dezember

Die Philly-Dogs-Tour endet in der Omni Arena, Atlanta.

1975

Januar

Tony Defries und MainMan – Bowies Management – werden ersetzt durch Michael Lippman.

26. Januar

Die BBC strahlt die Filmdokumentation *Cracked Actor* aus.

Februar

UK-Veröffentlichung von »Young Americans«/»Suffragette City« (18).

US-Veröffentlichung von »Young Americans«/ »Knock On Wood (live)« (28).

7. März

Veröffentlichung von *Young Americans* (UK 2, US 9).

Voherige Seite und gegenüber: »Never no turning back« – der young American gewöhnt sich an das neue Leben in einem neuen Land.

Bowie verkündete 1975: »Rock'n'Roll ist ein zahnloses altes Weib.« Und damit hatte er nicht ganz unrecht. Die Beatles waren Geschichte, die Stones Geiseln von Keiths Drogensucht und Micks Habgier, bei Led Zeppelin war die Luft raus, die Faces hatten sich getrennt und Glamrock war passé. Ein paar inspirierende Acts waren zwar noch übrig – Dr. Feelgood, Thin Lizzy, Graham Parker –, doch die allein machten kein goldenes Zeitalter.

Das womöglich letzte große Rock'n'Roll-Album war *Diamond Dogs*. Und dessen Schöpfer war mittlerweile in Philadelphia und bastelte an einem Soul-Album.

Vorzeichen für diese Entwicklung gab es reichlich. Im April 74 reiste Bowie nach Amerika, um eine große Promotion-Tour für *Diamond Dogs* vorzubereiten. Er verbrachte viel Zeit in New York, fuhr nach Harlem und sah sich Shows von den Temptations und Marvin Gaye an. Er genoss die Anonymität bei solchen Konzerten.

»Das war das Tolle an dieser Reise, dass ich in Amerika auf jede Veranstaltung von Schwarzen gehen konnte, ohne erkannt zu werden. Das war wirklich fantastisch. Das einzige Mal, dass wir von richtig vielen Leuten erkannt wurden, war auf einem Konzert der Jackson 5, weil das Publikum dort jünger war. Aber zu den meisten R&B-Shows kamen verheiratete Pärchen, keine Kids, sodass ich einfach hingehen, abfeiern und laut mitsingen konnte. Ich war oft im Apollo und habe dort eine Menge Leute gesehen.« D.B. 1974

Bowies Jugendfreund und Backgroundsänger Geoff MacCormack war ein großer Soul-Fan: »Im Apollo, auf der zwischen der 7th Street und der 8th Street gelegenen 125th Street anzukommen, war für mich etwas ganz Besonderes«, denn »hier hatte der ›Hardest Working Man In Show Business‹ – James Brown – seine Livealben aufgenommen.«

MacCormack zufolge war der Bowie-Tross allerdings nicht ganz so unauffällig, wie Bowie selbst es berichtet:

»Ich erinnere mich noch genau an das erste Mal, dass uns Tony [Mascia] nach Harlem ins Apollo fuhr. Die Fahrt war ziemlich beängstigend. Vom hell erleuchteten, eleganten Manhattan ins finstere Harlem zu kommen, war für zwei Jungs aus Südlondon fast so was wie ein Schock. Dass wir in einer Limousine unterwegs waren, schürte unseren Wahn nur noch, denn an jeder schummrig beleuchteten Ecke standen ein paar gelangweilte,

einsame Typen, die uns, wie mir schien, ziemlich feindselig anstarrten. Rückblickend betrachtet waren wir wahrscheinlich nur Weicheier und sie haben sich einen Scheißdreck für uns und unser großkotziges Gehabe interessiert. Trotzdem würde ich auch heute nicht den Test machen wollen, das Fenster runterkurbeln und fragen: ›Ey, was guckst du?‹« Geoff MacCormack, 2007

In seinem Hotelzimmer hörte Bowie R&B-Radio und war wie John Lennon hin und weg von Ann Peebles »I Can't Stand The Rain«. Er sprach darüber, Lulu nach Memphis zu holen und mit ihr etwas Ähnliches aufzunehmen. Von nun an solle seine Band funky klingen, ließ er die Leute wissen. Wieder einmal machten sich bei Bowie die typischen Symptome der Langeweile breit.

Während der letzten drei Jahre hatte er ein völlig verrücktes Leben geführt – wild, dekadent, atemberaubend und exzessiv –, doch in letzter Zeit war es vorhersagbar geworden. Das Problem war, dass Bowie seine Interessen nicht ausleben konnte. Er musste eine sechsmonatige US-Tour absolvieren und es gab keine Möglichkeit, sie abzublasen. Finanziell hätte ihn das ruiniert.

Seine neue Show war monumental. Zu Beginn des von Tony Basil choreografierten, mit etlichen Spezialeffekten ausgestatteten Spektakels sang Bowie in einem hoch über dem Publikum schwebenden Stuhl »Space Oddity«. Und zum Schluss pfiff er auf alle Regeln eines Rockkonzerts und verließ die Bühne ohne Zugaben.

Ende Juli, gleich nach dem ersten Teil der Tour, zog es Bowie nach Philadelphia in die Sigma Sound Studios. Dort arbeitete damals auch das angesagte Songwriter-Producer-Team Kenny Gamble und Leon Huff, das für den den Erfolg von Acts wie The O'Jays, Billy Paul und Harold Melvin and the Bluesnotes verantwortlich zeichnete.

Die neue Doppel-LP *David Live* war fertig und MainMan wollte sie schnell auf den Markt bringen, um den Ticketverkauf für den zweiten Teil der Tour weiter anzukurbeln. Die Situation erinnerte an 1971: Bowie hastet zwischen zwei Projekten hin und her; für das eine ist er Feuer und Flamme, das andere will er so schnell wie möglich abhaken.

Gegenüber (großes Bild): Bowie kehrt auf seinem neuen Album dem Rock'n'Roll den Rücken und wendet sich dem Soul zu.

Gegenüber (Kontaktabzüge): Er teilt sich eine Zigarette mit Elizabeth Taylor, L.A., 1975.

Ursprünglich wollte Bowie in den Sigma Sound Studios Aufnahmen mit der Rhythmusgruppe von MFSB machen, deren Single »TOSP (The Sound of Philadelphia)« im März 74 die Charts gestürmt und den Weg für den neuen, sogenannten Disco-Sound bereitet hatte. Doch aufgrund unpräziser Absprachen stand Bowie nur der Congaspieler Larry Washington zur Verfügung.

Bowie holte Gitarrist Carlos Alomar, Bassist Willie Weeks, Drummer Andy Newmark und Saxofonist David Sanborne ins Studio – allesamt große Namen in der Funk- und Soulszene. Mike Garson fungierte weiterhin als Keyboarder und Bowies alter Freund Geoff MacCormack als Backgroundsänger. Letzterem standen die außerordentlich talentierte Ava Cherry – Bowies damalige Freundin – und der junge Luther Vandross zur Seite. Tony Visconti leitete die Aufnahmesessions, assistiert von Sigmas Haustontechniker Carl Paruolo.

Das Konzept, das einigen der neuen Nummern zugrunde lag, erläuterte Bowie 1975 einem australischen Journalisten. Ursprünglich erschien das Interview, bei dem Bowie im Nachhinein betrachtet geistig leicht umnachtet war, im *Rock Australia Magazine*. Ein Nachdruck, der später im britischen *NME* erschien, löste einen Riesenskandal aus, weil Bowie darin vermeintlich einen neuen Hitler herbeibeschwor. Beginnend mit »Young Americans« erklärte er in diesem Interview:

»Es geht um zwei frisch Verheiratete, die nicht wissen, ob sie sich wirklich lieben. Tatsächlich tun sie es, aber sie wissen es eben nicht. Das ist ein gewisses Dilemma. Die nächste Nummer, ›Win‹, ist so eine Art ›Krieg deinen Arsch hoch‹-Song, eine Nummer mit gemäßigt moralischer Botschaft. Ich habe darin den Eindruck verarbeitet, den Leute bei mir hinterlassen, die nicht besonders hart oder viel arbeiten oder einfach denkfaul sind – so nach dem Motto: Mir musst du nichts vorwerfen, ich arbeite normalerweise hart. Im Grunde genommen ist es ganz einfach, du musst nur gewinnen. ›Right‹ überzieht das Ganze mit einem positiven Singsang. Die Leute haben vergessen, wie der menschliche Instinkt klingt: Es ist ein Singsang, ein Mantra. Und sie fragen sich: ›Warum sind so viele Sachen, die einfach nur vor sich hin leiern, so beliebt?‹ Aber genau darum geht es. Das Ganze erreicht eine bestimmte Grundschwingung – die ist nicht notwendigerweise musikalischer Natur. Und worum es bei ›Right‹ geht … und bei ›Somebody Up There Likes Me‹ ist: ›Pass auf, Junge, Hitler kommt zurück.‹ Das ist dein Quäntchen Rock'n'Roll-Soziologie.« D. B. 1975

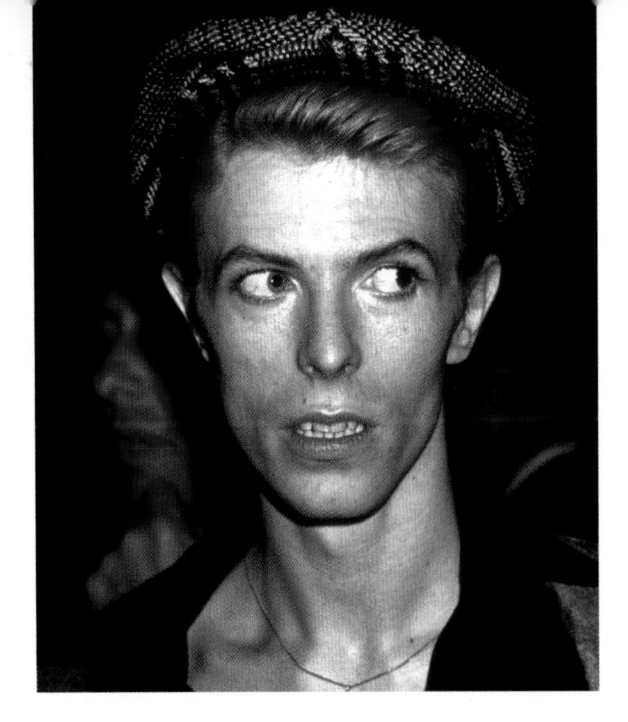

Bowie setzte seine Tour im September fort, seine neue Leidenschaft ließ ihn allerdings nicht mehr los. Und so modelte er die *Diamond Dogs*-Tour im Oktober zur Philly-Soul-Tour um und änderte die Bandbesetzung, indem er Funk-Drummer Dennis Davis, Bassist Emir Kassan, Carlos Alomar und Ava Cherry hinzuholte.

Im November kehrte er mit Visconti und der Band nach Philadelphia zurück, um das zu beenden, was er dort im August begonnen hatte. Im Januar 75 erhielt Visconti, der die neuen Songs gerade in London abmischte, einen Anruf aus New York. Bowie erklärte ihm, dass er noch zwei weitere Songs aufgenommen habe; einen davon hätte er zusammen mit Carlos Alomar und John Lennon geschrieben.

Bowie und Lennon hatten sich in einem New Yorker Nachtclub kennengelernt. Stundenlang sprachen sie über das Wesen des Ruhms; beide hatten ihn lange herbeigesehnt, doch als sie ihr Ziel endlich erreicht hatten, war alles ganz anders als sie es sich vorgestellt hatten. Bowie lag das Thema damals sehr am Herzen, denn er hatte gerade herausgefunden, dass es um seine Finanzen bei Weitem nicht so gut bestellt war, wie er gedacht hatte. Folgerichtig trennte er sich von Tony Defries und MainMan.

Nach der Begegnung mit Lennon ging Bowie noch einmal ins Studio und spielte den Lennon-Song »Across The Universe« ein. Visconti erinnerte sich später: »Er spielte Lennon die Aufnahme vor und der fand sie cool. David fragte ihn, ob er Lust hätte, einen neuen Song mit ihm zu schreiben und aufzunehmen. Daraus wurde dann ›Fame‹. David entschuldigte sich dafür, mich nicht hinzugezogen zu haben. Die Veröffentlichung stand kurz bevor, daher war tatsächlich keine Zeit mehr gewesen, um mich noch einzubeziehen. Allerdings wäre das für mich gewiss das größte Erlebnis meiner Karriere gewesen. Was soll's.«

Die Basis des Songs bildet ein großartiger Riff von Carlos Alomar, der Titel stammt von Lennon.

»Mein Gott, war das eine schnelle Session. Ein Abend und wir hatten es! Während John und Carlos Alomar im Studio an den Gitarrenparts feilten, kümmerte ich mich im Regieraum um die Lyrics. Ich war so aufgeregt wegen John, und er war begeistert davon, mit meiner Band zu arbeiten, weil sie alte Soul-Nummern und Stax-Sachen spielten. John war so wach, hatte so viel Energie; es muss unglaublich spannend gewesen sein, ihn immer um sich gehabt zu haben.« D. B. 1983

Der neue Song klang fantastisch und bildete einen soliden Übergang zu Bowies nächstem Album. »Fame« war futuristischer Funk und kein Geringerer als James Brown, der Godfather of Funk, bediente sich hier für seine eigene Nummer »Hot«. Das ist fraglos eine Auszeichnung.

Durch seine Hinwendung zum Soul konnte Bowie all die Charaktere, die er auf seinen Alben und der Bühne gespielt hatte, hinter sich lassen und auch jenseits des Rock'n'Rolls erfolgreich sein. *Young Americans* befreite Bowie und – viel wichtiger noch – wies ihm den Weg zu einer neuen faszinierenden Spielart.

Während er an dem Album arbeitete, warteten oft rund zehn hartgesottene Fans vor dem Studio in Philadelphia auf ihn. Nach Abschluss der Sessions lud er sie ein, sich die Aufnahmen anzuhören. Zunächst wusste keiner von ihnen so recht, was er mit dem neuen Sound und der neuen Richtung, die Bowie eingeschlagen hatte, anfangen sollte, bis einer von ihnen plötzlich rief: »Spiel's noch mal!« Und dann sprangen alle auf und tanzten zusammen mit Bowie die Nacht durch.

Vorherige Seite: Bowies Begeisterung für den Philly-Sound brachte ihn dazu, seinen Livesound und das Line-up zu verändern, sodass aus der im Herbst fortgesetzten *Diamond Dogs*-Tour nun die Philly-Dogs-Tour wurde.

Gegenüber: Bei der Grammy-Verleihung 1975 überreichte Bowie Aretha Franklin die begehrte Auszeichnung. Hier in kleiner Runde mit John Lennon und Yoko Ono (oben), zu der noch Art Garfunkel, Paul Simon und Roberta Flack hinzustießen (unten).

AL GREEN,
LEE DORSEY,
SPRINGSTEEN,
CHICANO ROCK, SOUL, JAZZ.
October 1975 35p
Let It Rock
"THE WORLD'S BEST ROCK READ"
Future shock with the fans of
BOWIE & FERRY
TODD RUNDGREN
Neutron kid
TIM BUCKLEY
Sad news from LA
TANGERINE DREAM
Across which Rubycon?

STATION TO STATION 1976

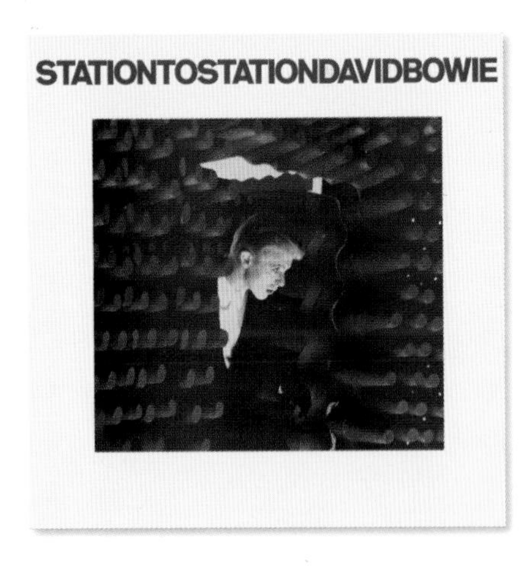

»ZU DER ZEIT LEBTE ICH IN EINER ANDEREN WELT. AUF EINEM GANZ ANDEREN STERN. ICH HABE EHRLICH GESAGT KEINE AHNUNG, WAS ZWISCHEN 1975 UND 1977 IN MEINEM KOPF VORGING.«

DAVID BOWIE, 1993

1975

Juni

US-Veröffentlichung von »Fame«/»Right« (1).

Juli

UK-Veröffentlichung von »Fame«/»Right« (17).

September

UK-Wiederveröffentlichung von »Space Oddity«/ »Changes«/»Velvet Goldmine« (1).

November

Veröffentlichung von »Golden Years«/ »Can You Hear Me« (UK 8, US 10).

16. November

Auftritt in der ABC-TV-Show *Soul Train.*

1976

Januar

Bowie feuert seinen Manager Michael Lippman.

23. Januar

Veröffentlichung von *Station to Station* (UK 5, US 3).

Vorherige Seite: Aus einer Fotosession im Rahmen der Werbekampagne für *Der Mann, der vom Himmel fiel*, 1975.

Gegenüber: »From kether to malkuth« – auf der von Steve Schapiro für *Station To Station* gemachten Fotografie ist das auf die Wand gekritzelte kabbalistische Diagramm eine Anspielung auf Bowies wachsendes Interesse an okkulten Themen.

Nach der Veröffentlichung von *Young Americans* verzehnfachte sich Bowies Erfolg in Amerika. »Fame« wurde sein erster Nummer-1-Hit in den USA und das Album erreichte die Top Ten. Die Verkaufszahlen waren beträchtlich und das ließ die Kasse klingeln.

Bowie verschanzte sich indes in einer Villa in L. A. und verfiel dem Kokain, der Rockstar-Droge der 70er. Die Tour war vorbei, sein Managementvertrag aufgelöst. Um ihn herum wurde es düster. Mit der Sucht einher ging sein wachsendes Interesse am Okkulten. Stundenlang soll er bei Kerzenschein merkwürdige Symbole gezeichnet und sich obsessiv mit Numerologie beschäftigt haben. Einem Journalisten sagte er nach einer überwältigenden Show:

»Die Zahlen haben uns heute Abend einiges abverlangt. Wir waren eine Vier und das Publikum war eine Vier. Das kann manchmal auf Hindernisse hindeuten. In L. A. werden wir eine Fünf sein, im Reich der Magier, und das Publikum wird eine Sechs sein, also angenehm und uns wohlgesonnen. Das sollte wirklich was werden.« D. B. 1976

Dennoch: So schrecklich die Geschichten von Bowies Ausschweifungen und seinem persönlichen Niedergang auch sein mögen und so sehr ihn sein ungezügelter Kokainkonsum auch zerstört haben mag: Er stand kurz vor der Vollendung eines Meisterwerks.

Station to Station ist ein Album voller Verzweiflung und Würde, ein Album der spirituellen Offenbarungen. Als Kunstwerk ist es ebenso schlüssig wie alle anderen Alben, die er davor oder danach veröffentlichte, voller fantastischer Klangwelten, raumfüllender Gitarren- und Percussionparts. Und für einen Menschen, der unter extremem Kokaineinfluss steht, ist seine Stimmbeherrschung meisterhaft. Sein Timing, d. h., wann er seine Stimme hebt oder senkt, der Musik eine weitere Klangfarbe hinzufügt oder einfach der Melodie folgt, ist perfekt.

Bowies damaliger Gitarrist Carlos Alomar erinnerte sich 2006: »Auf diesem Album wurde so viel experimentiert, es war einfach unglaublich! Ich erinnere mich, dass Earl Slick einfach nicht verstand, wie lange er einige Töne auf *Station to Station* unserer Meinung nach halten sollte. Wir experimentierten mit verschiedenen Takten, Klangfarben und Aufnahmetechniken – was immer man ausprobieren konnte, wir taten es.«

Station to Station beginnt mit drei herausragenden Bowie-Kompositionen, wobei deren Reihenfolge bei näherem Hinsehen bedeutungsvoll ist. Als von der Numerologie Besessener wird ihm die außerordentliche Bedeutung der Zahl Drei bewusst gewesen sein. So ist die Erde beispielsweise der dritte Planet nach der Sonne. Jesus fuhr am dritten Tag nach seinem Tod in den Himmel auf, um dort seinen Platz inmitten der Heiligen Dreifaltigkeit von Vater, Sohn und Heiligem Geist einzunehmen. Die Anzahl der Jünger, zwölf, ist ein Vielfaches von drei. Darüber hinaus maß Bowie auch dem Kreuzweg Bedeutung bei, der allerdings aus 14 Stationen besteht und nicht aus 12, wie er annahm. Er sagte später, dass es diese Stationen waren, an die er dachte, als er dem Album seinen Namen gab.

Es überrascht also nicht, dass die ersten drei Songs Bowies Geschichte erzählen. Im ersten präsentiert er uns seine Welt aus Schwarzer Magie, Okkultismus und Kokainsucht, im zweiten gibt er sich selbst einen Rat, im dritten befolgt er diesen und findet Erlösung.

Das Album beginnt mit dem Geräusch eines aus einem Bahnhof ausfahrenden Zuges, ein Symbol für das Herausgehen aus dem Dunkel ins Licht, den Beginn einer Reise. Die einsetzenden Instrumente klingen unheilvoll, ihr Rhythmus ist ebenso präzise wie dissonant. Und dann singt Bowie die berühmten ersten Worte: »The return of the Thin White Duke throwing darts in lovers' eyes.«

Dieses Bild spielt wahrscheinlich auf einen Vorfall an, der in Zusammenhang mit dem berüchtigten Okkultisten Aleister Crowley steht: 1918 war ein junges Paar in ein New Yorker Apartment gelockt und dort von einer Horde Crowley-Jünger mit Dartpfeilen, die sie auf ihre Opfer geworfen hatten, zu Tode gefoltert worden.

Es folgen weitere Verweise auf Okkultes, neben diversen Anspielungen auf Ozeane und Kreise etwa auch in der Zeile »One magical movement from kether to malkuth«. Die Begriffe »kether« (»Krone«) und »malkuth« (»Königreich«) stammen aus der Kabbala, einer mystischen jüdischen Lehre mit eigenem Symbolsystem, das Okkultisten bereits seit dem Mittelalter für sich vereinnahmen.

Anschließend führt uns der Song an einen anderen, wesentlich positiv besetzteren Ort. Bowie erinnert sich an eine Zeit der Arglosigkeit inmitten von Bergen und Sonnenvögeln, die er einst liebte. Wer, so fragt er sich, könne ihn heute noch mit Liebe in Verbindung bringen? Und dann folgt der berühmte Einwurf: »It's not the side effects of the cocaine. I'm thinking that it must be love.«

Ist das so? Zu jener Zeit ernährte sich Bowie immerhin von nichts anderem als Milch und Kokain. Die Psychose hatte ihn fest im Griff, daran änderte auch der unaufrichtige Kommentar seines Produzenten Harry Maslin nichts, der dem Magazin *Circus* nach der Veröffentlichung des Albums sagte: »Ich fand es etwas ungewöhnlich, dass er das so geschrieben hat, aber ich bin froh, dass er es tat. Wahrscheinlich hat er die eine oder andere Erfahrung damit gemacht, wie jeder andere auch, aber ich würde ihn nicht als Kokser bezeichnen.«

Eine Antwort erhalten wir im dritten Teil des Songs: »The European canon is here.« Ein Kanon ist eine von einem Gremium oder Konzil beschlossene und in der katholischen Kirche vom Papst genehmigte kirchenrechtliche Norm; darüber hinaus bezeichnet der Begriff eine Liste mustergültiger Werke.

Während der Aufnahmen zu *Station To Station* in den Cherokee Studios in L.A. erhielt Bowie prominenten Besuch, u.a. von Ronnie Wood (auf dem Boden liegend) und Bobby Womack (sitzend, Zweiter von links).

Bowie interessierte sich damals für deutsche Bands wie Kraftwerk, Neu! und Can und für deren innovativen Umgang mit Klängen und Rhythmen. Die Inspiration zu seinem neuen Album rührte zum Teil daher, wenngleich er auf seiner nächsten Platte natürlich noch einen ganzen Schritt weiterging.

Auf »Station to Station« folgt »Golden Years«, ein Song, der Bowie einen weiteren großen Charterfolg bescherte. Bowie präsentiert sich darin als jemand, der einen anderen Menschen ins Leben zurückholt. Obschon es sich bei diesem Anderen um eine Frau handelt, kann man sich leicht vorstellen, dass er sich hier selbst besingt und mit den weiblichen Pronomen lediglich auf sein früheres Image anspielt. Löse dich aus deiner Starre, fordert er. »Look at the sky ... for the nights are warm and the days are young.« Und er erinnert an den Verhaltensgrundsatz aller Personen, die in der Öffentlichkeit stehen und es sich nicht leisten können, Schwächen zu zeigen: »Never look back, walk tall, act fine.«

Doch das alles hilft ihm nicht weiter. Er weiß, dass er verloren ist. Der Aufstieg schließt den Fall mit ein: »Last night they loved you, opening doors and pulling some strings.« Und dann singt er: »I believe, oh Lord, I believe all the way.« Diese Antwort bereitet uns auf den dritten Teil der Trilogie vor, das atemberaubende »Word on a Wing«.

Bowie wird oft unterkühlte Reserviertheit vorgeworfen, doch diese Nummer zeigt ihn von einer ganz anderen

ING
WEENEY GYM
MAIN EVENT
FOSTER
- VS. -
BILL HARDNEY
MANUEL
VS.
TORREZ

Gegenüber: Ein am Set von *Der Mann, der vom Himmel fiel gemachtes* Bowie-Porträt von Geoff MacCormack, New Mexico, 1975.

Rechts: Als Duettpartner von Cher in ihrer TV-Show am 23. November 1975.

Seite. Er singt hier von spiritueller Erlösung und es klingt umwerfend. Wenig später sagte er:

»Während der Show singe ich einen Song von dem neuen Album, ›Word On A Wing‹; als ich ihn schrieb war ich mit der Welt so ziemlich im Reinen. Zum ersten Mal hatte ich mir mein eigenes Umfeld mit meinen eigenen Leuten geschaffen. Das Ganze sollte eine Hymne werden. Wie könnte man sich besser dafür bedanken, etwas erreicht zu haben, von dem man immer schon geträumt hat, als mit einer Hymne? Es fühlt sich tatsächlich so an, als würde ich noch einmal von vorn beginnen.«

D. B. 1976

Drei Jahre später legt Dylan mit seinem Album *Slow Train Coming* ein Bekenntnis seines neuen christlichen Glaubens ab. Auf *Station to Station* macht Bowie im Grunde genau dasselbe, doch niemandem fällt es auf. Vielleicht liegt es daran, dass »Word On A Wing« zunächst wie ein Liebeslied klingt: Irgendjemand tritt aus den Träumen des lyrischen Ichs heraus in sein Leben. Doch dann folgt: »Lord, I kneel and offer you my word on a wing/And I'm trying hard to fit among your scheme of things.«

Die Musik ist traumhaft und ergreifend, Bowies Stimme ungemein bewegend. Das ist nicht die Stimme eines von Drogen Verwirrten, sondern die eines Menschen, der nach einem Albtraum seinen Frieden gefunden hat.

Wie lange dieser Zustand anhielt, ist ungewiss. Niemand fragte Bowie damals nach seiner Meinung zu Gott. In einem Interview kurz nach der Fertigstellung des Albums bat man ihn, zu einem kurz zuvor von Mick Ronson abgegebenen bissigen Kommentar Stellung zu nehmen. »Ich habe Gott, wen hat Mick?«, war Bowies schnippische Antwort. Und sein neuer Gitarrist Earl Slick erklärte: »Wer weiß schon, was zur Zeit in ihm vorgeht?«

So viel zum Thema Theologie. Das Album hat noch drei weitere Songs zu bieten. In »TVC 15« geht es um eine Frau, die von ihrem Fernseher verschlungen wird; der Track mit dem famosen Doo-Wop-Backgroundgesang zeugt wieder einmal von Bowies großem Talent als Hitkomponist.

Danach kommt »Stay«. Der heiße, treibende Sound der Funk-Gitarren steht im Kontrast zu Bowies außerordentlich facettenreicher Stimme. Der Song führt uns wieder in den düsteren Albtraum, dem Bowie in den letzten Monaten nicht entfliehen konnte. Der Sänger muss sich an irgendetwas klammern, um seine Ängste zu überwinden. Die Paranoia macht ihm schwer zu schaffen: »You can never really tell when somebody wants something you want too.« Er sehnt sich nach Erlösung, möchte jemanden bitten, bei ihm zu bleiben, doch angesichts der drohenden Gefahren weiß er, dass das niemand tun wird.

Den krönenden Abschluss der Platte bildet eine Coverversion von »Wild Is The Wind«. Dimitri Tiomkin und

Ned Washington schrieben das ursprünglich von Johnny Mathis gesungene Stück 1957 als Filmmusik für das gleichnamige Melodram *Wild ist der Wind.* Der Sänger erkennt, dass nur das Leben selbst die Antworten auf die Fragen des Lebens geben kann. Und dass das Leben dem Wind ähnelt. Alles, was er weiß, ist, dass er Mandolinenklänge hört, wenn er seine Liebste berührt, und dass so die Erlösung klingt. Ein passendes Ende für ein großartiges musikalisches Werk.

Angesichts seiner physischen und emotionalen Verfassung ist es erstaunlich, dass Bowie damals überhaupt etwas zustande gebracht hat – von einem derart emotionalen Album ganz zu schweigen. Die Menschen, die damals mit ihm arbeiteten, berichten von seinem ungeheuren Durchhaltevermögen; er arbeitete von zehn Uhr nachts bis zehn Uhr morgens, nur um dann in einem anderen Studio weiterzumachen. An anderen Tagen tauchte er überhaupt nicht auf. Manchmal machte er fünf, sechs Tage am Stück durch, bevor er wieder im Studio aufkreuzte, um weiterzuarbeiten.

»David war damals ein Nachtmensch. Manchmal versuchten Coco [Schwab] und ich, etwas Ordnung in sein Leben zu bringen, indem wir für ihn kochten oder versuchten, ihn vor Mittag aus dem Bett zu holen. Aber irgendwie wollte man auch niemanden wecken, der gerade drei Tage durchgemacht hatte.«

Geoff MacCormack, 2007

Seine Kokainsucht schien ihn zu dieser Zeit noch nicht in die Knie gezwungen zu haben – wenig später sollte er immer wieder zusammenbrechen –, vielmehr hat er ihr ein Album abgerungen, das uns heute noch genauso sehr berührt wie bei seiner Veröffentlichung im Januar 1976.

Vorherige Seite: An Bord des Dampfers *Leonardo da Vinci*, auf dem Bowie im März 1976 von New York nach Europa reiste, um dort die *Station to Station*-Tour fortzusetzen. Dass er während der Schiffsreisen Zeit zum Lesen fand, schätzte der Künstler, der dem Fliegen nichts abgewinnen konnte, sehr. 1999 sagte Bowie in einem Interview, dass er zu den Dreharbeiten zu *Der Mann, der vom Himmel fiel* 400 Bücher mitgenommen hätte.

Oben: Trotz seiner massiven Kokainsucht Mitte der 70er wurde Bowie nur ein einziges Mal verhaftet, nämlich im März 1976, als er zusammen mit Iggy Pop wegen des Verdachts auf Marihuanabesitzes in Rochester, New York, vorübergehend inhaftiert wurde. Es kam allerdings nicht zu einer Gerichtsverhandlung.

Unten: Mit einem Glas Brandy vor versammelter Presse, 1976.

Nächste Seite: In *Der Mann, der vom Himmel fiel* lässt Bowie in der Rolle des Thomas Jerome Newton in der Wüste seinen Blick über den Horizont schweifen.

DER MANN, DER VOM HIMMEL FIEL

Vor den Aufnahmen für *Station to Station* hatte Bowie für seine erste Hauptrolle in einem großen Kinofilm – Nicolas Roegs *Der Mann, der vom Himmel fiel* – vor der Kamera gestanden.

Bowie war physisch und mental stark angegriffen. Er entfremdete sich genauso von der Welt wie der von ihm dargestellte Thomas Jerome Newton, ein humanoider Außerirdischer, der auf der Erde Wasser für seinen ausgetrockneten Planeten besorgen will. Doch bevor er die Rückreise antreten kann, verfällt er dem Alkohol, seine wahre Identität kommt ans Licht und die Regierung lässt ihn verhaften. Zwar gelingt es ihm, aus dem Gefängnis zu fliehen, doch dem Alkohol und den Depressionen entkommt er nicht.

Kurz nach der Veröffentlichung waren die Meinungen über den Film sehr geteilt, inzwischen ist sein Ansehen unter Fans und Kritikern gestiegen. Bowie kann mit seiner Darstellung überzeugen, und rein visuell betrachtet ist der Film fantastisch.

»Das Einzige, woran ich mich erinnere, ist, dass ich bei diesem Film nicht schauspielern musste. Für die Rolle reichte es völlig aus, der zu sein, der ich war. Zu dieser Zeit, war ich nicht von dieser Welt.« D. B. 1993

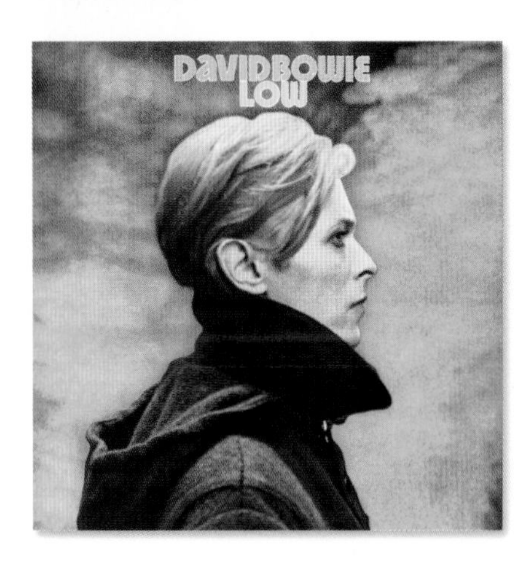

»HINTER DEM SCHLEIER DER VERZWEIFLUNG VON *LOW* SEHE ICH IN ERSTER LINIE ECHTEN OPTIMISMUS. ICH KANN FÖRMLICH HÖREN, WIE ICH DARUM KÄMPFE, WIEDER ZU KRÄFTEN ZU KOMMEN.«

DAVID BOWIE, 1999

ATON
"(This book) tells one of the strangest, saddest stories
of a great comedian that there is to be told."
—Bosley Crowther, The New York Times Book Review
Rudi Blesh

1976

2. Februar
Die *Station to Station*-Tour startet im PNE Coliseum, Vancouver.

18. März
Kinopremiere von *Der Mann, der vom Himmel fiel* (Bowie spielt T. J. Newton).

20. März
Verhaftung wegen Verdachts auf Marihuanabesitz, Rochester, New York.

April
Veröffentlichung von »TVC 15«/»We Are The Dead« (UK 33, US 64).

2. Mai
Ein Winken in Richtung von Fotografen an der Londoner Victoria Station wird als Hitlergruß missverstanden.

18. Mai
Die *Station to Station*-Tour endet im Pavillon, Paris.

Juli
UK-Veröffentlichung von »Suffragette City«/»Stay« (–).
US-Veröffentlichung von »Stay«/»Word On A Wing« (–).

Oktober
Umzug nach Berlin.

1977

14. Januar
Veröffentlichung von *Low* (UK 2, US 11).

Vorherige Seite: Für den Fotografen Norman Parkinson stellte Bowie 1977 die Pose nach, in der sein Profil für das *Low*-Cover abgelichtet worden war.

Gegenüber: Bowies Faible für Buster Keaton zeigt sich deutlich im Video zur *Low*-Single »Be My Wife«, in dem er ein blasses Make-up aufgelegt hat und die übertriebene Mimik des Stummfilmstars imitiert.

Oben: Die *Station To Station*-Tourband auf der Bühne in L.A., Februar 1976. V.l.n.r.: Carlos Alomar (Gitarre), David Bowie, George Murray (Bass) und Stacey Heydon (Gitarre).

Nächste Seite: Wie ein Sinatra der 20er-Jahre beherrscht der Thin White Duke das Geschehen auf der Bühne.

Es erscheint durchaus passend, dass die nächste Phase in Bowies Karriere, die viele für seine kreativste und brillanteste halten, durch den Mann richtig in Schwung kam, der einst für den Namen Ziggy Pate stand. Im Februar 76 erreichte die *Station to Station*-Tour Los Angeles. Bowie hatte bereits öffentlich bekanntgegeben, dass er nach dem MainMan-Fiasko ganz bewusst viel Geld verdienen wolle. »Ich denke, das habe ich verdient«, sagte er zu Journalisten, »oder sehen Sie das anders?«

Vor Beginn seiner Konzerte zeigte Bowie – wie immer auf eine gewisse Andersartigkeit bedacht – den 1929 entstandenen surrealistischen Film *Ein andalusischer Hund* von Luis Buñuel und Salvador Dalí; darin wird ein Auge mit einem Rasiermesser aufgeschnitten. Zuvor bekam das wartende Publikum über die PA Songs aus dem neuen Kraftwerk-Album *Radio Activity* zu hören. Nach diesem Vorspiel kam die Band auf die Bühne und eröffnete die Show mit »Station to Station«.

Bowies Bühnenoutfit war schlicht: Zur schwarzen Hose mit passender Weste trug er ein weißes Hemd; sein Haar war streng nach hinten gekämmt. Zu jener Zeit beschäftigte sich Bowie besonders mit Sinatra und dem Faschismus, und dank seines neuen Stils wirkte er wie ein Nachtclubsänger mit einem Faible für den deutschen Expressionismus.

»Er [Sinatra] ist nicht einfach nur ein Schauspieler oder ein Sänger. Er transzendiert all das. Er ist eine öffentliche Person. Genauso möchte ich auch wahrgenommen werden. Es geht darum, zu sehen, wie weit man das Rollenverhalten treiben kann, wie weit man das Ego jenseits des Körpers ausdehnen kann. Ich glaube, man betrachtet meine Musik nicht einfach nur als Musik. Dabei schwingt immer auch die eigene Meinung über David Bowie mit. Das hat alles ziemlich viel von McLuhan, nicht wahr? Ich versuche, mich selbst zur Botschaft zu machen, das ist die Kommunikationsform des 21. Jahrhunderts.« D. B. 1976

Nach einer der Shows traf sich Bowie mit Iggy Pop, und im Verlauf des Abends lud er ihn ein, ihn für den Rest der Tour zu begleiten. Nach dem letzten Konzert in Paris bot er sich zudem an, Iggy bei seinem nächsten Album unter die Arme zu greifen. Iggy, der infolge eines Gerichtsurteils eine Entziehungskur machen musste und immer noch gegen seine Sucht ankämpfte, konnte sich diese Chance nicht entgehen lassen. Für Bowie wiederum er-

gab sich dadurch die Möglichkeit, eine Idee zu verwirklichen, die ihn schon lange umtrieb: »zu experimentieren, neue Kompositionstechniken kennenzulernen, ja, eine ganz neue musikalische Sprache zu entwickeln«.

Eine neue musikalische Sprache. Bowie hatte genug vom Rockstarspielen. Es hatte ihn bis an den Rand des Wahnsinns getrieben. In die Drogensucht, die nun seine Karriere gefährdete. In Interviews hatte er von seiner Faszination für Hitler gesprochen, ihn sogar als »allerersten Rockstar« bezeichnet. Abgesehen davon, dass er wenig später unmissverständlich klarstellte, kein Faschist zu sein, sind die Parallelen unschwer zu erkennen: die Masseneuphorie, die Manipulation des Publikums mit ausgeklügelten, pompösen Inszenierungen, der Vorrang des Stils vor der Substanz. Für Bowie war es an der Zeit, dieses Spiel zu beenden. Es war an der Zeit, unterzutauchen, wieder richtig zu Kräften zu kommen und als neuer Mensch – nicht als Figur – zurückzukehren.

»Ich erkannte, dass ich dieses Milieu ausgereizt hatte, und mir wurde klar, wie es meine Arbeit beeinflusste. Ich fürchtete, mich zu wiederholen, wenn ich in diesem Umfeld weiterarbeitete.« D. B. 1977

Bowie und Iggy fuhren zum Château d'Hérouville, wo bereits *Pin Ups* aufgenommen worden war. Der dortige Haustontechniker und Sessionmusiker Laurent Thibault (der das Studio später übernahm) war früher Bassist der Band Magma, die Bowie sehr schätzte. Bowie und Iggy verbrachten ein paar Tage im Château, dann buchte Bowie weitere Studiozeit für einen späteren Zeitraum.

Daraufhin zog er sich zunächst in die Schweiz zurück, wo sein neuer Wohnsitz war. Meilenweit entfernt von Los Angeles konnte er sein Leben hier etwas ruhiger angehen. Er komponierte ein wenig und kehrte mit ein paar Fragmenten in der Tasche im Juni nach Frankreich zurück, wo er mit Iggy die Arbeit an *The Idiot* aufnahm.

Bowie ging die Arbeit ziemlich locker an. Er spielte dem Drummer Michel Santangeli das Grundgerüst für seine jeweilige Songidee vor und arbeitete sich dann mit ihm durch das Stück. Anschließend legte Thibault einen Basslauf darüber.

Iggy schrieb in der Zwischenzeit die Lyrics; einmal stellte er sich auch ans Mirkofon und entwickelte seinen Text

In Berlin, Juni 1977.

beim Singen. Bowie war von dieser Spontaneität fasziniert und griff später selbst auf diese Improvisationstechnik zurück. Im August verlegten sie die Aufnahmen nach Deutschland; zunächst nach München, dann nach Berlin.

The Idiot wurde als eines der besten Alben des Jahres gefeiert; vor dem Hintergrund der futuristischen Klänge fing Iggys düsterer Gesang den damaligen Zeitgeist hervorragend ein. Zweifellos bereitete diese Platte den Weg für Bowies nächstes Album. Es dauerte nicht lange und er war wieder im Château, wo er an einer eigenen neuen Platte zu arbeiten begann.

Einiges an Material hatte er bereits beisammen – Nebenprodukte seiner Arbeit für den Soundtrack für *Der Mann, der vom Himmel fiel,* dem er sich nach *Station to Station* gewidmet hatte. Bowie befand sich damals allerdings schon in einer derart desolaten Verfassung, dass die Musik, die er zusammen mit dem Cellisten und Komponisten Paul Buckmaster (der auch »Space Oddity« arrangiert hatte) produzierte, nicht wirklich etwas taugte. Zu Beginn der *Station to Station*-Tour hatte Bowie dann schon wieder die

Zukunft im Blick – was auch das allabendliche Spielen des Kraftwerk-Albums vor Konzertbeginn belegt. Vor diesem Hintergrund sind seine Begegnungen mit dem Schriftsteller Christopher Isherwood und dem Musiker Brian Eno von besonderer Bedeutung.

Isherwood war bekannt für seine Romane über das Berlin der frühen 30er-Jahre; einer davon, *Leb wohl, Berlin,* diente u. a. als Vorlage für das Broadway-Musical *Cabaret.* Bowie lernte den Autor 1976 während der *Station to Station*-Tour in Los Angeles kennen. Er stellte ihm viele Fragen über Berlin, und was er erfuhr, machte ihn sehr neugierig. Die Wohnung, in die er später zog, lag nur etwa zehn Gehminuten von Isherwoods ehemaligem Domizil entfernt.

Eno kannte Bowie bereits aus dessen Zeit bei Roxy Music. Er hatte seitdem viel mit einem Musikstil experimentiert, der später unter dem Namen Ambient bekannt wurde. Auch für Bowie war die Zeit nun reif, sich mit dieser Art Musik zu beschäftigen. Er hatte mittlerweile zehn Alben veröffentlicht, ein Instrumentalwerk war noch nicht darunter.

»Ich weiß, dass ihm *Another Green World* sehr gut gefiel«, sagte Eno 1999, »und er muss geahnt haben, dass ich zwei parallele Ansätze verfolgte, und wenn man jemanden kennenlernt, der dieselben Probleme hat, fällt es leicht, sich anzufreunden. Er hat mir erzählt, dass er sich, als er zum ersten Mal *Discreet Music* hörte, vorstellte, dass man zukünftig stapelweise mit ganz ähnlichen Covern versehene Ambience-Platten im Supermarkt kaufen könne.«

Für die Arbeit an *Low* im Château d'Hérouville zog Bowie wieder Tony Visconti als Co-Produzenten hinzu. (Visconti hatte Bowie von einem neuen Instrument, dem Eventide Harmonizer, erzählt.) Die beiden hielten ihren üblichen Arbeitsablauf bei: Sie entwickelten einen Song aus einem Basisrhythmus, dem sie erst die verschiedenen Instrumente und zuletzt den Gesang hinzufügten. Auf diese Weise konnte Bowie seine Stimme viel effektvoller einsetzen, als wenn er den Gesang früher aufgenommen hätte.

Die Stücke auf *Low* folgen ihrer eigenen Logik. Es ist, als würden sie plötzlich einsetzen, sich mitteilen und wieder ausklingen. Viele betrachten Kraftwerk als Hauptinspirationsquelle für das Album, doch damit liegen sie falsch. Die Kraftwerk-Songs basieren auf automatisierten Rhythmen, denen unerwartete Klangelemente Farbe verleihen. Bowie hingegen hat auf *Low* etwas völlig Unabhängiges, Unvorhersagbares geschaffen. Mit den Kraftwerk-typischen strengen Rhythmen hat das nichts zu tun. *Low* basiert vielmehr auf Scattershot-Drums, funky Basslines, heulenden Gitarren und unerwarteten Taktwechseln.

Was die Lyrics anbelangt, so schuf Bowie kurze, schlichte Szenen, die zum größten Teil durch seine Erfahrungen in L.A. inspiriert wurden. »Breaking Glass«, »Sound And Vision« und »What In The World« versetzen den Hörer in einen Raum, in dem sich entweder schlimme Dinge abspielen oder Erlösung zu finden ist. Zu »Always Crashing In The Same Car« soll er von einem geplatzten Drogendeal angeregt worden sein, und auf »Be My Wife« bedient sich Bowie wieder seiner »Londoner« Stimme – dieser Mischung aus Syd Barrett und Anthony Newley –, um uns zu versichern, dass er trotz all seines Erfolgs im tiefsten Herzen immer noch Brite ist.

Eingerahmt werden diese Songs von zwei Instrumentaltiteln: »Speed Of Life« und »A New Career In A New Town«. Es sind kurze, harte, oft aggressiv klingende Stücke. Allem Anschein nach waren sie nicht von vornherein als Instrumentals geplant; Bowie ist wohl einfach kein passender Text dazu eingefallen. Also hat man sie einfach so gelassen, wie sie waren.

Den Rest des Albums füllen längere, düstere Instrumentalnummern.

»›Warszawa‹ handelt von Warschau und dem enorm trostlosen Eindruck, den die Stadt auf mich gemacht hat.« D.B. 1977

Bowie tut seinen Stücken unrecht, wenn er sich so prosaisch zu ihnen äußert. Tatsächlich scheint manches davon eine Vorwegnahme von Ennio Morricones Filmmusiken wie z.B. für *Mission* zu sein. Zugleich klingt darin auch ein bisschen von Walter (heute Wendy) Carlos und seiner Filmmusik für *Uhrwerk Orange* an.

»›Art Decade‹ ist Westberlin, eine Stadt, die von ihrer Umgebung, Kunst und Kultur abgeschnitten wurde und hoffnungslos vor sich hinvegetiert. ›Weeping Wall‹ handelt von der Mauer – und dem Schmerz, dem Elend, die damit einhergehen. In ›Subterraneans‹ geht es um Menschen, die nach der Teilung der Stadt in Ostberlin gefangen waren – die leisen Klänge des Saxofons repräsentieren die Erinnerung an das, was einmal war.« D.B. 1977

Dafür dass das Album so experimentell war, verkaufte es sich erstaunlich gut. Sehr gut sogar. »Sound And Vision« kletterte in Großbritannien bis auf Platz drei der Singlecharts. Das Album erreichte Platz zwei in Großbritannien und Platz elf in den USA. Die Meinungen der Kritiker waren extrem geteilt. Einige lobten Bowies künstlerischen Mut, andere waren sehr irritiert.

Während alle erwarteten, dass Bowie die Plattenverkäufe mit einer Tour noch weiter ankurbeln würde, ging er wie immer eigener Wege und begleitete Iggy Pop als Keyboarder auf dessen nächster Tour durch Großbritannien und die USA. Im Mai produzierte er mit *Lust For Life* ein weiteres Album für den Godfather of Punk, bevor er im August erneut ins Studio ging, um den Song aufzunehmen, den viele für seinen besten halten. Er war damals gerade einmal dreißig Jahre alt.

Gegenüber: Warten auf den Flieger am Londoner Flughafen Heathrow im März 1977. Bemerkenswerterweise wirkt Iggy Pop erheblich unentspannter als sein dem Fliegen sehr abgeneigter Freund.

Nächste Seite: Zufrieden damit, nicht im Rampenlicht zu stehen, ging Bowie als Keyboarder mit Iggy Pop auf Tour, um *The Idiot* zu promoten, das erste von zwei Soloalben, die er für seinen Freund 1976 und 1977 co-produzierte (das zweite war *Lust For Life*).

"HEROES" 1977

»INZWISCHEN GEHT ES MIR GUT. ICH BIN ZUFRIEDEN. ICH FÜHLE MICH EHER WIE EIN FLIESSBANDPRODUKT ALS WIE DIE EINKOMMENS-QUELLE FÜR 10.000 LEUTE, DIE JEDEM MEINER FÜRZE HINTERHERRENNEN.«

DAVID BOWIE, 1977

1977

Februar

Veröffentlichung von »Sound And Vision«/»A New Career In A New Town« (UK 3, US 69).

18. März

Veröffentlichung von Iggy Pops *The Idiot.*

März–April

Als Keyboarder mit Iggy Pop auf dessen *The Idiot*-Tour.

Juni

Veröffentlichung von »Be My Wife«/»Speed Of Life« (–).

29. August

Veröffentlichung von Iggy Pops *Lust For Life.*

September

Veröffentlichung von »"Heroes"«/»V-2 Schneider« (UK 24, US –).

11. September

Er singt »Peace On Earth/Little Drummer Boy« im Duett mit Bing Crosby für dessen TV-Special *Bing Crosby's Merrie Old Christmas.*

14. Oktober

Veröffentlichung von *"Heroes"* (UK 3, US 35).

Vorherige Seite: Aus der Fotosession mit Sukita für das *"Heroes"*-Cover, April 1977.

Gegenüber: Bowie-Porträt von Clive Arrowsmith, November 1977.

Diese Seite: Die beiden Inspirationsquellen für den Titelsong – ein Buch und ein Gemälde (oben). David Bowie und Bing Crosby bei Aufnahmen zum TV-Weihnachts-Special (unten).

David Bowie betritt den Regieraum von Studio 2 in den Berliner Hansa Studios und bittet seinen Produzenten Tony Visconti, ihn ein wenig allein zu lassen. Er braucht Zeit, um den Text zu einer unwiderstehlichen Nummer zu schreiben, an der sie arbeiten, seit sie im Juli 77 ins Studio gegangen sind. Visconti hat Verständnis und verlässt den Raum.

Bowie will einen Song über ein Liebespaar vor dem Hintergrund der für Trennung und Teilung stehenden Berliner Mauer schreiben. Zwei Kunstwerke sollen ihn zu dieser Idee inspiriert haben: Zum einen die Kurzgeschichte des italienischen Autors Alberto Denti di Pirajno »Das Mädchen auf dem Delfin«, zum anderen das Gemälde *Liebespaar zwischen Gartenmauern* des Expressionisten Otto Mueller.

Während Bowie versucht, die passenden Worte zu finden, blickt er aus dem Fenster und sieht – zu seiner großen Überraschung –, wie sich sein Produzent und die Jazzsängerin Antonia Maaß leidenschaftlich küssen. Nachdem Bowie und Visconti Maaß in einem Nachtclub kennengelernt hatten, wirkte sie als Backgroundsängerin an den Aufnahmen für das neue Album mit. Der damals verheiratete Visconti steht mit Maaß im Schatten der Mauer, während sie sich küssen. Bowie ist von diesem Bild fasziniert. Später sagt er im *NME* (Viscontis Seitensprung diskret unterschlagend):

»Gleich neben dem Studio verläuft die Mauer … Sie ist etwa 20 oder 30 Meter entfernt und vom Regieraum aus guckt man direkt darauf. Über der Mauer ragt ein Wachturm auf, in dem bewaffnete Grenzposten sitzen. Jeden Tag trafen sich dort in der Mittagspause ein Mann und eine Frau. Offensichtlich lief was zwischen den beiden. Ich fragte mich, warum man sich für ein Date von all den Plätzen, die es in Berlin gibt, ausgerechnet eine Bank direkt unter der Mauer aussucht. Ich nahm an, dass die beiden wegen ihrer Affäre ein schlechtes Gewissen hatten und sich diesen gefährlich wirkenden Treffpunkt gewissermaßen selbst auferlegt hatten, um mit diesem heroischen Akt eine Art Entschuldigung zu haben.« D. B. 1977

Als Visconti zurückkehrt, ist Bowie bereit, seinen Gesangspart aufzunehmen, der aus einem sehr guten Song einen der herausragendsten Titel seiner ganzen Karriere machen wird: »"Heroes"«.

Zu Beginn singt Bowie fast im Ton eines Erzählers, doch dann bildet seine Stimme zusammen mit der Musik ein stetig anwachsendes voluminöses Klangebilde aus Synthesizern, Gitarren und treibendem Rhythmus. Das Resultat ist ein grandioser, wunderbarer Song über ein Paar, das alle Scham über Bord wirft und für das die Liebe zur treibenden Kraft geworden ist.

Der Titelsong ist allerdings der einzige auf dem Album, der zumindest annährend konventionellen Mustern folgt. Ein weiteres Mal hatten sich Bowie und Visconti mit Eno zusammengetan, und mithilfe derselben Methode, die sie schon so erfolgreich bei der Produktion von *Low* angewandt hatten, schufen sie ein weiteres zweigeteiltes Album: fünf aufregende und brillante Songs mit Text auf der A- und eine Reihe von Instrumentalstücken auf der B-Seite.

Von der Oberflächlichkeit und mangelnden Ausgefeiltheit, die man *Low* in Bezug auf die Texte noch vorwerfen konnte, ist hier nichts mehr zu spüren. Bowie schreibt und singt wesentlich eindringlicher, der Sound ist dichter, die Songs sind prägnanter und erheblich eingängiger.

Wie *Station To Station* beginnt auch dieses Album mit einem Klavierriff, aber »Beauty And The Beast« ist im Vergleich zu »Station To Station« eine Achterbahnfahrt, eine hektische Fusion von Gitarren, Percussion und allerlei seltsamen anderen Instrumenten, aus deren Mitte Bowies Stimme erklingt. »Nothing will corrupt us/Nothing will compete/Thank God heaven left us/Standing on our feet«, singt er voller Hoffnung und Zuversicht.

Bowies positive Stimmung hing unmittelbar mit Berlin zusammen, wo er eine geräumige Sieben-Zimmer-Wohnung bezogen hatte. Für Deutschland hatte er sich vor allem auch wegen seiner reichen Kunstgeschichte schon immer interessiert, und die Berliner zeichnete aus, dass sie sehr gelassen waren und kein großes Aufheben darum machten, dass er nun hier lebte. Popstars konnten in diesem Teil der Welt noch unbehelligt leben. Und Bowie genoss es sehr, ungestört durch die Straßen zu ziehen.

»Schon als Jugendlicher haben mich diese angsterfüllten, emotionalen Werke der expressionistischen Maler und Filmemacher fasziniert, deren geistige Heimat nun mal Berlin war. Hier war auch das Zentrum der Künstlergruppe ›Die Brücke‹; Max Reinhardt und Brecht haben hier gearbeitet, es ist der Geburtsort von Metropolis *und* [Das Cabinet des Dr.] Caligari. *Bei dieser Kunstrichtung geht es darum, nicht die von außen betrachtete Wirklichkeit abzubilden, sondern das innere Erleben*

und Empfinden derselben. In diese Richtung sollte auch meine Arbeit gehen. Als Kraftwerk 1974 Autobahn *veröffentlichten, habe ich meine Aufmerksamkeit wieder auf das gerichtet, was aus Europa kam. Die dort vorherrschende Verwendung elektronischer Instrumente hat mich davon überzeugt, dass ich mich mit dieser Art Musik eingehender befassen sollte.«* D. B. 2001

Für »Joe The Lion«, den zweiten Song des Albums, bediente sich Bowie der Methode, die Iggy Pop bei *The Idiot* angewandt hatte: Er stellte sich ans Mikrofon und sang zu der kakofonischen Musik das, was ihm gerade in den Sinn kam. Er machte das so lange, bis er seinen Text beisammen hatte. »Für mich war das eine sehr effektive Möglichkeit, die Grenzen des normalen, standardisierten Textens zu sprengen«, sagte er später.

Der nächste Titel ist »"Heroes"«. Das erhabene Intro und der anfänglich ruhige Fluss der Musik bilden einen willkommenen Kontrast zu den vorangegangenen musikalischen Turbulenzen. »I'll drink all the time«, singt Bowie dort in der zweiten Strophe, was durchaus den Tatsachen entsprach, denn obschon er dem schlimmsten Drogensumpf entkommen war, hatte er seine Sucht in Berlin keineswegs bezwungen. Zwar hatte er seinen Kokainkonsum deutlich reduziert, doch zum Ausgleich trank er nun reichlich Alkohol. Iggy Pop erzählte später, dass sie pro Woche zwei Tage koksten, zwei Tage tranken und drei Tage nüchtern blieben, um Galerien und Museen zu besichtigen.

Dennoch war Bowie in weitaus besserer Verfassung als noch ein Jahr zuvor. Während der Arbeit an *Low* war er immer noch ausgebrannt von seiner Zeit in L. A. und hatte sich deshalb etwas im Hintergrund gehalten. Bei der Produktion von *"Heroes"* trugen seine gehobenere Stimmung und seine bessere gesundheitliche Verfassung einiges zu der Entstehung eines in sich wesentlich abgerundeteren, optimistischeren Albums bei.

Auf »"Heroes"« folgt mit »Sons Of The Silent Age« ein weiterer großartiger Song. Wenn die Stärke von *Low* darin liegt, dass darauf einige neue Möglichkeiten anklingen, so zeichnet sich »Sons Of The Silent Age« dadurch aus, dass hier einiges davon effektiv eingesetzt wurde, denn Bowie kommt mit dieser Komposition seinem Ziel, »eine neue musikalische Sprache« zu entwickeln, tatsächlich nahe. Wieder einmal singt er mit seiner unnachahmlichen Newley/Barrett-Stimme; der Text, eine verstörende Zukunftsvision im Stil von 1984, erinnert an *Diamond Dogs*. Zwischen Saxofonklängen, schleppenden Rhythmen und scheppernden Becken hört man einen Beach-Boys-ähnlichen Backgroundgesang, bevor sich schließlich Bowies Stimme über einen wirklich fesselnden Refrain legt. Unter der Regie eines weniger talentierten Musikers wäre daraus wohl nur ein ziemlich merkwürdiges Klangexperiment geworden, aber dank Bowies beeindruckender Stimmbeherrschung wurde ein grandioser Song daraus. Nur wenige Sänger können stimmlich in einer Strophe von »Syd Barrett« auf »tief empfunden« umswitchen.

Die erste Seite des Albums endet mit »Blackout«, einem Song, in dem man durchaus auch Bezüge zu Bowies Privatleben entdecken kann. Seine Ehe mit Angie steckte in einer schweren Krise, aus der die beiden schließlich auch nicht mehr herausfinden sollten. Bei seinem letzten Besuch in Berlin war er zusammengebrochen und es wurde zunächst vermutet, dass er einen Herzinfarkt erlitten hätte. Im Krankenhaus stellte sich dann heraus, dass er lediglich zu viel getrunken hatte. Vor diesem Hintergrund scheint es nicht allzu abwegig, zu vermuten, dass sich »Get me to a docter's/I've been told someone's back in town/the chips are down« sowohl auf seine Ex-Gattin in spe als auch auf seinen Zusammenbruch bezieht. Bowie behauptete später, dass ihn ein Stromausfall in New York zu diesem Text inspiriert habe.

Der nächste Song, »V-2 Schneider«, bildet eine Brücke zu den etwas besinnlicheren Kompositionen des Albums. Auf dieses Quasi-Instrumental mit der zunächst langsam dahinplätschernden, später dann ziemlich eingängigen Melodie folgt das düstere »Sense Of Doubt« mit seinen unheimlichen Klavierakkorden und einem dramatischen Keyboard-Sound à la *Uhrwerk Orange*. Das Pendant dazu bildet »Neuköln« (das im Gegensatz zum gemeinten Berliner Stadtbezirk fälschlicherweise nur mit einem L geschrieben wurde), dessen Saxofon-Break Bilder vom Leben der schon damals sehr großen türkischen Gemeinde in Berlin heraufbeschwört.

»Sense Of Doubt« und »Neuköln« rahmen »Moss Garden« ein. Mithilfe eines Kotos, einem zitherähnlichen japanischen Instrument, erzeugt Bowie hier ein musikalisches Szenario voll Ruhe und heiterer Gelassenheit inmitten all der Dissonanz.

Vorherige Seite: Von Oktober 76 bis Februar 78 mietete Bowie eine Wohnung in Berlin-Schöneberg. Sein Album *"Heroes"* produzierte er vollständig in der damals geteilten Stadt. 1977 wohnte er auch eine Zeit lang in Paris. Dieses Foto machte Christian Simonpietri.

Gegenüber: Ein glücklicher, gesunder Bowie, der die Exzesse in L.A. hinter sich gelassen hat.

RALEIGH

Das Album endet mit »The Secret Life Of Arabia«. In seiner Knappheit erinnert dessen Text an *Low* (die Wendung »speed of life« in einer der ersten Zeilen verweist deutlich auf den ersten Song jenes Albums); mit seinem flotten Tempo wirkt der Song allerdings wie ein erfrischender Regenschauer nach einem vorangegangenen Sturm.

Low, *"Heroes"* und *Lodger* gelten gemeinhin als Bowies Berlin-Trilogie. Diese Bezeichnung ist allerdings unzutreffend. *Low* wurde in Frankreich aufgenommen und in Berlin nur abgemischt; *Lodger* wiederum wurde in der Schweiz produziert. *"Heroes"* ist somit das einzige dieser Alben, das komplett in Berlin entstand. Der Platte kann man Bowies Erleichterung über seine erfolgreiche Flucht vor den selbstzerstörerischen Exzessen in L. A. regelrecht anmerken. Auf dem Cover wirkt er so gesund wie lange nicht mehr.

»In Berlin habe ich nach Jahren zum ersten Mal wieder richtige Lebensfreude empfunden und mich befreit und gesünder gefühlt. Man muss bedenken, dass die Stadt achtmal so groß ist wie Paris und dass man sich darin viel einfacher ›verlieren‹ und auch wieder ›finden‹ kann.« D. B. 2001

Auch Tony Visconti erinnert sich gerne an die Sessions. 2007 sagte er: »Was die Arbeit an den Alben der Trilogie anbelangt, hat es bei *"Heroes"* am meisten Spaß gemacht. Die Zauberformel hieß Hansa Studios, Berlin, hervorragende Musiker und Brian Eno. Jeden Abend kehrte ich zufrieden in mein Hotel zurück; ich wusste, dass wir an einem Killer-Album arbeiteten. Zu der Zeit hatte ich schon im Gefühl, dass »"Heroes"« ein Klassiker werden würde.«

Erstaunlicherweise wurde »"Heroes"« nach seiner Veröffentlichung gar nicht der große Megahit. Dennoch ist unbestritten, dass dieser Song einer von Bowies besten ist.

Kurz nach der Fertigstellung des Albums trat Bowie – der noch immer nicht auf Tour ging – in Marc Bolans Fernsehshow *Marc* auf. Bowies alter Freund schien dankbar, noch einmal vor einer Kamera zu stehen, Bowie wirkte sehr gelassen – man könnte sogar sagen: irgendwie heldenhaft.

»Ein seltsames, kaltes, teils unzugängliches Album. Aber Bowie gelingt es aus all den disparaten Zutaten ein funktionierendes Ganzes zu machen.« **ZigZag, Oktober 1977**

Bowie singt »"Heroes"« in der von seinem alten Freund Marc Bolan moderierten TV-Show *Marc* am 9. September 1977. Eine Woche später kam Bolan bei einem Autounfall ums Leben. Die Sendung mit Bowie wurde am 28. September posthum ausgestrahlt.

ARTWORK

Die Aufnahme für das *"Heroes"*-Cover stammt von dem japanischen Fotografen Masayoshi Sukita, den Bowie 1972 nach einem Konzert in der Londoner Royal Festival Hall kennengelernt hatte. Der vor allem als Modefotograf arbeitende Sukita machte Bowie 1973 mit dem Designer Kansai Yamamoto bekannt, der einen Großteil der Ziggy-Kostüme entwarf.

1977 reiste Bowie mit Iggy Pop im Rahmen der Werbekampagne für *The Idiot* nach Japan. Sukita fotografierte die beiden Musiker in seinem Studio in Tokio – eine der Aufnahmen von Iggy kam später aufs Cover seines Albums *Party*. Sukita sagte, Bowie habe völlig spontan posiert. Das *"Heroes"*-Cover wurde oft mit einem Selbstporträt des deutschen Expressionisten Walter Gramatté verglichen, laut Bowie referiert es jedoch auf ein anderes expressionistisches Gemälde: Erich Heckels *Roquairol*.

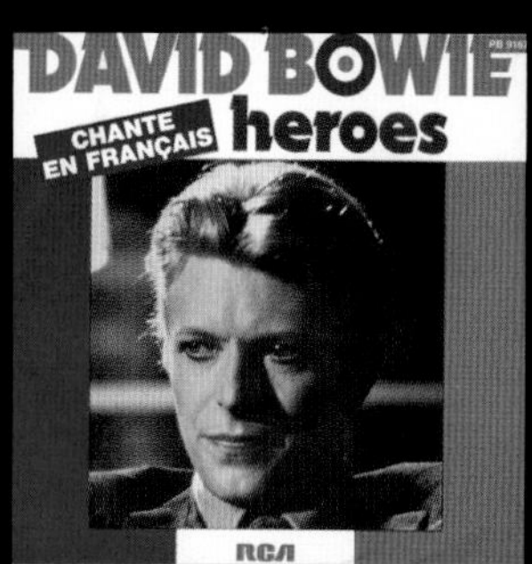

Oben: Mit Leadgitarrist Robert Fripp, dem Gründer und ehemaligen Mitglied von King Crimson, und Brian Eno (Mitte) in den Hansa Studios.

LODGER 1979

»ICH WERDE ÖFTER FÜR DAS GELOBT, WAS ICH NICHT BIN – NICHT BERECHENBAR, NICHT LANGWEILIG, NICHT SPIESSIG, WAS AUCH IMMER –, ALS FÜR DAS, WAS ICH ZU SEIN GLAUBE. ABER LANGSAM LERNE ICH, DAMIT KLARZUKOMMEN.«

DAVID BOWIE, 1983

1978

Januar
Veröffentlichung »Beauty And The Beast«/»Sense Of Doubt« (UK 39, US –).

Februar
Bowie zieht weg von Berlin.

29. März
Die *Stage*-Tour startet in der Sports Arena, San Diego.

12. Mai
Veröffentlichung von *David Bowie Narrates Prokofiev's Peter And The Wolf.*

25. September
Veröffentlichung von *Stage* (UK 5, US 44).

November
UK-Veröffentlichung »Breaking Glass«/»Art Decade«/»Ziggy Stardust« (54).

16. November
Kinopremiere von *Schöner Gigolo, armer Gigolo* (Bowie in der Rolle des Paul Ambrosius von Przygodski).

12. Dezember
Die *Stage*-Tour endet in der NHK Hall, Tokio.

1979

April
UK-Veröffentlichung von »Boys Keep Swinging«/»Fantastic Voyage« (7).

18. Mai
Veröffentlichung von *Lodger* (UK 4, US 20).

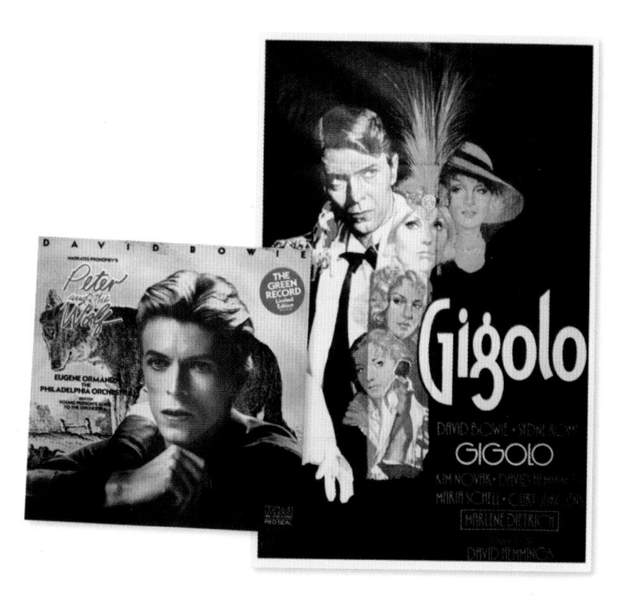

Vorherige Seite: Die inszenierte Verletzung behindert Bowie nicht dabei, während des Covershootings mit Brian Duffy sein Hemd zuzuknöpfen.

Gegenüber: Geködert mit der Aussicht, mit Marlene Dietrich vor der Kamera zu stehen, nahm Bowie kurz vor dem Ende seines Aufenthalts in Berlin eine Rolle in dem Film *Schöner Gigolo, armer Gigolo* an. Die Dietrich weigerte sich jedoch, nach Berlin zu kommen, sodass ihre Szenen in Paris gefilmt wurden und Bowie ihr nie begegnete.

Als ein Reporter des Magazins *ZigZag* Bowie im Januar 1978 fragte, was er von seinen bis dato erschienenen Alben halte, antwortete dieser:

»Einige davon basieren lediglich auf grob umrissenen Ideen, die ich nicht gründlich genug ausgearbeitet habe. Ideen, die nicht wirklich brillant waren. Das ist wie beim Malen; nicht jedes Bild, das man malt, ist gut, aber wenn man es einmal gemalt hat, dann ist es nun mal da. So ähnlich ist das für mich mit meinen Alben. Ich gebe ja zu, dass nicht alle meine Ideen von Erfolg gekrönt wurden und Bestand haben, aber die eine oder andere gelungene Arbeit ist schon darunter. Und es gibt da einen logischen Zusammenhang … Ich habe beim Hören das Jahr, in dem ich ein Album gemacht habe, förmlich vor Augen, und ich stelle fest: ›Ja, das beschreibt das Umfeld und das Jahr recht treffend.‹ Und dass das so ist, finde ich ziemlich gut, denn in gewisser Weise war das auch meine Absicht.« D. B. 1978

Das führt uns zu *Lodger*, dem dritten Album der sogenannten Berlin-Trilogie, das während einer kurzen Pause zwischen Bowies sehr erfolgreicher 1978er-Tournee in der Schweiz aufgenommen wurde. (Das verbindende Element der Trilogie ist nämlich weniger Berlin als vielmehr Bowies Zusammenarbeit mit Brian Eno.)

Schon wieder drängte ihn RCA, ein neues Studioalbum herauszubringen. Bowie war davon ausgegangen, seine vertraglichen Pflichten mit dem Livealbum *Stage* erfüllt zu haben, doch RCA sah das anders. Zudem bereitete den Plattenbossen Bowies neue Musik Sorgen. Die Verkaufszahlen von *Low* und *"Heroes"* waren weit hinter denen von *Young Americans* und *Station To Station* zurückgeblieben. RCA übte Druck aus, doch Bowie bot ihnen die Stirn. Als er während einer Tourpause im August 78 in Montreux ins Studio ging, waren Eno und Visconti wieder dabei.

In künstlerischer Hinsicht waren die letzten Jahre für Bowie ungemein ergiebig gewesen. Später sagte er, *Low*, *"Heroes"* und *Lodger* seien von all seinen Alben diejenigen, die seinem genetischen Code am ehesten entsprächen.

Mit *Lodger* endete diese außerordentlich kreative Phase. Die Meinungen über dieses Album gingen weit auseinander. Während die einen es für einen Geniestreich hielten, sahen die anderen darin einen Beleg für Bowies nachlassende Kreativität. Letztere fühlten sich auch dadurch in ihrer Ansicht bestärkt, dass Gary Numan mit »Are Friends

Electric?« die Charts anführte, während Bowie mit seiner ersten Singleauskopplung »Boys Keep Swinging« nicht einmal die Top 5 erreichte. Schon hieß es, der Schüler habe seinem Lehrer den Rang abgelaufen, was aus heutiger Sicht natürlich reichlich voreilig war.

Bowie erklärte später, dass ihn persönliche Angelegenheiten bei der Arbeit an diesem Album abgelenkt hätten (Angie machte die Trennung schwer zu schaffen), während Visconti mit der Wahl des Studios alles andere als zufrieden war.

Zudem gab es noch Spannungen zwischen den beiden Hauptakteuren. Bowie und Eno hatten sich ein Jahr lang nicht gesehen, und inzwischen hatte Bowie eine ganz andere Vorstellung von dem, was er machen wollte, als Eno, was regelmäßig für hitzige Diskussionen sorgte. Eno sagte später: »Die Arbeit an *Lodger* begann vielversprechend und es schien ein revolutionäres Album zu werden, doch gegen Ende sah das dann leider ganz anders aus.«

1975 hatte Eno zusammen mit einem Freund eine Technik entwickelt, die sie Oblique Strategies nannten. Das Ganze basierte auf hundert kleinen Karten, auf denen man zuvor Anweisungen, Phrasen oder Ideen notiert hatte. Die Musiker wählten willkürlich eine Karte aus und ließen sich davon inspirieren. Diese Methode sollte helfen, kreative Blockaden zu überwinden, indem sie entweder alternative Lösungswege aufzeigte oder die Beteiligten zwang, sich von ihrer gewohnten Arbeitsweise zu lösen. So verlangte etwa eine Karte, dass die Musiker ihre Instrumente tauschen sollten. Auf »Boys Keep Swinging« spielt Carlos Alomar daher Drums und Dennis Davis Bass. Alomar erklärte den Song später zu dem Bowie-Titel, auf dem er am liebsten mitgespielt habe. »Ich kann ums Verrecken nicht Schlagzeug spielen«, erklärte er, »aber es hat irre viel Spaß gemacht.« Der Bass, den Davis spielte, wurde allerdings später von Toni Visconti neu aufgenommen.

»Das sollte alles noch viel chaotischer werden. Brian machte ein paar merkwürdige Experimente. Er schrieb seine acht Lieblingsakkorde auf eine Tafel und forderte die Rhythmusgruppe auf, ›funky zu spielen‹. Dann zeigte er willkürlich auf irgendeinen der Akkorde und die Band musste ihm folgen. Das ging allerdings ziemlich in die Hose, aber wir probierten noch eine ganze Reihe anderer Sachen aus.« Tony Visconti, 2001

Es ist schwer, *Lodger* innerhalb der Trilogie genau einzuordnen. Anders als *Low* und *"Heroes"* hat das Album keine Instrumentalseite. Es ist bei Weitem nicht so elektronisch wie die beiden anderen und die darauf verwendeten Instrumente sind wieder wesentlich konventioneller. Ging es zuvor hauptsächlich um Klangexperimente, so lag jetzt das Hauptaugenmerk eher auf musikalischen Experimenten. Das eindringliche »Yassassin« beispielsweise klingt wie der Song von einer Band türkischer Kids, die gerade ihre erste Ska-Platte gehört haben.

Oben: Die *Stage*-Tour dauerte von März bis Dezember 78 und führte von Nordamerika über Europa, Australien und Neuseeland bis nach Japan.

Gegenüber: Auf einen Sockel gestellt – Lord Snowdon, der bis 1978 mit Prinzessin Margaret verheiratet war, fotografierte Bowie in seinem eigenen Garten, 1978.

In »African Night Flight« (Bowie hatte gerade mit seinem Sohn einen sechswöchigen Urlaub in Kenia verbracht) hastet Bowies Sprechgesang über ein Klanggerüst aus klappernden Percussions und einem bedrohlich klingenden Bass; aufgepeppt wird das Ganze mit unerwarteten Akkordwechseln und einem skandierenden Backgroundgesang.

Doch *Lodger* hat fraglos auch großartige Musik zu bieten. Das Album beginnt mit der wunderbaren Ballade »Fantastic Voyage«, die übrigens auf derselben Akkordfolge wie »Boys Keep Swinging« basiert. Bowie verführt uns hier mit seiner warmen, ziemlich unbekümmert wirkenden Art zu singen.

»Boys Keep Swinging« verstehen einige als ironischen Seitenhieb auf typisches Machogehabe. Man kann den Song aber auch als eine heitere Hommage an die Jugend auffassen.

Für »Move On« bediente sich Bowie bei »All The Young Dudes«, dem von ihm selbst komponierten Mott-The-Hoople-Hit von 1972.

»Ich hatte eines meiner Tonbänder versehentlich rückwärts abgespielt, und mir gefiel die Melodie, die sich daraus ergab. Daher habe ich dasselbe mit weiteren Bändern gemacht und zum Schluss fünf oder sechs Nummern rausgepickt, die ich richtig spannend fand. Aber nur ›Dudes‹ schaffte es auf das Album, weil ich meine ›normalen‹ Kompositionen nicht komplett außen vor lassen wollte. Dennoch hat mir diese Übung einiges gebracht.« D. B. 2001

Zwei weitere herausragende Songs sind »Repetition«, in dem es um häusliche Gewalt geht, und »D. J.«, das wie eine Nummer von den Talking Heads klingt – nur besser.

Bei den vielen herausragenden Bowie-Alben ist es das Schicksal von *Lodger*, häufig einfach übergangen zu werden, wobei man sich dann allerdings einige Perlen entgehen lässt.

»Ich denke, Tony wird mir zustimmen, wenn ich sage, dass wir beim Abmischen nicht sorgfältig genug vorgegangen sind. Das lag nicht zuletzt daran, dass ich aus persönlichen Gründen abgelenkt war, und Tony hat sich wohl ein bisschen dadurch entmutigen lassen, dass sich das Ganze nicht so mühelos zusammenfügte wie bei Low *und* "Heroes"*. Dennoch bin ich noch immer überzeugt, dass man auf* Lodger *einige wirklich tolle Ideen finden kann.«* D. B. 2001

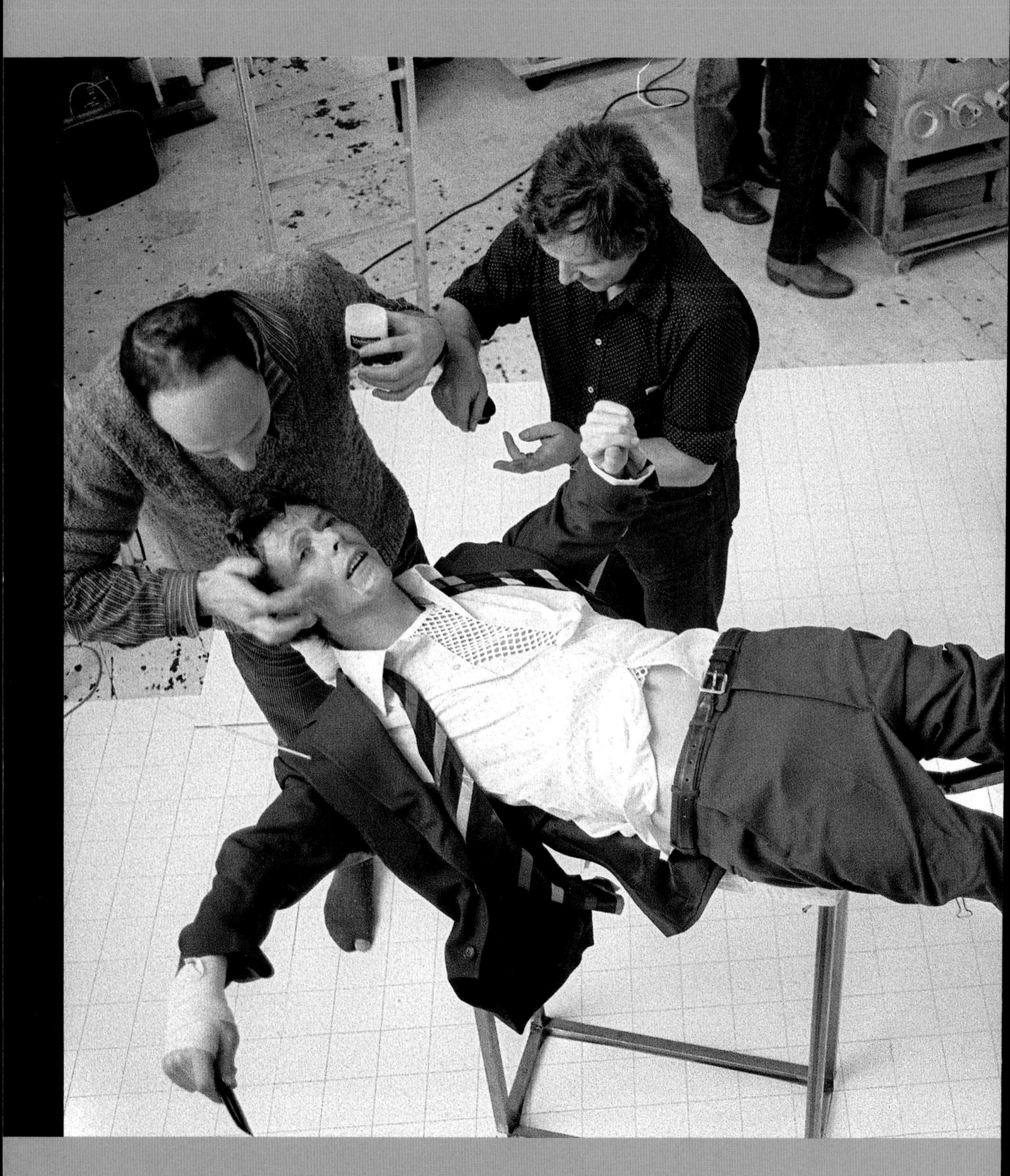

ARTWORK

Bowie hatte gewiss eines der werbewirksamsten Gesichter der Popindustrie. Man fragt sich daher, was die Herrschaften bei RCA wohl gedacht haben mögen, als man ihnen als Coverfoto eine verrauschte Polaroid-Aufnahme von zwei verdrehten Beinen präsentierte.

Das Cover-Design ist ein Gemeinschaftswerk von Bowie, dem Fotografen Brian Duffy und dem britischen Pop-Art-Künstler Derek Boshier. Boshier – ein Ex-Kommilitone von David Hockney – interessierte sich ebenso wie Bowie für die Theorien von Marshall McLuhan.

Die Außenseite des Gatefold-Covers zeigt einen verrenkten und bandagierten Bowie; auf der Innenseite finden sich neben Aufnahmen vom Cover-Shooting Abbildungen von potenziellen Inspirationsquellen für das Cover, darunter ein Bild von Che Guevaras Leichnam und Andrea Mantegnas *Beweinung Christi.* In Anlehnung an McLuhans medientheoretischen Slogan »Das Medium ist die Botschaft« ist hier wohl die Methode die Botschaft.

Links: Patientenbetreuung bei Brian Duffys Fotoshooting für das *Lodger*-Cover.

»*SCARY MONSTERS*
WAR FÜR MICH EINE ART INNERE REINIGUNG. ICH BIN DAMIT GEFÜHLE LOSGEWORDEN, DIE MIR UNBEHAGEN BEREITETEN.«

DAVID BOWIE, 1990

1979

Juni

UK-Veröffentlichung von »D.J.«/»Repetition« (29).

August

US-Veröffentlichung von »Look Back In Anger«/»Repetition« (–).

Dezember

UK-Veröffentlichung von »John, I'm Only Dancing (Again)«/ »John, I'm Only Dancing« (12).

US-Veröffentlichung von »John, I'm Only Dancing (Again)«/ »Golden Years« (–).

1980

Februar

UK-Veröffentlichung von »Alabama Song«/»Space Oddity« (23).

8. Februar

Scheidung von Angela Bowie (seit ca. 1977 lebten sie getrennt).

29. Juli

Erster Auftritt in dem Bühnenstück *Der Elefantenmensch* mit Bowie in der Titelrolle, Center of Performing Arts, Denver.

August

UK-Veröffentlichung von »Ashes To Ashes«/»Move On« (1).

September

US-Veröffentlichung von »Ashes To Ashes«/»It's No Game (Part 1)« (101).

12. September

Veröffentlichung von *Scary Monsters ... And Super Creeps* (UK 1, US 12).

Vorherige Seite und gegenüber: Mehr als zwölf Jahre nach *Pierrot In Turquoise* posierte Bowie für *Scary Monsters* wieder als Pierrot. Sein Kostüm stammte von Natasha Korniloff, die einst auch die Bühnenoutfits für Lindsay Kemps Schauspieltruppe geschneidert hatte.

Zur Abwechslung setzte er sich tatsächlich wieder einmal richtig hin, um die Songs zu schreiben«, sagte Tony Visconti über *Scary Monsters ... And Super Creeps*, das Album, das endlich wieder ein großer kommerzieller Erfolg wurde und mit dem Bowie seinen Platz unter den Popgöttern zurückeroberte. Brian Eno und seine Oblique Strategies waren Schnee von gestern ebenso wie Bowies Hinwendung zur Ambient-Musik. Unverändert war hingegen Bowies Experimentierfreudigkeit. Zwei Impulse bestimmten zu jener Zeit sein Handeln, der eine war künstlerischer, der andere rein praktischer Natur.

Bowie hielt das, was er mit seinen letzten drei Alben geschaffen hatte, für ein immer noch unvollendetes Projekt. Noch immer gab es Grenzen, die er überschreiten wollte, Grenzen, die er mit *Lodger* nur gestreift hatte.

Zudem belastete ihn immer noch die Trennung von MainMan und seinem Ex-Manager Tony Defries. Wenn er in Interviews auf das Thema angesprochen wurde, gab er sich betont gelassen: Ja, sie hatten sich getrennt, und ja, es hatte böses Blut gegeben, aber das ist nun vorbei. Innerlich brachte ihn Defries Missmanagement allerdings immer noch auf die Palme. Aber am schlimmsten war, dass er, um aus seinem MainMan-Vertrag rauszukommen, Defries einen erheblichen Anteil an seinen zukünftigen Verkaufserlösen hatte zusichern müssen.

Die Alben, die Bowie seit dieser Vereinbarung aus dem Jahr 1976 produziert hatte, waren zu seiner persönlichen Genugtuung kommerziell lange nicht so erfolgreich gewesen wie die vorherigen. Bowie schien einerseits Hitsingles, andererseits jedoch auch sehr anspruchsvolle Alben produzieren zu wollen, die Defries nicht viel einbrachten. Bowie war sich im Klaren darüber, dass der Deal mit seinem Ex-Manager nur für Aufnahmen galt, die bis zum 30. September 1982 entstanden, als er sich im Februar 1980 in New York an die Arbeit machte.

Wieder einmal nahm er alte Bekannte mit ins Studio, mit denen er in der Vergangenheit bereits gut zusammengearbeitet hatte: Carlos Alomar, Dennis Davis, George Murray und den ehemaligen King-Crimson-Gitarrist Robert Fripp. Hinzu kamen noch Bruce Springsteens Keyboarder Roy Bittan, der bereits bei den Aufnahmen zu *Station To Station* dabei gewesen war, und Pete Townshend, der auf »Because You're Young« Gitarre spielte. (»Er hat mich nicht gerade viel zu dem Album beisteuern

THE
ELEPHANT MAN

lassen«, sagte Townshend später, was auch Visconti ziemlich merkwürdig fand.)

Gerade als Bowie mit den ersten Aufnahmen begonnen hatte, wurde ihm überraschenderweise die Hauptrolle in dem Broadway-Stück *Der Elefantenmensch* angeboten. Der Elefantenmensch, der eigentlich Joseph Merrick hieß, lebte Ende des 19. Jahrhunderts in England. Wegen seiner schweren körperlichen Missbildungen avancierte er zu einer Freak-Show-Attraktion. Einem fürsorglichen Arzt (sowie im Stück einer attraktiven Schauspielerin) verdankte er es, dass er seine letzten Lebensjahre unbehelligt von den neugierigen Blicken der Öffentlichkeit verbringen konnte.

Bowie hatte sich schon immer für das Absonderliche interessiert, für Menschen, die aufgrund einer physischen oder psychischen Beeinträchtigung an den Rand der Gesellschaft gedrängt wurden. Frank Edwards *Strange People* war in seiner Jugend eines seiner Lieblingsbücher. Die darin versammelten Geschichten waren wirklich unglaublich, wie etwa die von dem Mann, der sich fürchtet, zu Bett zu gehen, weil sein Kopfkissen jedes Mal, wenn er sich hinlegt, Feuer fängt. Natürlich konnte sich Bowie die Chance, seine schauspielerischen Fähigkeiten auf einer Broadwaybühne unter Beweis zu stellen, nicht entgehen lassen. Und so schwirrten, als er im April ins Studio kam, um die Gesangsspuren aufzunehmen, allerlei Monster in seinem Kopf herum.

»Ich glaube, die Kinderreime der 1980er-Jahre werden sich von denen der 1880er-Jahre mit all ihren schaurigen Elementen und kleinen Jungs, denen die Ohren abgeschnitten werden, nicht sonderlich unterscheiden.« D.B. 1980

Im August landete er mit »Ashes To Ashes« seinen ersten Nummer-eins-Hit in England seit der Wiederveröffentlichung von »Space Oddity« im Jahr 1975. Der Song besticht durch seinen einzigartigen Sound und Aufbau. Bowies Fähigkeiten als Sänger und sein Talent, spannende neue Sounds in einen eingängigen Popsong einzubinden, waren ganz und gar nicht verkümmert.

Dass der Song von Major Tom handelte, jener Figur, die Bowie in »Space Oddity« zum ersten Mal hatte auftreten lassen, trug zu diesem Erfolg gewiss einiges bei. Bowie hatte schon vor geraumer Zeit begonnen, sich wieder mit seinem alten Hit zu beschäftigen. Im September 79 hatte er für *Kenny Everett's New Year's Eve Show* eine Akustikversion aufgenommen, die als B-Seite der im Februar 1980 erschienenen Single mit Bowies Fassung des Brecht-Weill-Klassikers »Alabama Song« veröffentlicht wurde.

Bowie erklärte, dass sich Major Tom in »Space Oddity« geweigert habe, zur Erde zurückzukehren, weil es ihm dort zu chaotisch zugegangen sei. Jetzt, zehn Jahre später, sei ihm klar geworden, dass seine Weltraummission bedeutungslos war. Trost fände er heute nur noch dank einer Weltraumdroge.

Tony Visconti bringt es auf den Punkt: »›Ashes To Ashes‹ ... überraschte alle, weil jeder wieder so etwas Ausgefallenes wie *Low*, *"Heroes"* oder *Lodger* erwartet hatte. Und

Bowies wohl herausragendste schauspielerische Leistung: die Darstellung des Elefantenmenschen John Merrick am Broadway 1980. Die Kritiker waren voll des Lobes, die *New York Post* urteilte: »Einfach mitreißend«.

dann kam er mit einem der konventionellsten Popsongs, die je geschrieben wurden, mit einer netten Melodie und einem netten Refrain und dieser bitteren Wendung, wenn er der Welt erzählt, dass Major Tom ein Junkie ist, und die Figur tötet, die er so viele Jahre zuvor geschaffen und verherrlicht hatte. Das ist das Fantastische an dieser Nummer, denn er hatte wirklich verbissen nach einer Möglichkeit gesucht, Major Tom ein für alle Mal loszuwerden.«

Der Nummer-eins-Single folgte alsbald das Nummer-eins-Album, und es war klar, dass Bowie als Künstler wie auch als Musiker noch für einige Überraschungen gut war.

Scary Monsters beginnt und endet mit dem Geräusch einer laufenden Filmrolle. Am Anfang des ersten Tracks »It's No Game« rezitiert Michi Hirota den Songtext auf Japanisch, dann setzt Bowie ein, der streckenweise mit schmerzverzerrter Stimme singt.

Auf »Up The Hill Backwards«, einer weiteren Singleauskopplung, darf Robert Fripp sich zunächst austoben, bevor Bowie das Tempo mit einem eingängigen Refrain drosselt, der einen verblüffenden Kontrast zu dem Gitarrensound bildet.

Bei manchen Songs griff Bowie beim Texten auf seine berühmte Cut-up-Technik zurück. Diese Methode hatte er zum ersten Mal nach einem Treffen mit William Burroughs beim Schreiben einiger *Diamond Dogs*-Texte angewandt. Andy Peebles von BBC Radio One erklärte er:

»Nehmen wir mal irgendein Thema ... Jemand flüchtet über die Berliner Mauer. Dann schreibe ich ein paar Sätze aus der Sicht des Flüchtenden, ein paar Sätze aus der Sicht eines Beobachters diesseits und ein paar Sätze aus der Sicht eines Beobachters jenseits der Mauer. Ich habe dann drei verschiedene Perspektiven. Die schneide ich jeweils auseinander und mische die Bestandteile. Dann lege ich daraus Drei- oder Vier-Wort-Sätze und füge die einzelnen Teile wieder zusammen; ich kann dann entweder den Text benutzen, der vor mir liegt, oder alles noch einmal umstellen. Es gibt keine festgelegten Regeln. Es ist einfach eine Schreibmethode, die hilft, einen neuen Zugang zu eröffnen, wenn man nur schleppend vorankommt.« D.B. 1980

Weitere Highlights des Albums sind die Singleauskopplung »Fashion«, eine soulige Version des Tom-Verlaine-Songs »Kingdom Come«, der wilde Titelsong und eine zweite, balladenhafte Version von »It's No Game«, bei der Bowies Gesang an Lou Reed erinnert und auf Michi Hirotas Beitrag verzichtet wird.

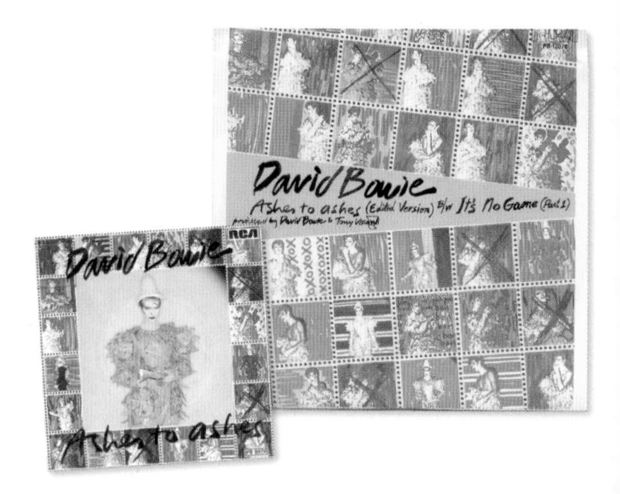

»Mit ›Fashion‹ hat er bewiesen, dass er jederzeit einen Hit wie ›Fame‹ schreiben konnte«, sagte Visconti. »Das gesamte Album ist ja eine Art Zusammenfassung der Ära von ›Space Oddity‹ bis zu diesem Zeitpunkt. Das war übrigens keineswegs geplant, doch nach der zweimonatigen Pause fiel uns auf, dass wir zehn Songs hatten, die alle ziemlich kommerziell waren und jeweils einen Bezug zu der einen oder anderen früheren Phase aufwiesen. Der Titelsong etwa führt uns zurück zu *Ziggy Stardust* und ›It's Not Game‹ erinnert ein bisschen an *Low*.«

Bemerkenswert ist auch das in Hastings unter der Regie von David Mallet gedrehte Video zu »Ashes To Ashes«. Bowie trat darin in einem Pierrot-Kostüm auf, das Natasha Korniloff für ihn genäht hatte. Bowie kannte die Kostümbildnerin noch aus seiner Zeit mit Lindsay Kemp, für den Korniloff ebenfalls gearbeitet hatte. Die Figur des Pierrot geht zurück auf die Commedia dell'arte, die im 16. Jahrhundert von fahrenden Schauspieltruppen in Italien entwickelt wurde. Der Pierrot tritt stets weiß geschminkt auf, er trägt ein weites Hemd mit großen Knöpfen, Pantalons und eine Narrenkappe. Da er sehr treuherzig ist, wird er von anderen immer ausgenutzt. Da mag nun jeder hineinlesen, was er möchte.

»Es gelang mir, Natasha Korniloff als Kostümschneiderin zu gewinnen; dieselbe Frau, die früher auch für die Truppe von Lindsay Kemp geschneidert hatte. Als Vorbild diente der italienische Pierrot. Das Kostüm war ziemlich authentisch – und dazu noch die Zigarette. Richard Sharah hat das Make-up

aufgetragen, das ich am Ende des Videos im Gesicht verschmiere. Diese Geste übernahm ich von den Travestiekünstlern, die damit üblicherweise ihre Shows beenden. Es gefiel mir einfach, die Maske zu zerstören, nachdem ich mit so viel Sorgfalt geschminkt worden war. Das war so schön destruktiv. Es hatte etwas ziemlich Anarchisches an sich.« D. B. 1993

Die Idee zu dem Look könnte Bowie bei einem Besuch in dem berühmten Londoner New-Romantic-Club Blitz gekommen sein. Der veträumte Stil der neuen Romantiker war eine direkte Gegenreaktion auf die Gammelmode der Punks. Die New Romantics – zu denen beispielsweise Boy George, Steve Strange, Rusty Egan und Gary Kemp zählten – vergötterten Bowie. Er war das Idol ihrer Jugend, das den Soundtrack zu ihren Teenagerjahren geschrieben hatte, und sie hatten viele Stilelemente seiner Outfits aus den 70ern übernommen.

Bowie war sich dessen bewusst. Er fragte Steve Strange, ob er beim »Ashes To Ashes«-Video mitmachen wolle. Und so sieht man darin Strange im Gefolge des Pierrot.

»Wir leben in einer Zeit, in der ein intelligenter Mensch durchaus gut daran tut, sich zu fürchten. Zu wissen, was Angst ist, sich davon aber nicht lähmen zu lassen, ist die Antwort, die wir jetzt brauchen … und sei es von einem Mann im Clownskostüm.«

NME, September 1980

Während der Fotosession für das *Scary Monsters*-Cover legt der Maskenbildner Richard Sharah letzte Hand an. Sharah schminkte Bowie auch für das »Ashes To Ashes«-Video, das mit Produktionskosten von 250.000 Pfund der bis dato teuerste Clip war.

中出洋服店
MK
94-28

1

2

3

Vorherige Seite: Aufnahmen von Masayoshi Sukita, die auf einer von Bowies Erkundungstouren durch Kioto und Tokio während seiner Japanreise im April 1980 entstanden. Bowie drehte dort zwei Werbespots für eine Sake-Marke.

Rechts: Vor einem Restaurant in Tokio im Oktober 1983. Fotografiert von Denis O'Regan.

ビール

LET'S DANCE 1983

»ICH SCHREIBE ÜBER EIN THEMA, DAS ICH BISHER NIE RICHTIG ANGEFASST HABE … DIE LIEBE, DIE EMOTIONALE VERBUNDENHEIT ZWISCHEN ZWEI MENSCHEN SCHEINT MIR BISHER ENTGANGEN ZU SEIN – AUFRICHTIGER WÄRE VIELLEICHT ZU SAGEN, ICH HABE MICH DAVOR GEDRÜCKT.«

DAVID BOWIE, 1983

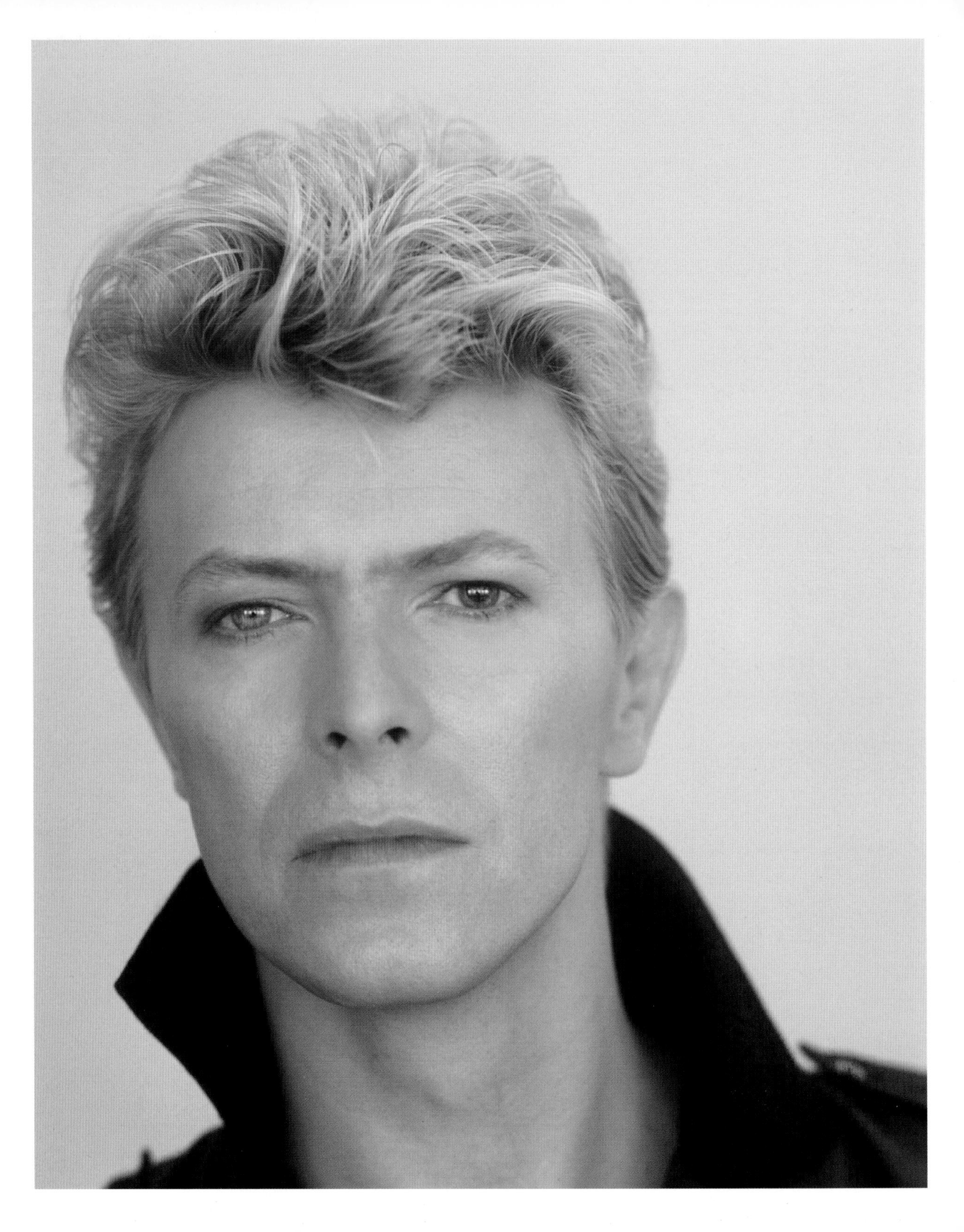

1980

Oktober

Veröffentlichung von »Fashion«/»Scream Like A Baby« (UK 5, US 70).

1981

Januar

UK-Veröffentlichung von »Scary Monsters (And Super Creeps)«/ »Because You're Young« (20).

3. Januar

Bowies letzter Auftritt in *Der Elefantenmensch,* Booth Theater, New York.

März

UK-Veröffentlichung von »Up The Hill Backwards«/»Crystal Japan« (32).

Oktober

Veröffentlichung von »Under Pressure« (Queen und Bowie)/ »Soul Brother« (nur Queen) (UK 1, US 29).

November

UK-Veröffentlichung von »Wild Is The Wind«/»Golden Years« (24).

1982

Februar

UK-Veröffentlichung der EP *David Bowie In Bertolt Brecht's Baal* (29).

2. Februar

Erstausstrahlung der BBC-Produktion des Brecht-Dramas *Baal.*

April

Veröffentlichung von »Cat People (Putting Out Fire)«/»Paul's Theme (Jogging Chase)« (nur Giorgio Moroder) (UK 26, US 67).

Oktober

UK-Veröffentlichung von »Peace On Earth/Little Drummer Boy« (zusammen mit Bing Crosby)/»Fantastic Voyage« (nur David Bowie) (3)

1983

März

»Let's Dance«/»Cat People (Putting Out Fire)« (UK 1, US 1).

14. April

Let's Dance erscheint (UK 1, US 4).

Vorherige Seite und gegenüber: Bowie in einem Alter, »in dem ich langsam zu genießen beginne, dass ich erwachsen werde«. Nach über einem Jahrzehnt der Grenzüberschreitungen unternahm Bowie mit *Let's Dance* und seiner Hinwendung zum Mainstream seine wohl unvorhersehbarste Richtungsänderung.

In der zweiten Jahreshälfte 1980 stürmte *Scary Monsters* die Charts und kaum jemand hätte es Bowie übel genommen, wenn er sich nun, mit fast Mitte 30, etwas zurückgelehnt und sich nach ein paar exklusiven Interviews und ein oder zwei Talkshowauftritten in seinem Erfolg gesonnt hätte. Stattdessen schlüpfte er 157-mal in die kräftezehrende Rolle des Elefantenmenschen.

Erst nach seinem Broadway-Engagement im Januar 81 kehrte er in die Schweiz zurück und mied vorerst die Öffentlichkeit – bis er sich im Juli an einer Studiosession beteiligte, die für einige Verwunderung sorgte.

Queen, die viele für konservative Bombast-Rocker hielten, waren gerade in Montreux im Studio und hatten Bowie eingeladen vorbeizukommen. Ihr Frontman Freddy Mercury hatte ihm einiges zu verdanken, da erst Bowie den Weg dazu bereitet hatte, dass ein Camp-Rocker wie er so erfolgreich sein konnte. Trotzdem wunderten sich viele über die ungewöhnliche Paarung. »Ich fand das schon ziemlich seltsam«, gab auch Bowie später zu.

Im Studio arbeitete er mit Queen an einem Song mit dem Titel »Cool Cat«, doch das Endergebnis gefiel ihm nicht. Stattdessen machte er mit der Band das, was alle Musiker irgendwann tun, wenn sie zusammen in einem Raum sind: jammen. »Daraus entstand dann das Grundgerüst für einen Song«, erinnerte sich Bowie 1983 in einem Interview mit dem *NME*.

»Ich fand, das war eine ganz nette Melodie, also arbeiteten wir sie aus. Das Resultat war ganz nett, hätte aber durchaus eine ganze Spur besser sein können … Ich glaube, für ein Demo wäre es ganz passabel.« D.B. 1983

Die Musikfans waren da ganz anderer Meinung. Sie waren von »Under Pressure« so begeistert, dass der Song nach seiner Veröffentlichung im Oktober 81 in Großbritannien bis auf Platz eins und in den USA bis auf Platz 29 der Charts kletterte.

Während seiner Zusammenarbeit mit Queen hörte Bowie von Mercury nur Gutes über EMI, das Plattenlabel der Band. Mercury zufolge ließ man ihnen dort die komplette künstlerische Kontrolle über ihr Material. Mit seinem eigenen Label, RCA, war Bowie seit einiger Zeit ziemlich unzufrieden. Besonders ärgerte ihn, dass seine Plattenfirma Kompilationen mit seinen Songs herausbrachte, ohne mit ihm darüber vorher zu sprechen. Er wiederum hatte ihre Geduld mit seiner langen experimentellen Phase auf eine harte Probe gestellt; immer wieder hatten sie ihn gedrängt, endlich wieder Hitalben im Stil von *Ziggy Stardust* und *Young Americans* zu schreiben; einer der RCA-Bosse hatte ihm sogar vorgeschlagen, nach Philadelphia zu ziehen, wohl in der Hoffnung, dass ihn dies zu einem *Young Americans II* inspirieren könne.

Da sein Vertrag nun auslief, machte sich Bowie auf die Suche nach einem neuen Deal. Schon bald lagen ihm Angebote von EMI, CBS und Geffen vor. Das Rennen machte EMI, bei denen Bowie im Januar 83 einen Vertrag unterzeichnete, der ihm einen garantierten Vorschuss von 17 Millionen Pfund für fünf Alben einbrachte.

Mit Ausnahme seiner kurzen Jamsession mit Queen war seit der Fertigstellung von *Scary Monsters* Musik eigentlich das Letzte, was Bowie interessierte. Beflügelt von seinem Erfolg mit *Der Elefantenmensch* hatte er sich 1982 fast ausschließlich auf die Schauspielerei konzentriert. Bei einem Cameo-Auftritt in *Christiane F. – Wir Kinder vom Bahnhof Zoo,* zu dem ein Soundtrack mit Bowie-Songs aus den Jahren 76 bis 79 erschien, spielte er sich selbst. Und im Februar 82 übernahm er die Titelrolle in einer BBC-Produktion des Brecht-Dramas *Baal*; die fünf Lieder, die er für diese Produktion sang, erschienen später als EP. Seine Schauspielleistung fand bei den Kritikern ein geteiltes Echo. Gerade als die ersten Exemplare von *Let's Dance* in den Regalen standen, war Bowie in dem Tony-Scott-Film *Begierde* zu sehen. Er spielte darin einen 250 Jahre alten Vampier. Und diesmal waren die Kritiken vernichtend. Glücklicherweise kam nur wenig später ein weiterer Film mit ihm in die Kinos: *Furyo – Merry Christmas, Mr. Lawrence,* bei dem Nagisa Oshima Regie geführt hatte, von dessen *Im Reich der Sinne* Bowie sehr beeindruckt war. Bowies schauspielerische Leistung in *Furyo* – er spielt einen britischen Offizier, der während des Zweiten Weltkriegs in einem japanischen Gefangenenlager interniert ist – wurde allgemein gelobt.

Nach dem Ende der Dreharbeiten ging Bowie mit seinem neuen EMI-Deal in der Tasche wieder ins Studio.

Eine seiner Stärken war immer das unfehlbare Gespür dafür, sich die richtigen Leute ins Studio zu holen. So hatte er während seiner experimentellen Phase mit Musikern wie Robert Fripp, Adrian Belew, Carlos Alomar, Dennis Davis und George Murray zusammengearbeitet, deren Improvisationstalent für die Umsetzung seiner kreativen Ideen ausschlaggebend gewesen war. Inzwischen hatte er allerdings eine andere Richtung eingeschlagen, weg vom Avantgardismus hin zum Mainstream. Um diesen Richtungswandel erfolgreich vollziehen zu können, brauchte er Unterstützung von kompetenter Seite. Also wandte er sich an Nile Rodgers, seines Zeichens Produzent und Mitglied der Disco-Band Chic, dem er klipp und klar sagte: »Ich will einen Hit.«

Rogers war genau der richtige Mann dafür. Während seiner Zeit bei Chic und seiner Zusammenarbeit mit Bernard Edwards als Produzent und Songwriter hatte er mit Songs wie »Le Freak« und »Good Times« wiederholt internationale Hits gelandet. Das war natürlich nur Discomusik, doch die Songs waren fröhlich, eingängig und besaßen anders als die typischen Nummern dieses Genres eine zeitlose Eleganz. Und Chic war eine Disco-Band, der sogar die Rockpresse Respekt zollte.

Auf der Höhe seiner experimentellen Phase hatte Bowie einst erklärt:

In den frühen 80ern betätigte sich Bowie öfter als Schauspieler denn als Musiker; 81 und 82 stand er nicht ein einziges Mal auf einer Konzertbühne. Neben zwei großen Kinoproduktionen – Tony Scotts Horrorfilm *Begierde* (Originaltitel: *The Hunger*) und Nagisa Oshimas Kriegsdrama *Furyo – Merry Christmas, Mr. Lawrence* (gegenüber) – war er als Hauptdarsteller in einer BBC-Produktion des Brecht-Dramas *Baal* zu sehen (rechts).

»Ich bin alles andere als ein Disco-Fan. Ich hasse diese Musik. Es ist mir sogar richtig peinlich, dass meine Platten in Discos so gut ankommen. Ich habe schon zwei große Disco-Hits geschrieben – ich kann kaum noch erhobenen Hauptes in einen Avantgarde-Club gehen.« D.B. 1978

Mit Blick auf die Charts und den potenziellen Gewinn, den sie versprachen, zog Bowie im wahrsten Sinne des Wortes andere Saiten auf. Er war erwachsen geworden, und wie alle Erwachsenen musste er erkennen, dass Geld einen ziemlich negativen Einfluss auf künstlerische – oder andere – Ideale haben kann.

»Derzeit verspüre ich als Songwriter und Künstler nicht unbedingt den Drang zu experimentieren. Ich habe ein Alter erreicht – und das Alter spielt dabei eine große Rolle –, in dem ich langsam zu genießen beginne, dass ich erwachsen werde.« D.B. 1983

In Wahrheit war es höchste Zeit, dass Bowie aus seiner immensen Popularität auch entsprechendes Kapital schlug. Mit der Schauspielerei konnte er gewiss nicht reich werden, und obschon er als Musiker hoch geachtet wurde, war er finanziell bei Weitem nicht so abgesichert wie viele seiner Kollegen. Er hatte der Kunst Genüge getan, nun war es an der Zeit, Geld zu verdienen.

Im Dezember 1982 begann in New York die Arbeit an dem Album, das sie laut Co-Produzent Nile Rodgers innerhalb von 17 Tagen komplett aufgenommen hatten. War Bowie zuvor immer mit groben Songskizzen und -ideen ins Studio gegangen, die er dann mit den anderen Musikern ausarbeitete, schrieb er diesmal das gesamte Album innerhalb von drei Tagen an einem Stück.

Einer der Gäste im Studio war der angesehene Bluesgitarrist Stevie Ray Vaughan. Bowie hatte ihn im Jahr zuvor beim Montreux Jazz Festival kennengelernt und stundenlang mit ihm gefachsimpelt. Dann hatten sich ihre Wege wieder getrennt. Zu Vaughans Überraschung rief Bowie ihn Monate später an und fragte, ob er Lust hätte, auf seinem neuen Album zu spielen; er wolle kommerzielle Dance Music mit einem leicht bluesigen Einschlag machen.

In Großbritannien liefen Soul und Dance der Rockmusik gerade immer mehr den Rang ab, sowohl in den Charts als auch in den wie Pilze aus dem Boden schießenden Diskotheken. Nach dem Ende der Punkwelle war es still geworden um den Rock'n'Roll, während Dance – und später Hip-Hop – der Black Music Auftrieb gaben.

Der Titelsong des Albums (der auch als erste Single ausgekoppelt wurde) passte hervorragend zu dieser neuen musikalischen Entwicklung – und zwar nicht nur in Großbritannien. »Let's Dance« wurde gleich in mehreren Ländern ein Nummer-eins-Hit und ist bis heute einer von Bowies größten internationalen Erfolgen überhaupt. Charles Shaar Murray schrieb im *NME*: »›Let's Dance‹ ist fraglos der größte Hit des Jahres. Jedes Mal, wenn man ihn hört, beeindruckt er mit seiner ungeheuren Größe: Der Sound ist groß und die Emotionen, die er heraufbeschwört, sind es ebenso.«

Das war nicht von Anfang an so. Ursprünglich war »Let's Dance« ein Folksong mit reiner Gitarrenbegleitung. Bowie wusste, dass er gut war, aber auch, dass es 1983 genauso avantgardistisch war, einen Folksong zu veröffentlichen, wie 1977 Ambient-Musik. Also gab er ihn – manche würden sagen: opferte ihn – Nile Rodgers, der dann versuchte, etwas Tanzbares daraus zu machen.

»Worum es in ›Let's Dance‹ geht, ist ziemlich nebulös. Unterschwellig geht es um eine Beziehung, aber ganz klar ist das nicht … Es ist eine Eins-zu-eins-Situation, ja, aber die Gefahr, das schreckliche Ende, wird nur angedeutet. Es wird nicht deutlich, was die Angst auslöst und wovor das Paar wegläuft. Das Ganze hat allerdings etwas Bedrohliches … fast schon als wäre es der letzte *Tanz.«* D. B. 1983

Das Album war ähnlich erfolgreich wie »Let's Dance« und die nachfolgenden Singles »China Girl« (das ursprünglich auf Iggy Pops *The Idiot* erschienen ist) und »Modern Love«. Die Hochglanzproduktion mit ihrem satten Drumsound und den eingängigen, tanzbaren Rhythmen half Bowie, einiges mehr als die Summe seines Vorschusses in nur einem Jahr einzuspielen.

Bowie war offensichtlich zufrieden und bereit, diesen Weg entsprechend weiterzuverfolgen.

»Dieses Album geht voll unter die Haut: Es ist warm, stark, inspirierend und aufbauend. Starke, positive Musik, die traumhaft umhertänzelt und einem das Gefühl gibt, größer zu sein als man tatsächlich ist. Was will man mehr?« **NME, April 1983**

Let's Dance war Bowies erstes Album, nachdem die Verpflichtung gegenüber Tony Defries ausgelaufen war, derzufolge er seinem Ex-Manager eine erhebliche Beteiligung an seinen Einkünften für alle Aufnahmen schuldete, die er bis Ende September 82 gemacht hatte. Zum allerersten Mal floss nun der mit seinen Leistungen erzielte Verdienst auch komplett in seine Tasche. Hier sonnt sich der sichtlich entspannte Bowie 1983 an einem Pool in Australien.

TONIGHT 1984

»MEINE TEXTE WAREN LANGE ZEIT SO SURREAL, DASS ICH MIR NICHT SICHER BIN, OB ICH MICH ALS VERFASSER KLUGER LEHRSTÜCKE SELBST ERNST NEHMEN WÜRDE.«

DAVID BOWIE, 1984

1983

29. April
Kinopremiere von *Begierde* (Bowie in der Rolle des John Blaylock).

Mai
Veröffentlichung von »China Girl«/»Shake It« (UK 2, US 10).

18. Mai
Die Serious-Moonlight-Tour startet im Vorst Nationaal, Brüssel.

10. Mai
Kinopremiere von *Furyo – Merry Christmas, Mr. Lawrence* (Bowie spielt den Major Jack Celliers).

September
Veröffentlichung von »Modern Love«/»Modern Love (live)« (UK 2, US 14).

Oktober
Veröffentlichung von *Ziggy Stardust: The Motion Picture* (Soundtrack) (UK 17, US 89).

November
UK-Veröffentlichung von »White Light, White Heat«/»Cracked Actor« (46).
US-Veröffentlichung von »Without You«/»Criminal World« (73).

8. Dezember
Die Serious-Moonlight-Tour endet im Coliseum, Hongkong.

23. Dezember
Raymond Briggs' *The Snowman* wird auf Channel 4 ausgestrahlt, Bowie führt in den Zeichentrickfilm ein.

1984

21. Februar
Wird als bester britischer männlicher Künstler mit dem BRIT Award ausgezeichnet.

September
Veröffentlichung von »Blue Jean«/»Dancing With The Big Boys« (UK 6, US 8).

14. September
Bekommt den MTV Video Music Award (für das »China Girl«-Video) und den Video Vanguard Award verliehen.

24. September
Veröffentlichung von *Tonight* (UK 1, US 11).

Bei den Dreharbeiten zum »Blue Jean«-Video.

Nach der Veröffentlichung von *Let's Dance* ging Bowie auf die kommerziell enorm erfolgreiche Serious-Moonlight-Tour. Er gab 96 Konzerte in 16 Ländern vor insgesamt rund zweieinhalb Millionen Menschen. In der Regel spielte er vier Songs von *Let's Dance* – den Titelsong, »China Girl«, »Modern Love« und »Cat People« – sowie 26 Nummern aus seinem übrigen Repertoire, angefangen bei »Space Oddity«. Bowie, der Serious Moonlight insgeheim als seine Rentenvorsorge-Tour bezeichnete, war sehr bemüht, dem Publikum – darunter etliche neue Fans – zu beweisen, was für ein brillanter Songwriter er auch vor seinen aktuellen Erfolgen schon war.

Während der von Mai bis Dezember 83 dauernden Tour verzauberte er sein Publikum mit seinem neuen, glattgebügelten Bühnencharakter. Dieses Publikum bestand nicht mehr aus den kompromisslosen, anspruchsvollen Fans von einst, die ihn für seinen künstlerischen Wagemut bewunderten; es waren in der Regel Yuppies und karriereorientierte Pärchen, die zu den Stadion-Shows kamen.

Mehr denn je hatte Bowie dabei seine Finanzen im Blick. Seine zunehmend enger werdende Beziehung zu seinem Sohn Joe dürfte ihm bewusst gemacht haben, wie wichtig es ist, der Familie eine auch finanziell sichere Zukunft bieten zu können. Er konnte auf eine Vielzahl brillanter Titel zurückgreifen, die weniger talentierten Künstlern dreimal gereicht hätten. Wer wollte ihm verdenken, dafür nun endlich auch den Lohn einfahren zu wollen?

Bei EMI begann man derweil vorsichtig, sich nach seinen Plänen für ein neues Album zu erkundigen. Anders als während seiner wilden Zeit auf Tour in den frühen 70ern konnte – oder wollte – Bowie während der Serious-Moonlight-Tour keine neuen Songs schreiben. Stattdessen legte er nach dem Tournee-Ende eine kurze Weihnachtspause ein, um sich im Januar 84 frisch ans Werk zu machen. Allerdings mangelte es ihm nun an Inspiration – vielleicht zum ersten Mal in seinem Leben.

»Ich wollte sozusagen am Ball bleiben und wieder ins Studio gehen, aber ich fand, dass ich nicht genug neues Material hatte. Auf der Tour konnte ich nicht schreiben. Und danach klappte es auch nicht, etwas zu Papier zu bringen, dass die Tinte wert gewesen wäre – und ich wollte nichts herausbringen, das bloß irgendwie ›ganz nett‹ gewesen wäre.« D.B. 1984

Während der immens erfolgreichen Serious-Moonlight-Tour trat Bowie vor insgesamt zweieinhalb Millionen Zuschauern auf; im Juli 83 schaffte er es sogar, die Milton Keynes Bowl dreimal in Folge auszuverkaufen (großes Bild). Bowie bot eine perfekt inszenierte Show, hier (kleines Bild) flankiert von Bassist Carmine Rojas (links) und Gitarrist Carlos Alomar (rechts).

Bowie holte sich mit Hugh Padgham und Derek Bramble zwei britische Produzenten ins Studio. Ersteren engagierte er allerdings nur als Tontechniker, obschon er bereits das erfolgreiche Police-Album *Ghost In The Machine*, produziert hatte. Padgham war ziemlich verärgert wegen der ihm zugewiesenen untergeordneten Rolle, zumal Bramble als Produzent relativ unerfahren war. Manche meinten, dass er es mit einem Musiker von Bowies Kaliber damals noch nicht aufnehmen konnte, und die ungeheure Akribie, die er im Studio an den Tag legte, passte ganz und gar nicht zu Bowies Spontaneität. Gegen Ende der fünfwöchigen Aufnahmesession stieg Bramble aus und überließ Padgham das Ruder.

Bowie orientierte sich neu, warf die meisten seiner Eigenkompositionen in den Müll und nahm eine Reihe von Coverversionen auf: »God Only Knows« von den Beach Boys, »I Keep Forgettin'« von dem Produzenten- und Songwriter-Duo Leiber/Stoller und die beiden Iggy-Pop-Nummern »Neighborhood Threat« und »Tonight«.

»›God Only Knows‹ habe ich zum ersten Mal mit Ava Cherry und den Astronettes aufgenommen – oder es zumindest versucht –, als ich damals aus dem Haufen eine Band fomen wollte. Das ist in die Hose gegangen. Die Tapes habe ich allerdings immer noch. Ich fand die Idee schon damals wirklich gut, es ergab sich aber nie wieder eine Gelegenheit, sie mit irgendwem umzusetzen, also dachte ich mir, mache ich es einfach selbst … es ist vielleicht ein bisschen zu süßlich geworden.« D. B. 1984

Anschließend kam Iggy ins Studio und schrieb zwei weitere Songs mit David: »Tumble and Twirl« – über eine Indonesienreise, die beide kürzlich unternommen hatten – und »Dancing With The Big Boys«. Bowie hoffte, dies führe zu einer erneuten Zusammenarbeit mit Iggy, und äußerte den Wunsch, Iggys nächstes Album zu produzieren – was er zwei Jahre später mit *Blah Blah Blah* auch tat.

Letztendlich landeten nur zwei reine Bowie-Kompositionen auf *Tonight* – »Blue Jean« und das religionskritische »Loving The Alien« –, die zugleich auch die besten Tracks des ganzen Albums sind. Zu »Blue Jean« (der zweiten Singleauskopplung) drehte Bowie unter der Regie von Julien Temple einen 22-minütigen Videoclip. Später konnte Temple Bowie dafür gewinnen, eine Rolle in seinem ersten Spielfim, *Absolute Beginners*, zu übernehmen.

Noch während der Werbephase für das Album distanzierte sich Bowie allmählich von seinem neuesten Werk.

»Ich fand, es war großartiges Material, das allerdings zu sehr auf das rein Produkthafte eingedampft worden war. Ich hätte es nicht so studiomäßig klingen lassen sollen … Sie sollten mal das Demo von ›Loving The Alien‹ hören. Da klingt es einfach großartig, ich schwör's.« D. B. 1989

Für all die Kritiker, die *Tonight* als eindeutiges Indiz dafür ansahen, dass Bowies Kreativität langsam nachlasse und er auf dem Weg in Richtung Kommerz in eine Sackgasse geraten sei, hatte er damals jedoch eine Antwort auf Lager.

»Wann immer mich jemand fragt, wie mein nächstes Album aussehen wird, antworte ich ›Protest‹, weil ich nämlich ebenso wenig eine Vorstellung davon habe, wie es weitergehen wird, wie irgendjemand sonst … Ich habe immer geglaubt, dass ich

sehr überlegt an die Dinge herangehe, aber ich musste feststellen, dass ich die Hälfte der Zeit absolut keinen Plan habe … So ist das nun mal bei Künstlern, sie sind verwirrt von dem, was sie tun, und arbeiten stets darauf hin, nicht so intuitiv, sondern viel methodischer und rationaler vorzugehen.« D. B. 1984

»Sein oder nicht sein«: Der »Cracked Actor«-Auftritt mit Umhang und Schädel war fester Bestandteil der Serious-Moonlight-Shows.

LABYRINTH & ABSOLUTE BEGINNERS 1986

»FÜR ALL DIE MALE, DIE ICH MICH SELBST ZUM TROTTEL MACHE, TUE ICH AUCH DINGE, VON DENEN ICH WEISS, DASS SIE GUT SIND.«

DAVID BOWIE, 1997

1984

November

Veröffentlichung von »Tonight«/»Tumble And Twirl« (UK 53, US 53).

1985

16. Januar

Sein Halbbruder Terry Burns begeht im Alter von 47 Jahren Selbstmord.

Februar

Veröffentlicht zusammen mit der Pat Metheny Group »This Is Not America«/»This Is Not America (instrumental)« (UK 14, US 32).

22. Februar

Kinopremiere von *Kopfüber in die Nacht* (Bowie hat einen Cameo-Auftritt).

26. Februar

Erhält für *Jazzin' for Blue Jean* einen Grammy für das beste Kurzfilm-Video.

Mai

Veröffentlichung von »Loving The Alien (remixed)«/ »Don't Look Down (remixed)« (UK 19, US –).

13. Juli

Auftritt beim Live Aid Benefizkonzert, Wembley Stadion, London.

August

Veröffentlicht gemeinsam mit Mick Jagger »Dancing In The Street«/ »Dancing In The Street (dub version)« (UK 1, US 7).

1986

März

Veröffentlichung von »Absolute Beginners«/ »Absolute Beginners (dub mix)« (UK 2, US 53).

4. April

Kinopremiere von *Absolute Beginners – Junge Helden* (spielt V. Partners).

7. April

Veröffentlichung von *Absolute Beginners* (Soundtrack) (UK 19, US 62)

Juni

Veröffentlichung »Underground«/»Underground (instr.)« (UK 21, US –)

23. Juni

Veröffentlichung von *Labyrinth* (UK 38, US 68).

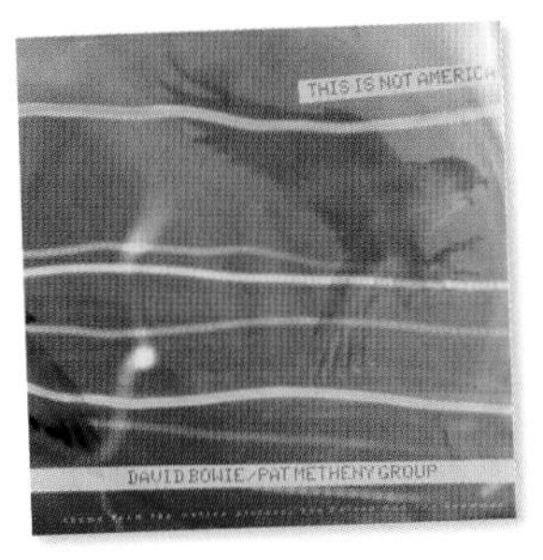

Vorherige Seite und gegenüber: Mehr als 20 Jahre nach seinen eigenen Erfahrungen in der Werbebranche spielte Bowie in *Absolute Beginners* den zynischen Werbefachmann Vendice Partners.

Was für ein Dream-Team: Der Muppets-Erfinder Jim Henson als Regisseur, George Lucas als Produzent, Terry Jones von Monty Python als Drehbuchautor und David Bowie, der auch Teile des Soundtracks komponierte, in einer der Hauptrollen. Bei dem Film, für den ein Budget von 25 Millionen Dollar zur Verfügung stand, wirkte neben Bowie auch die damals 15-jährige Jennifer Connelly mit. Die übrigen Rollen spielten Puppen.

Kinderreime und Märchen hatten Bowie seit jeher fasziniert. Für eine Aufnahme von Sergei Prokofjews *Peter und der Wolf* war er 1978 in die Erzählerrolle geschlüpft. Außerdem war er ein großer Fan von Jim Henson, der mit den Muppets einen Figurenkosmos geschaffen hatte, der Kinder und Erwachsene gleichermaßen anspricht.

In *Die Reise ins Labyrinth* spielt Bowie den bösen Koboldkönig Jareth, der das Baby Toby entführt. Sarah, die von Jennifer Connelly dargestellte Schwester des Jungen, macht sich daraufhin auf, ihn zu retten.

In mancherlei Hinsicht betrachtete Bowie seine Rollenfigur als einen weiteren schillernden Charakter in seiner ständig wachsenden Sammlung.

»Ich glaube, Jareth ist im besten Fall ein Romantiker. Schlimmstenfalls ist er ein verzogener Bengel, eingebildet und launisch – fast so wie ein Rockstar.« D. B. 1986

Die fünfmonatigen Dreharbeiten begannen am 15. April 1985 in den Londoner Elstree Studios, wobei die aufwändige Puppenspieltechnik die meiste Zeit beanspruchte. Die Puppen stellten eine neue Herausforderung dar, die Bowie anfangs noch zu schaffen machte: »Ich hatte ein paar Startschwierigkeiten, denn zum Beispiel kommt das, was sie sagen, ja nicht aus ihrem Mund, sondern wird von jemandem gesprochen, der neben oder hinter einem steht.«

Nach dem ermüdenden, schwierigen Dreh ging Bowie ins Studio und nahm fünf Songs auf, die er eigens für den Soundtrack zu diesem Film geschrieben hatte: »Underground«, »Magic Dance«, »Chilly Down«, »Within You« und »As The World Falls Down«. Letzterer ist eine Ballade mit Anklängen an »Word On A Wing«. Ursprünglich sollte »As The World Falls Down« als Single zeitgleich mit dem Film erscheinen, doch die Veröffentlichung wurde aus nicht bekannten Gründen in letzter Minute gestoppt – obwohl man sogar schon ein Video dazu gedreht hatte.

Stattdessen wurde »Magic Dance«, das fast wie eine 80er-Jahre-Version von »The Laughing Gnome« anmutet, in den USA als Single herausgebracht; Bowies glucksende Babylaute gab es sogar als Dance Mix auf Maxisingle.

Im Juni 86 kam schließlich »Underground« auf den Markt – auch hierzu wurde eine Maxisingle mit Dance Mix herausgebracht. Trotz eingängiger Gospelrhythmen, eines großen Staraufgebots – Chaka Khan, Luther Vandross, Bowies alter Freund aus *Young Americans*-Tagen, eine Reihe anderer hervorragender Musiker als Backgroundsänger und der legendäre Albert Collins an der Gitarre – und eines von Steve Barron gedrehten Videoclips konnte sich die Single in den USA nicht platzieren, während sie in Großbritannien immerhin Platz 21 erreichte.

Der Soundtrack zu *Die Reise ins Labyrinth* war der erste, für den Bowie alle Songs, die er beitrug, eigens komponierte (die restlichen Instrumentalstücke schrieb Trevor Jones). Bislang hatten Soundtracks mit Beiträgen von ihm entweder aus einer Zusammenstellung älterer Titel bestanden oder er hatte lediglich die eine oder andere eigens komponierte Nummer zu einem Soundtrack beigesteuert, der daneben noch Songs von anderen Künstlern enthielt. Insofern nimmt *Labyrinth* durchaus eine Sonderstellung unter Bowies Studioalben ein. Es steht außer Frage, dass er nicht wie üblich die völlige künstlerische Freiheit besessen hat, da ja Wesentliches durch den leicht chaotischen Kinderfilm vorgegeben war. Natürlich hätte er das Angebot, den Soundtrack zu diesem Film zu schreiben, ablehnen können. Doch Bowie entschied sich einmal mehr für den am wenigsten ausgetretenen Pfad.

»Wie jeder andere wollte ich immer schon einen Soundtrack für einen Film schreiben, der Kinder aller Altersstufen anspricht. Und Jim hat mir dabei völlig freie Hand gelassen.« D. B. 1986

In Großbritannien schaffte es *Die Reise ins Labyrinth* bis ganz nach oben auf der Liste der beliebtesten Kinofilme, international floppte er jedoch und spielte nicht einmal die Hälfte seiner Produktionskosten wieder ein. Inzwischen gilt er jedoch längst als Kultfilm.

Rückblickend darf man die guten Songs wie »As The World Falls Down« und »Underground« durchaus würdigen und über den Rest gerne schmunzeln. Überhaupt nicht zum Schmunzeln zumute war damals allerdings den Plattenbossen bei EMI. Sie wollten ein *Let's Dance II* geliefert bekommen, doch davon hatte dieses Album rein gar nichts.

Oben: Als Koboldkönig Jareth in *Die Reise ins Labyrinth*.

Gegenüber: »That's motivation!«. So macht Bowie in der Rolle des Vendice Partners dem Protagonisten Colin in *Absolute Beginners* den Job des Werbefachmanns schmackhaft.

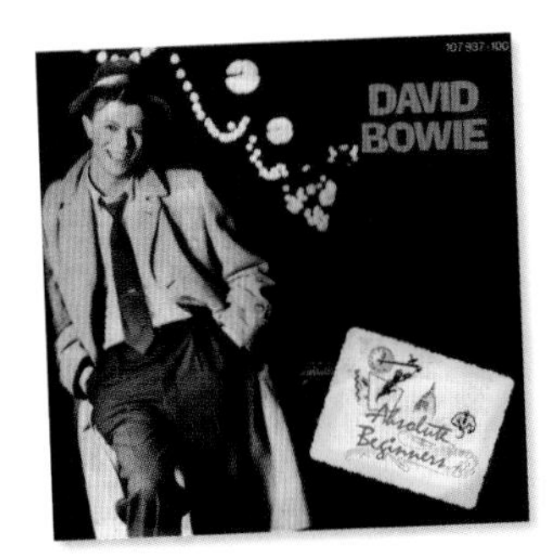

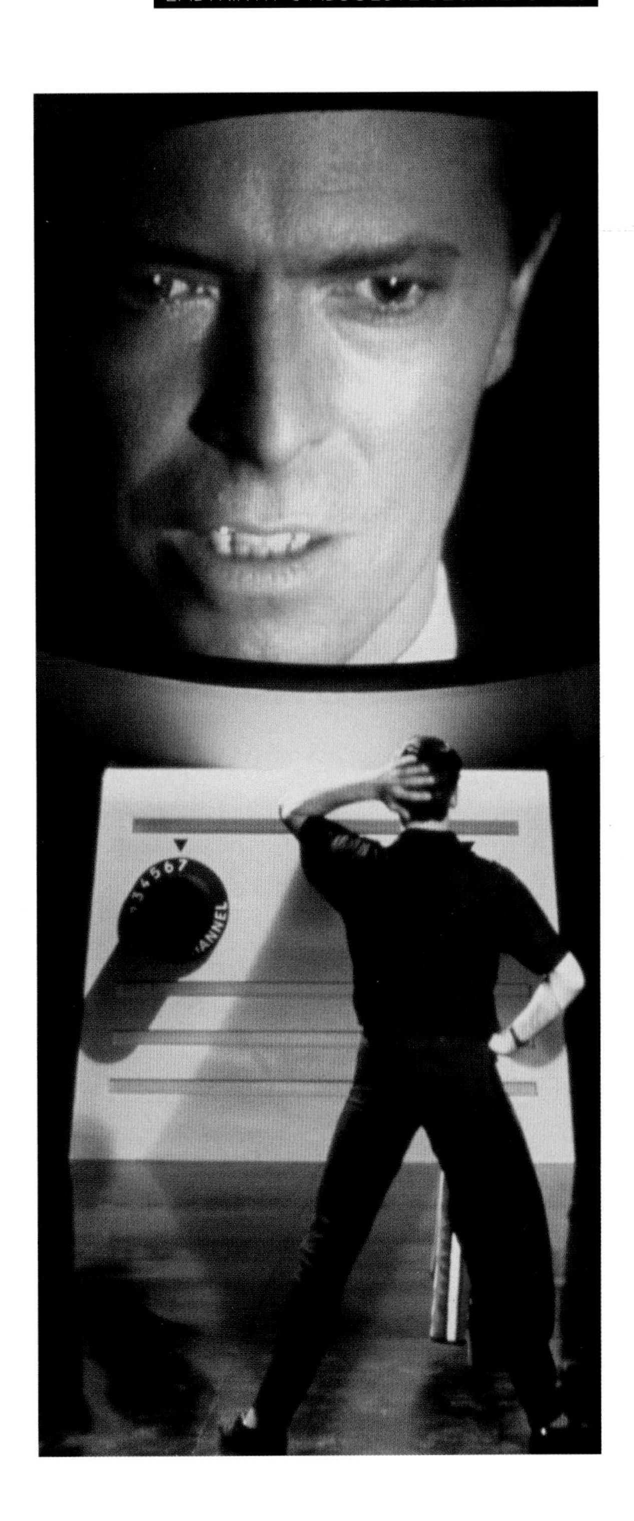

Nur wenige Monate vor der Veröffentlichung von *Labyrinth* war Bowie in der Rolle des Werbefachmanns Vendice Partners in Julien Temples Filmadaption von Colin MacInnes Roman *Absolute Beginners* zu sehen.

Die britische Filmindustrie steckte wie so oft in einer Krise und der vielversprechende Newcomer Temple galt als Hoffnungsträger der Branche. Bowie hatte schon früh Interesse an ihm gezeigt. Um seine Single »Blue Jean« zu promoten, hatte er 1984 das Video *Jazzin' For Blue Jean* mit ihm gedreht, das mit einer Länge von 22 Minuten auf der Grenze zwischen Videoclip und Film anzusiedeln ist. Im Kino lief es im Vorprogramm zu *Die Zeit der Wölfe*. Noch während der Dreharbeiten erzählte Bowie dem *NME*:

»Ich glaube, mit seinem geplanten Film Absolute Beginners *wird er eine Menge für das junge britische Kino bewirken ... Ich würde gerne einen Film mit ihm drehen ...«* D. B. 1984

Die im Jahr 1958 spielende Handlung dreht sich um den jungen Fotografen Colin, der – vor dem Hintergrund der Rassenunruhen im Londoner Stadtteil Notting Hill – um die Gunst der karrierebewussten Modedesignerin Crepe Suzette buhlt. Trotz des riesigen Hypes im Vorfeld des Kinostarts floppte *Absolute Beginners – Junge Helden*, was nicht zuletzt auch an den außerordentlich hohen Erwartungen, die in den Film gesetzt wurden, gelegen haben dürfte.

Einer der größten Kritikpunkte war der anachronistische Soundtrack, durch den der Film wie eine Serie aneinandergereihter überlanger Videoclips wirkt. Vermutlich war Bowies brillanter Titelsong das Beste, was *Absolute Beginners* zu bieten hatte. Die im März 86 veröffentlichte Nummer kletterte bis auf Platz zwei der UK-Charts – in den USA erreichte sie immerhin noch Platz 52 – und ist bis heute einer der erfolgreichsten Songs, die Bowie je geschrieben hat.

Live Aid im Wembley Stadion am 13. Juli 1985: Bowie bei seinem Soloauftritt (gegenüber), bei der Darbietung von »Do They Know It's Christmas?« mit den anderen an dem Gemeinschaftsprojekt beteiligten Künstlern (rechts unten) und backstage mit Paul McCartney (rechts Mitte). Zusammen mit Mick Jagger nahm er anlässlich der Benefizveranstaltung die Single »Dancing In The Street« auf (oben).

»Now hear this, Robert Zimmermann«: Bowie mit dem von ihm einst besungenen Bob Dylan 1985 auf einer Ausstellung (rechts oben).

NEVER LET ME DOWN 1987

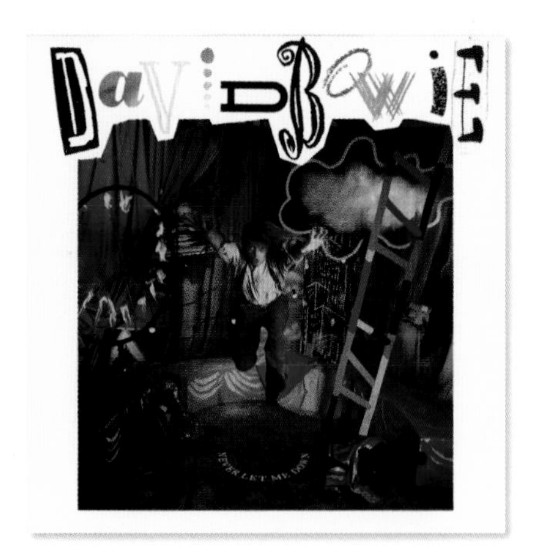

»ICH HABE NACHGEGEBEN UND VERSUCHT, MEINE SACHEN ZUGÄNGLICHER ZU MACHEN, WODURCH ICH IHNEN VIEL VON IHRER STÄRKE NAHM.«

DAVID BOWIE, 1995

Das si

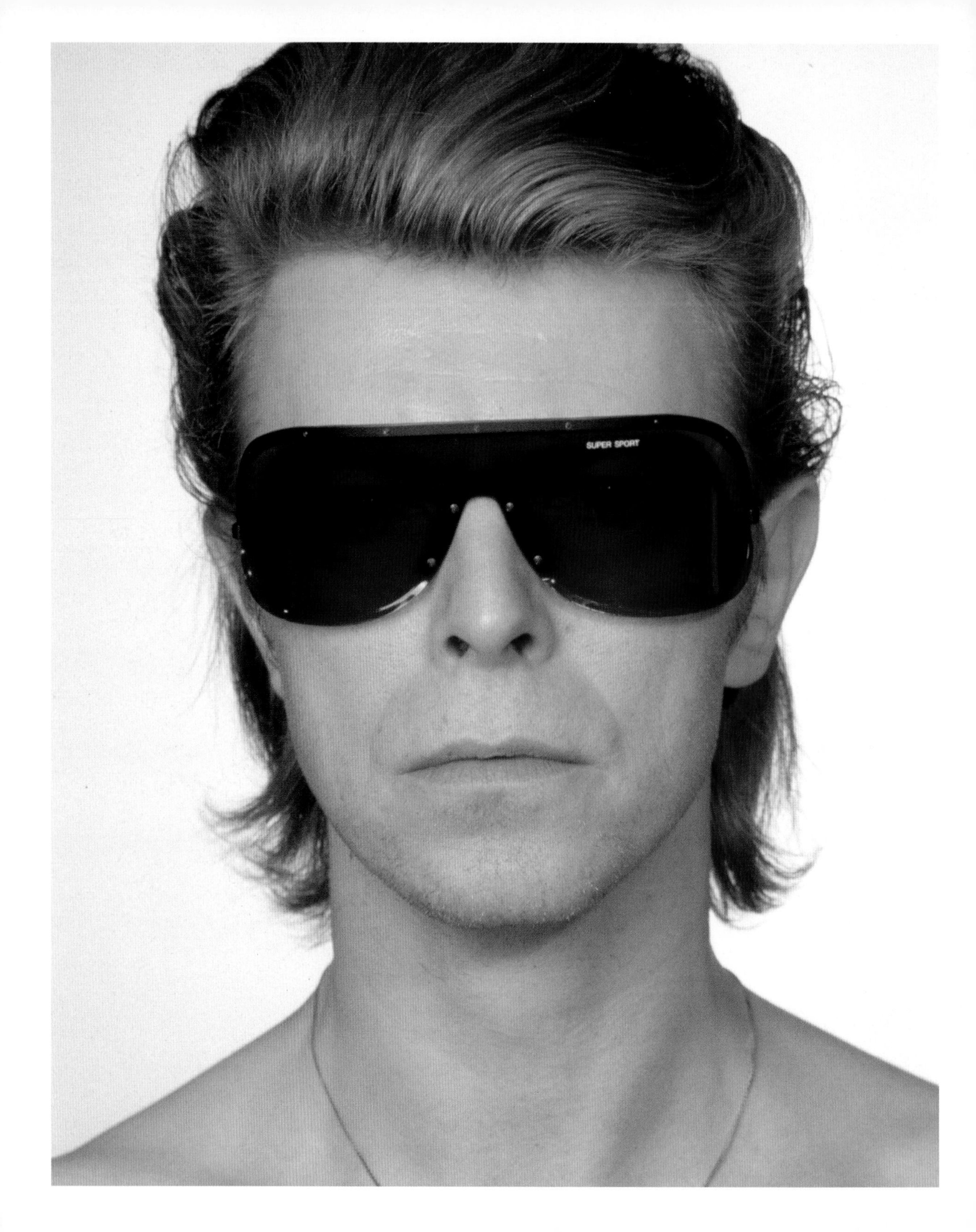
SUPER SPORT

1986
27. Juni
Kinopremiere von *Die Reise ins Labyrinth* (Bowie spielt Jareth, den Koboldkönig).
23. Oktober
Veröffentlichung von Iggy Pops *Blah Blah Blah.*
November
UK-Veröffentlichung von »When The Wind Blows«/ »When The Wind Blows (instrumental)« (44).

1987
Januar
US-Veröffentlichung von »Magic Dance«/ »Magic Dance (dub)«/»Within You« (–).
März
Veröffentlichung von »Day-In Day-Out«/»Julie« (UK 17, US 21).
17.–30. März
PR-Gigs für die Presse im Vorfeld der Glass-Spider-Tour in neun Ländern.
27. April
Veröffentlichung von *Never Let Me Down* (UK 6, US 34).

Vorherige Seite: »Standing by the wall«. Im Juni 87 – zwei Jahre vor dem Mauerfall – war Bowie während der Glass-Spider-Tour wieder einmal in Berlin.

Gegenüber: Bowie mit schicker Sonnebrille im Stil der späten 80er.

Als Bowie sich entschloss, ein internationaler Superstar werden zu wollen, beging er einen entscheidenden Fehler, weil er sich das, was ihn groß gemacht hatte, nun verkneifen musste. Sein Status und sein Ansehen beruhte auf seinem außergewöhnlichen Talent als Songwriter, seinem künstlerischen Wagemut, seinem Interesse am Experimentellen und seinem erklärten Willen, die Grenzen des Rock'n'Roll zu sprengen und ihn um theatrale und literarische Elemente zu erweitern. Durch diesen multimedialen, genreübergreifenden Ansatz hatte er Fans aus ganz unterschiedlichen soziokulturellen Bereichen gewonnen.

Ein solch hohes Maß an Kreativität war jetzt jedoch nicht mehr gefragt. 1986 hatte sich Bowie standhaft geweigert, ein Album zu veröffentlichen und anschließend zu touren, wozu ihn die EMI bewegen wollte. Doch 1987 musste er sich fügen. Benötigt wurde ein Album, das den Geschmack der breiten Masse traf und in großen Stadien präsentiert werden konnte. Die Zeiten, in denen er Texte auseinanderschnitt und neu zusammensetzte oder eine von Brian Enos Oblique-Strategies-Karten zog, waren vorbei.

Er steckte in der Klemme. So schön es auch war, die vielen Nullstellen auf dem Kontoauszug zu betrachten und überall auf der Welt Berühmtheit zu genießen – künstlerisch lähmte ihn dieser Zustand.

Bowies langjähriger Gitarrist Carlos Alomar erklärte dem Bowie-Biografen David Buckley: »Der Mann wollte partout nicht ins Studio gehen und ein Album aufnehmen. Wenn man sich von den strategischen Interessen einer Plattenfirma leiten lässt, bleibt die Inspiration halt aus.«

Never Let Me Down entstand innerhalb von drei Monaten in der Schweiz. Bowie hatte darauf Altes mit Neuem kombiniert. Wieder mit dabei war Carlos Alomar, dem er als Gastmusiker seinen Freund aus Jugendtagen, Peter Frampton, an die Seite stellte (Framptons Vater war einst Bowies Kunstlehrer gewesen). Grundlegendes hatte sich jedoch im Hinblick auf seine Texte verändert. Anders als früher bezog Bowie nun zu gesellschaftspolitischen Themen Stellung. Ein ausgezeichnetes Beispiel dafür ist die erste Singleauskopplung: In »Day-In Day-Out« geht es um die Probleme amerikanischer Obdachloser. Das Video zum Song (bei dem abermals Julien Temple Regie führte), in dem Bowie auf Rollerskates u.a. Zeuge einer versuchten Vergewaltigung wird, ist nicht mehr als ein misslungener Abstecher in die Gefilde der Gesellschaftskritik. Wegen solcher Szenen setzten sowohl die BBC als auch MTV America den Clip nach kurzer Zeit auf den Index.

Ein weiteres aktuelles Thema war die Reaktorkatastrophe von Tschernobyl, die Bowie zum Text der zweiten Singleauskopplung, »Time Will Crawl«, inspiriert hat.

Erheblich persönlicher war im Vergleich dazu der Titeltrack, der als dritte Single herauskam. Den Song »Never Let Me Down« hatte Bowie seiner Assistentin Coco Schwab gewidmet, die seit Mitte der 70er für ihn arbeitete. Obschon Bowie wiederholt betont hatte, ihre Beziehung sei rein platonischer Natur gewesen, hatte er auch gesagt:

»Da mag auch ein bisschen so etwas wie Liebe mit im Spiel sein, insofern als es für zwei Menschen nicht leicht ist, sich über einen so langen Zeitraum in Gegenwart des anderen wohlzufühlen, ohne zu viel von einander zu erwarten.« D. B. 1987

Darüber hinaus gab es mit »Bang Bang« die schon fast obligatorische Coverversion einer Iggy-Pop-Nummer, und auf »Shining Star (Makin' My Love)« erlaubte Bowie Mickey Rourke, sich als Rapper zu versuchen.

»Eines meiner größten Erlebnisse war meine erste Begegnung mit Mickey Rourke, der sagte: ›Oh Mann, 73, echt Mann, da lief ich in denselben Klamotten rum wie du, Mann. Ich hatte grüne Haare und trug Plateaustiefel und Lederhosen.‹ Und ich versuchte mir vorzustellen, wie Mickey Rourke in diesem Aufzug ausgesehen haben mochte. Ich sagte: ›Du warst Glamrocker?‹, und er entgegnete: ›Ja, Mann. In Florida hatte man so was noch nie zuvor gesehen.‹ Ich fand das großartig, es bestärkte mich kolossal.« D. B. 1989

Ein großes Problem, das Bowie mit dem Album hatte, war der Sound. Die 80er waren das Jahrzehnt der Drumcomputer und Synthesizer, die jeden Song glattbügelten und seiner Seele beraubten. Bowies Stimme wirkte jedoch am besten vor dem Hintergrund eines Sounds, der ähnlich aufregend war wie sie selbst – sei es die Kakofonie von *"Heroes"* oder der eigenwillige Funk von *Station To Station*.

Der Mainstream-Sound der späten 80er war extrem gleichförmig geworden, Verstörendes oder Überraschendes konnte er nicht mehr bieten. Bowie wollte zurück zum Rock'n'Roll, doch die weichgespülte Produktion, die sich als Standard mittlerweile überall durchgesetzt hatte, ließ vieles von dem, was sein neues Material auszeichnete, nicht zur Geltung kommen.

Nichtsdestotrotz wurde weiterhin experimentiert, man musste nur richtig hinhören. Public Enemy entwickelten auf der Basis von Samples spannende, intelligente, dissonante Klänge. House Music boomte und beeinflusste damals schon britische Gitarrenbands wie die Happy Mondays und die Stone Roses. Bowie hätte sich mit Songs wie »Beat Dis« von Bomb The Bass und »Pump Up The Volume« von MARRS auseinandersetzen können. Stattdessen machte er ein Album, das er später bereute.

Never Let Me Down verkaufte sich erheblich schlechter als erwartet. In den USA erreichte es Platz 34 der *Billboard*-Charts, in Großbritannien kam es immerhin auf Platz 6. In Skandinavien hingegen waren die Verkaufszahlen ziemlich gut.

Obschon Bowie das Album damals vehement verteidigte und einen Großteil der neuen Songs auf der nun folgenden Glass-Spider-Tour präsentierte, setzte er sich mit ihm ebenso wie mit seinem Status als Mainstream-Musiker Jahre später sehr kritisch auseinander.

»Für sein Genre war Let's Dance *eine exzellente Platte, aber auf den nächsten beiden Alben wurde mein Desinteresse an meiner eigenen Arbeit allmählich offenbar.* Never Let Me Down *war mein Tiefpunkt. Es ist ein grauenhaftes Album. Ich bin inzwischen an einem Punkt angekommen, an dem ich nicht mehr allzu streng mit mir bin. Ich veröffentliche das, was ich mache, weil ich weiß, dass alles, was ich tue – sei es im Bereich der bildenden Kunst oder der Musik –, von Herzen kommt. Selbst wenn es künstlerisch missrät, ärgert mich das nicht so sehr, wie mich* Never Let Me Down *ärgert. Ich hätte damals gar nicht erst ins Studio gehen sollen. Wenn ich mir das Album heute anhöre, frage ich mich manchmal, ob wirklich ich das gemacht habe.«* D. B. 1995

Für etwas war *Never Let Me Down* dennoch gut, denn es machte Bowie bewusst, dass sein Glück nicht von großen Stadion-Tourneen und breiter öffentlicher Anerkennung abhing, sondern von seinem künstlerischen Talent. Die Frage war, ob es ihm gelingen würde, dieses Talent wieder voll zu entfalten.

Der Jetsetter David Bowie konnte mit *Never Let Me Down* zu keinen neuen Höhenflügen ansetzen. In Songs wie »Day-In Day-Out« und »Time Will Crawl« beschäftigte er sich zwar mit aktuellen gesellschaftspolitischen Themen, doch schien er zum ersten Mal in seiner Karriere nicht auf der Höhe der Zeit zu sein.

TIN MACHINE 1989

»MEINE LEIDENSCHAFT MUSSTE WIEDER GEWECKT WERDEN. SO WIE BISHER KONNTE ICH EINFACH NICHT WEITERMACHEN. ICH MUSSTE ENTWEDER SCHEISSEN ODER MICH VOM LOKUS HIEVEN.«

DAVID BOWIE, 1989

1987

30. Mai

Offizieller Start der Glass-Spider-Tour im Feijenoord-Stadion, Rotterdam.

Juni

Veröffentlichung von »Time Will Crawl«/»Girls« (UK 33, US –).

August

Veröffentlichung von »Never Let Me Down«/»'87 And Cry« (UK 34, US 27).

28. November

Die Glass-Spider-Tour endet im Western Springs Stadium, Auckland.

1988

1. Juli

Zusammenarbeit mit der Avantgarde-Tanzgruppe La La La Human Steps bei »Look Back In Anger« bei einem Benefizkonzert in London.

12. August

Kinopremiere von *Die letzte Versuchung Christi* (Bowie hat einen Cameo-Auftritt als Pontius Pilatus).

1989

22. Mai

Veröffentlichung von *Tin Machine* (UK 3, US 28).

Vorherige Seite: Während der Glass-Spider-Tour 1987. Sein nächstes Projekt war eine weitaus bodenständigere Angelegenheit.

Gegenüber: Bowies neues Banker-Outfit stand in deutlichem Kontrast zum rauen Sound von *Tin Machine*.

Die Glass-Spider-Tour war ein sehr ambitioniertes und außerordentlich profitables Unternehmen. Zwischen Mai und November 87 spielte Bowie in Europa, Nordamerika und Australien vor schätzungsweise drei Millionen Zuschauern – dem Verkauf von *Never Let Me Down* half das allerdings wenig. Nach dem Ende der Tour war Bowie sehr reich, sehr ausgepowert und sehr angeschlagen.

»Die Belastung auf der letzten Tour war einfach zu groß. Ich stand jeden Tag unter Stress … Ich musste die Zähne zusammenbeißen und es durchziehen, was keine besonders angenehme Art zu arbeiten ist.« D. B. 1989

Von der Kritik wurde die Tour zerrissen. Für einen Musiker von Bowies Format hielt man sie für unangemessen pompös und theatralisch. Weil er jeden Abend fast alle Songs von seinem neuen Album spielte, blieben viele seiner sonst gefeierten klassischen Nummern außen vor. Man warf ihm vor, Unterhaltung statt Kunst zu bieten und auf das Publikum nicht wirklich einzugehen.

Von derartigen Vorwürfen tief getroffen entschied Bowie, dass es nun reichte. Er hatte Geld und war berühmt – es war nun an der Zeit, die Superstarrolle abzulegen und wieder als authentischer Künstler aufzutreten.

Reeves Gabrels war ein außergewöhnlicher Gitarrist mit einem Faible für musikalische Experimente. Seine Frau Sarah hatte auf der Glass-Spider-Tour als Pressesprecherin gearbeitet und Bowie eines seiner Demobänder in die Hand gedrückt. Bowie war beeindruckt von dem, was er hörte, und so lud er ihn im Sommer 1988 ein, mit ihm zusammenzuarbeiten. In Bowies Lieblingsstudio in Montreux versuchten sie gemeinsam mit dem Produzenten Tim Palmer zunächst ein Konzept zu entwickeln für ein Album, das auf Steven Berkoffs Theaterstück *West* basieren sollte. Zwar gaben sie diese Idee ziemlich schnell wieder auf, doch war bei ihren Experimenten einiges an vielversprechendem neuen Material entstanden, darunter frühe Versionen von »Heaven's In Here« und »Baby Universal«. Zu dieser Zeit hatten sie immer noch ein David-Bowie-Soloprojekt im Sinn, wobei ihnen allerdings bald klar war, dass sie noch eine Rhythmusgruppe benötigten.

Drummer Hunt und Bassist Tony Sales, die beiden Söhne des amerikanischen Stand-up-Comedian Soupy Sales, hatten diese Aufgabe einst auf dem von Bowie mitgeschriebenen und -produzierten Iggy-Pop-Album *Lust for Life* übernommen. Als echte Rock'n'Roller, die sie durch und durch waren, hatten sie die Sessions nach ihrer Ankunft in Montreux entscheidend mitgeprägt. Die Mischung stimmte: Als gleichberechtigte Musiker, die spontan Ideen aufgreifen und weiterentwickeln konnten, arbeiteten sie hervorragend zusammen. So entstand eine ganze Reihe neuer Songs – allesamt Hardrock-Nummern, zu denen Bowie improvisierte Texte sang, die er im Nachhinein kaum überarbeitete.

Während er all die Wunden leckte, die ihm seine Kritiker zugefügt hatten, sah Bowie plötzlich die Chance, die seichten Gefilde des Mainstream wieder zu verlassen, die einen Künstler nicht selten in der Paillettenglitzerwelt von Las Vegas stranden ließen: Er würde Bowie, dem Entertainer, den Laufpass geben und sich als einfacher Sänger in einer Rockband, die Tin Machine heißen und nur in kleinen Hallen und Clubs auftreten sollte, neu positionieren.

»Das ist seit den Konrads im Jahr 1963 die erste Band, der ich angehöre, ohne ihr Kopf zu sein. Anfangs kamen wir als Musiker einfach prima miteinander klar, doch dann entwickelte sich das Ganze recht schnell zu einer Band – und das war großartig. Es ist wunderbar, dass es so gekommen ist, aber es war keineswegs von Anfang an so geplant.« D. B. 1991

Schon bald kam die Band in Nassau auf den Bahamas wieder zusammen. In kurzer Zeit spielte sie hier über dreißig Songs ein, deren schnörkelloser Livesound fast keine Overdubs erforderte. 14 dieser Titel kamen auf ein Album, das den gespannten Journalisten bei einer Pressekonferenz in New York vorgespielt wurde.

Das erste Medienecho fiel beruhigend positiv aus. *Q* bezeichnete das Album als »gottlob brillant ... schnörkellos, wild und voller Leben«. Weitere positive Besprechungen folgten, und in Großbritannien kletterte das Album schnell auf Platz drei der Charts. Die Ernüchterung folgte später.

Tin Machine ist ein ungeschliffenes, aggressives und eigenwilliges Album, das einige echte Highlights zu bieten hat. Mit seinem schneidenden Gitarrensound und Bowies sich ekstatisch steigerndem Gesang gibt der erste Track »Heaven's In Here« den Ton und das Tempo vor. »Crack City« ist eine Mischung aus Bo Diddley und Bob Dylan, während »I Can't Read« auch ein Überbleibsel der *Lodger*-Sessions hätte sein können. »Working Class Hero« ist eine von Bowies besseren Coverversionen; anstelle von Lennons spöttischem Zynismus versprüht Bowie hier eine gewisse Trotzigkeit.

Ganz im Sinne des Neuanfangs, der Rückkehr zu den Wurzeln, machte sich die Band auf zu einer Tour durch kleine Clubs. Man rückte im Tourbus eng zusammen und ignorierte Bowies früheres Schaffen völlig.

»Im Stadion ist es noch keinem Musiker gelungen, mich zu bewegen, außer vielleicht in die falsche Richtung, nämlich zum Ausgang ... auch die Spontaneität und die Interaktion leiden darunter, man wird völlig von den Zwängen der Choreografie beherrscht.« D. B. 1991

Doch viele Fans und Kritiker konnten sich nicht damit anfreunden, dass Bowie – der Individuellste aller Individualisten – in dieser Band nur eines von vier Mitgliedern war. Vielleicht war er seiner Zeit einfach auch zu weit voraus. Damals inspirierten ihn junge experimentierfreudige amerikanische Bands wie die Pixies und Sonic Youth, die zu der Zeit noch nicht zum Mainstream zählten. Langjährige Bowie-Fans mögen sich über die Richtung, die er damit einschlug, gewundert haben, jüngeren Hörern wiederum dürfte der Mainstream-»Oldie«, der sich nun für Underground-Sounds begeistert, wohl etwas suspekt gewesen sein.

»Ich habe mir nie einen Kopf darum gemacht, ob ich mit irgendetwas, was ich mache, Fans vergraule ... Meine Stärke lag immer darin, einen Scheiß darauf zu geben, was die Leute von dem halten, was ich tue ... An diesen Punkt bin ich gewissermaßen zurückgekehrt.« D. B. 1989

Die Plattenbosse von EMI konnten dieser Einstellung nichts abgewinnen. Das, was *Tin Machine* eingespielt hatte, gab alles andere als Anlass zur Freude, und als die Band ankündigte, ein weiteres Album aufnehmen zu wollen, stieg EMI aus. Bowie musste sich nach einer neuen Plattenfirma umsehen. Doch das war ihm gleich. Er machte sich wieder einmal auf zu neuen Ufern.

Zum ersten Mal seit den 60ern war Bowie einfach nur der Sänger einer Rockband. Die anderen Mitglieder von Tin Machine waren Bassist Tony Sales (links), Drummer Hunt Sales und Gitarrist Reeves Gabrels (rechts).

Ludwig
UNT

TIN MACHINE II 1991

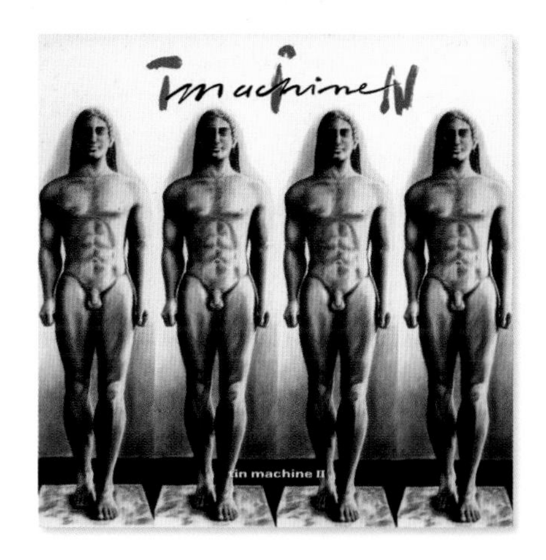

»TIN MACHINE WAR
DAS BESTE, WAS ICH TUN
KONNTE, UM MEINE MIDLIFE-
CRISIS ZU ÜBERWINDEN.«

DAVID BOWIE, 1994

1989
Juni
Veröffentlichung von Tin Machines »Under The God«/ »Sacrifice Yourself« (UK 51, US –).
14. Juni
Die Tin-Machine-Tour startet im The World, New York.
3. Juli
Die Tin-Machine-Tour endet im Forum in Livingston, Schottland (am 4. November spielte die Band einen weiteren Gig im Moby Dick's in Sydney).
September
Veröffentlichung von Tin Machines »Tin Machine«/ »Maggie's Farm (live)« (UK 48, US –).
Oktober
Veröffentlichung von Tin Machines »Prisoner Of Love«/ »Baby Can Dance (live) (UK –, US –).

1990
März
Veröffentlichung von »Fame '90«/»Fame '90« (Queen Latifah's rap version) (UK 28, US –).
4. März
Die *Sound+Vision*-Tour startet im Colisée in Québec.
2. April
Für seinen herausragenden Beitrag zur britischen Musik wird Bowie mit dem Ivor Novello Award ausgezeichnet.
Mai
Veröffentlichung von Adrian Belews »Pretty Pink Rose«/»Neptune Pool«/»Shoe Salesman«/»Oh Daddy« (featuring David Bowie auf Track eins) (UK –, US –)
29. September
Die *Sound+Vision*-Tour endet im River Plate Stadion in Buenos Aires.

1991
7. Juli
Tritt als Sir Roland Moorcock in zwei Episoden der TV-Serie *Dream On* auf.
August
UK-Veröffentlichung von Tin Machines »You Belong In Rock'n'Roll«/ »Amlapura (Indonesian version)« (33).
2. September
Veröffentlichung von *Tin Machine II* (UK 23, US –).

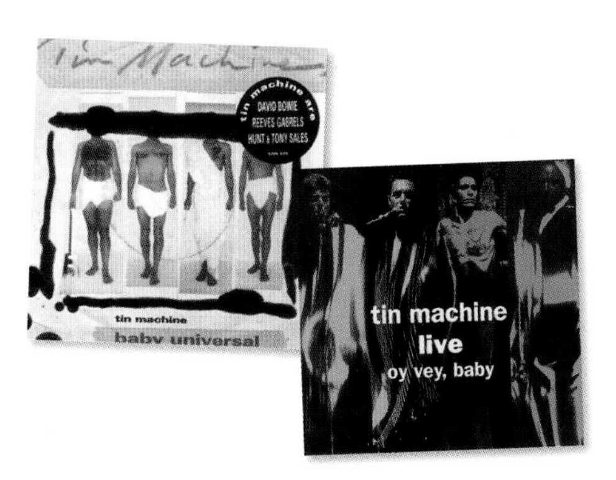

Auch wenn viele glaubten, Bowies musikalischer Genius würde sich vorübergehend eine Auszeit genehmigen – völlig zu Unrecht, wie sich bald herausstellen sollte –, er war nach wie vor in der Lage, die Leute zu überraschen.

Im März 1990 begann die *Sound+Vision*-Tour. Bowie hatte angekündigt, dass er zum letzten Mal seine alten Hits spielen wolle. Es sollte ein Streifzug durch seine Karriere mit all den Songs werden, die ihn berühmt gemacht hatten. Danach sollte Vergangenes auch vergangen bleiben. Bowie hoffte, sich dann endlich der Zukunft zuwenden zu können.

»Zu wissen, dass ich auf diese Songs nicht mehr zurückgreifen kann, zwingt mich dazu, etwas Neues zu schaffen, was für einen Künstler nur gut sein kann.« D.B. 1990

Die aktuelle Tour war außerdem eine ideale Werbung für die neu erschienene Compilation-Box *Sound+Vision*, die viele Hits, aber auch etliche Raritäten und Kuriositäten enthielt. Mit dieser Sammlung sollte auch Interesse geweckt werden für die gerade bei EMI und Rykodisc wiederveröffentlichten alten Bowie-Alben.

Bemüht, die Barriere zwischen Künstler und Publikum ein Stück weit zu überwinden, rief Bowie seine Fans im Vorfeld der Tour auf, telefonisch über die Songs abzustimmen, die er live spielen sollte. Das britische Musikmagazin *NME* erkannte schnell, welchen Unfug man mit der eigens für diesen Zweck eingerichteten Hotline treiben konnte, und so war die Leitung in kürzester Zeit überlastet mit Anrufen von Lesern, die »The Laughing Gnome« hören wollten. Abgesehen davon waren die meistgewünschten Songs in den USA »Fame«, »Let's Dance« und »Changes«, während in Europa »"Heroes"« und »Blue Jean« ganz oben auf der Wunschliste der Fans standen.

Auf übertrieben wirkende Extravaganzen verzichtete Bowie auf dieser Tour. Gekleidet wie zu Zeiten des Thin White Duke setzte er vor allem auf den kreativen Einsatz von Videoleinwänden, um die Kluft zwischen Bühne und Publikum in den großen Hallen und Stadien, in denen er auftrat, zu verringern. Der kanadische Choreograf Édouard Lock, der die künstlerische Leitung innehatte, erklärte: »Den Sound kann man so verstärken, dass auch größere Areale gut zu beschallen sind, das Problem ist, dass die Technik in Bezug auf das Visuelle bisher vernachlässigt wurde. Man geht immer noch in ein Stadion und sieht einen Stecknadelkopf auf der Bühne … Rockstars reagieren darauf üblicherweise, indem sie die Bühne vergrößern, was das Problem allerdings nur verstärkt, weil so noch zusätzlich betont wird, wie klein der Mensch ist … Ich wollte die Bühnenarchitektur an die Person anpassen, nicht an ihr Umfeld. Ich wollte die Person in den Mittelpunkt stellen und mit Ausschnitten des Gesichts usw. eine etwas intimere Atmosphäre erzeugen.«

Die Tour war ungeheuer erfolgreich. Zwischen März und September 1990 gab Bowie 108 Shows in 27 Ländern. Kurz danach teilte er mit, dass er sich von seiner Plattenfirma EMI getrennt habe.

Bei EMI war man alles andere als begeistert von Tin Machine, daher wechselten Bowie und die Band zu dem neu gegründeten Label Victory Music und beendeten die Arbeit an ihrem zweiten Album. In Sydney hatten Tin Machine nach ihrer ersten Tour bereits eine Handvoll neuer Songs aufgenommen. Als sie nun mit dem Produzenten Hugh Padgham (der bereits bei *Tonight* mit Bowie zusammengearbeitet hatte) in Los Angeles ins Studio gingen, fehlten ihnen nur noch drei Songs, um genügend Tracks für das Album zu haben.

Tin Machine II war noch lauter und unzugänglicher als der Vorgänger. Hier hörte man einen Bowie, der Dampf abließ, der brüllte, schrie und sich ganz dem Hardrock verschrieben hatte. Nach der Veröffentlichung erklärte Reeves Gabrels, was dahintersteckte: »Diese Band steht allem, was bequem ist, sehr skeptisch gegenüber. Sobald wir eine funktionierende Arbeitsmethode für uns gefunden haben, müssen wir halt wieder ein paar Parameter ändern.«

Auf der Platte sind durchaus ein paar Glanzlichter – »Baby Universal«, »Goodbye Mr. Ed«, »One Shot«, »Shopping For Girls« –, aber es gibt auch einige schwache Nummern. Es war zweifellos ein Anti-Mainstream-Album. Hoch im Kurs stand damals House Music, überall auf der Welt drängten sich die Leute in die Clubs, um zu tanzen und Ecstasy einzuwerfen. Dank Bands wie A Tribe Called Quest, De La Soul und Gang Starr war auch Rap sehr populär geworden. In Großbritannien wurde der Gitarrenrock noch von der Dance-beeinflussten Madchester-Szene dominiert, zu der Bands wie die Happy Mondays und Primal Scream zählten. Die einzige Verbindung zwischen Tin Machine und der zeitgenössischen Musikszene stellten die damals noch jungen Grunge-Bands wie Pearl Jam, Nirvana, Soundgarden und Alice In Chains dar.

Tin Machine war in vielerlei Hinsicht Bowies Enklave, in die er sich zurückziehen konnte. In der Band war die Verantwortung auf vier Schultern verteilt, was eine erhebliche Entlastung war. Außerdem blieb er durch sie im Spiel, wobei er allerdings immer bestritten hatte, dass es ihm darum gegangen sei. Vielmehr bekräftigte er sein Engagement als Bandmitglied noch dadurch, dass er trotz der eher negativen Albumkritiken mit Tin Machine zu einer siebenmonatigen Tournee aufbrach.

Insgesamt gab die Band, die während der Tour auch ein Livealbum, *Tin Machine Live: Oy Vey, Baby*, aufnahm, 96 Konzerte in zwölf Ländern. Die Spielstätten waren wieder relativ klein, was der Band ermöglichte, ziemlich spontan zu agieren – O-Ton Bowie: »Eine Setlist haben wir nicht.«

Bowie verhielt sich der Band gegenüber bis zum Schluss loyal, doch nach dem Ende der Tour wandte er sich bald wieder Neuem zu und ging als Solokünstler erneut ins Studio.

Heute fällt das Urteil der Kritiker über Tin Machine längst nicht mehr so negativ aus wie damals. Die Band war zur ihrer Zeit ein Anachronismus und ihre Eigentümlichkeit mag es den Musikjournalisten seinerzeit schwer gemacht haben, ihr gerecht zu werden. Aber auch heute gibt es noch die Fraktion, die mit Tin Machine nichts anfangen kann und die Band nur als ein Mittel zum Zweck betrachtet, mit dem Bowie seinen eigenen Mythos zerstören konnte, um sich selbst neu zu erfinden. Allerdings legte erst diese Band das Fundament für die ungemein fruchtbare Partnerschaft zwischen Bowie und Reeves Gabrels, dem Gitarristen, der für Bowie ein wichtiger Begleiter auf seinem Weg zurück zur alten Form wurde.

»Musikalisch gesehen befreite es mich, und manchmal muss man einfach ein Stück zurückgehen, bevor man bestimmte Ideen genauer verfolgen kann. Tin Machine war so ein Work-in-progress-Ding, obschon die Band von vielen angefeindet wurde. Im Zusammenhang mit Low *kann ich mich allerdings an die gleichen Reaktionen erinnern … und diese Platte halten die Kritiker heute für einen Meilenstein des Artrock.«* D. B. 1993

Vorherige Seiten und gegenüber: Nachdem Bowie zwischenzeitlich seine *Sound+Vision*-Tour 1990 absolviert hatte, nahm er mit Tin Machine ein zweites Album auf und ging mit der Band zwischen Herbst 91 und Frühjahr 92 auf Tour. Sie traten in Clubs und kleinen Hallen auf und Bowie spielte sogar wieder Saxofon (gegenüber). *Tin Machine Live: Oy Vey, Baby*, das auf dieser Tour aufgenommen wurde, war die letzte Veröffentlichung der Band.

BLACK TIE WHITE NOISE 1993

»LANGSAM KOMME ICH TATSÄCHLICH DAHIN, MEIN GANZES POTENZIAL ENTFALTEN ZU KÖNNEN. DAS HAT EINE WEILE GEDAUERT, NICHT WAHR?«

DAVID BOWIE, 1993

1991

Oktober

Veröffentlichung von Tin Machines »Baby Universal«/»You Belong In Rock'n'Roll (extended version)« (UK 48, US –).

5. Oktober

Tin Machines It's-My-Life-Tour startet im Teatro Smeraldo, Mailand.

30. Oktober

Kinopremiere von *Houdini & Company – Der Geist des Magiers* (Bowie spielt den Monte).

1992

17. Februar

Tin Machines It's-My-Life-Tour endet in der Budokan Hall, Tokio.

20. April

Auftritt beim Freddie Mercury Tribute Concert, Wembley Stadium, London.

24. April

Bowie heiratet Iman (Iman Mohamed Abdulmajid).

3. Juni

Kinopremiere von *Twin Peaks – Der Film* (Bowie hat einen Cameo-Auftritt).

27. Juli

Veröffentlichung von *Tin Machine Live – Oy Vey, Baby* (–).

August

Veröffentlichung von »Real Cool World« (diverse Editionen; im Folgenden: div. Ed.) (UK 53, US –).

30. August

Philip Glass' Sinfonie Nr. 1 *Low* (die auf dem Album *Low* basiert) wird in München uraufgeführt.

1993

März

Veröffentlichung von »Jump They Say« (div. Ed.) (UK 9, US –).

5. April

Veröffentlichung von *Black Tie White Noise* (UK 1, US 39).

Obschon sein Auftritt beim Freddie Mercury Tribute Concert (oben rechts) seine Zugehörigkeit zum Club der internationalen Rockgrößen unterstrich, war Bowie kein Oldie, der seine beste Zeit hinter sich hatte. Eine neue Generation britischer Bands, darunter Blur, Oasis und v. a. Suede (oben links), scheute sich nicht, sich zu ihm als Vorbild zu bekennen.

»Da steckt schon auch einiges von dir drin«, erklärte Brett Anderson David Bowie, als er ihm während eines vom *NME* arrangierten Treffens im März 93 einen Song vom Debütalbum seiner Band Suede vorspielte.

Bowie wurde von den Kritikern wieder gefeiert. Die *Sound+Vision*-Tour und die gleichnamige CD-Box kamen zur rechten Zeit, um auch die Nachwachsenden von seinem außerordentlichen Talent zu überzeugen. Viele junge Musiker beriefen sich nun auf ihn und betrachteten ihn als Vorbild: Unter seinen Fans waren auch Blur und Morrissey, und selbst Oasis machten aus ihrer Bewunderung für Bowie keinen Hehl mehr, als sie 1997 eine Coverversion von »"Heroes"« als B-Seite von »D'You Know What I Mean?« veröffentlichten. Ohne irgendetwas Besonderes dafür getan zu haben, war Bowie plötzlich wieder angesagt – und er sollte es bleiben.

Das Timing war perfekt, als im April 1993 sein neues Album erschien, das frisch, experimentell und modern klang. *Black Tie White Noise* war das Ergebnis einer Neuorientierung, bei der sich Bowie wieder einmal von der zeitgenössischen amerikanischen Black Music inspirieren ließ.

Diese Musik hatte Bowie schon immer wichtige Anregungen geliefert. Er war mit ihrem Zauber aufgewachsen – Soul war dynamisch, sexy und ganz von dieser Welt. Wie er wollten die meisten großen Sänger der 60er- und 70er-Jahre – John Lennon, Mick Jagger, Ray Davies, Steve Marriott, Bryan Ferry, Rod Stewart – singen wie Otis Redding und tanzen wie James Brown. Auch wenn Bowie den Grundstein zu seinem Erfolg mit dem Rock'n'Roll von Ziggy Stardust legte, bestechen doch viele seiner besten Alben eher durch faszinierende Rhythmen als durch dominante Rockgitarren: *Station To Station*, *Young Americans*, ja selbst die besten Songs seiner sogenannten Berlin-Trilogie können eine gewisse Verbindung zum R&B nicht leugnen – er findet sich im komprimierten Funk von »Sound And Vision« ebenso wie im pulsierenden Beat von »"Heroes"«.

»Der erste Musiker, der mir etwas bedeutete, war Little Richard; ich war damals vielleicht acht Jahre alt. Ich fand das alles total aufregend … Es war, als würde sich der Himmel auftun – seine Stimme kam direkt aus dem Himmel – es war eine ganz außergewöhnliche Stimme. So wurde mein Interesse an amerikanischer Black Music geweckt.« D. B. 1993

Links: Mit Annie Lennox singt Bowie »Under Pressure« beim Freddie Mercury Tribute Concert im Wembley Stadium am 20. April 1992. Wenig später fiel er nach einer mitreißenden Darbietung von »"Heroes"« spontan auf die Knie, um das »Vater Unser« zu beten.

Gegenüber: Bowie und Iman bei der Filmpremiere von *Undercover Cops* im Oktober 1994. Das Paar lernte sich 1990 bei einer Dinnerparty kennen und heiratete zwei Jahre später kurz vor Beginn der *Black Tie White Noise*-Sessions.

Nächste Seite: Bowie vor einem Gemälde von Peter Howson, dem offiziellen britischen Kriegsmaler im bosnischen Bürgerkrieg, 1994.

Zehn Jahre nach *Let's Dance* wandte sich Bowie wieder an Nile Rodgers, der das Erfolgsalbum produziert hatte. Ihre damalige Zusammenarbeit hatte dazu geführt, dass Bowie ein Vermögen verdiente und zum Superstar wurde. Etwas Vergleichbares hatte er diesmal freilich nicht im Sinn.

Kurz bevor die Arbeit im Studio begann, heiratete Bowie in der Schweiz das somalische Supermodel Iman. Wenige Tage später flogen die beiden nach Los Angeles, um sich dort nach einem neuen Wohnsitz umzusehen. Kurz nach ihrer Ankunft brachen in der Stadt infolge des Freispruchs von vier Polizisten, die der brutalen Misshandlung des Afroamerikaners Rodney King beschuldigt worden waren, mehrtätige blutige Krawalle aus, woraufhin sich das Paar in New York niederließ. In einigen von Bowies neuen Songs hat sich die Erfahrung der Gleichzeitigkeit von privatem Glück und sozialen Unruhen niedergeschlagen.

Im Juni 92 fand in Florenz Bowies und Imans offizielle Hochzeitsfeier statt. Bowie hatte zu diesem Anlass »The Wedding« komponiert. Dieser Titel ist der erste und der letzte auf *Black Tie White Noise*, was man so verstehen könnte, dass die neue Liebe für Bowie die Klammer ist, die alles umschließt. Im Mittelpunkt dieses Stücks steht das Saxofon, Bowies erstes Instrument. Das scheint bedeutsam zu sein, und man könnte vermuten, er habe damit zum Ausdruck bringen wollen, dass ihm die Liebe geholfen habe, sein wahres, ursprüngliches Selbst wiederzufinden.

Das Album hält das hohe Anfangsniveau. Das gemeinsam mit Reeves Gabrels geschriebene (und ursprünglich für *Tin Machine II* geplante) »You've Been Around« hätte durchaus auch von einem der Berlin-Trilogie-Alben stammen können. Dank des cleveren Arrangements führt Bowies Gesang die ganze Zeit durch den Song, während die Instrumentalspuren im Hintergrund nach und nach zugespielt werden.

»Was mir daran so gut gefällt, ist die Tatsache, dass es im ersten Teil des Songs überhaupt keinen melodischen Bezugspunkt gibt. Da sind nur die Drums und der Gesang kommt scheinbar aus dem Nichts.« D.B. 1993

Aus dem unheilvoll klingenden Intro entwickelt sich nach und nach ein sehr funky und sexy klingender Song mit kraftvollen Basslines und Trompeteneinlagen.

»Das strukturelle Konzept eines Songs ist für mich fast noch wichtiger als der Text. Das, was einen verführt, ist der Rhythmus, und da ich ein sehr sinnlicher Mensch bin, lege ich sehr viel Wert darauf, denn es ist mir sehr wichtig, dass mich ein Song auch anmacht.« D.B. 1993

Der nächste Track ist eine Coverversion des Cream-Hits »I Feel Free«. Bowie polierte die ursprünglich leicht psychedelisch angehauchte Jazz-Rock-Nummer auf und verlieh ihr einen Dance-artigen Drive. Er bewunderte Cream, ebenso wie sein ehemaliger Bandkollege Mick Ronson. Es lag daher nahe, dass sich die beiden für diesen Song noch einmal zusammentaten. Zum ersten Mal seit *Pin Ups* arbeiteten sie hier wieder gemeinsam, doch leider sollte es auch das letzte Mal sein. Ronson, der zwischen 1970 und 1973 einen kaum überzubewertenden Beitrag zu Bowies Karriere geleistet hatte, war an Krebs erkrankt. Er trug seinem ehemaligen Freund und Arbeitgeber nicht nach, dass der ihn damals einfach fallen gelassen hatte. Mick Ronson starb am 29. April 1993.

»I Feel Free« steht allerdings nicht nur für die Versöhnung zweier ehemaliger Freunde, sondern auch für den Mann, der Frieden mit seiner Vergangenheit geschlossen hat und sich mit neuem Mut und einer neuen Vision der Zukunft zuwendet.

Auch »Jump They Say«, die erste Singleauskopplung des Albums, hat etwas mit Vergangenheitsbewältigung zu tun. Bowie verarbeitete hierin seine Beziehung zu seinem Halbbruder Terry, der 1985 Selbstmord beging. Terry hatte Bowie in jungen Jahren sehr geprägt. Er hatte ihm inspirierende Bücher zu lesen gegeben, großartige Musik vorgespielt und ihn mit der Beatnik-Kultur bekanntgemacht. Schließlich ging Terry an seinen psychischen Problemen zugrunde.

»Bei einem der wenigen Male, die ich mit meinem verstorbenen Halbbruder Terry ausgegangen bin, waren wir bei einem Cream-Konzert, und das hatte einen verheerenden Effekt auf ihn, insofern es ihn für eine ganz andere Art von Musik öffnete. ›Jump They Say‹ handelt bis zu einem gewissen Grad von meinen Gefühlen für Terry. Das war eine komplizierte Beziehung, weil wir uns in vielen Dingen so ähnlich waren.« D.B. 1993

Tatsächlich scheint Bowie auf dem ganzen Album seine Vergangenheit für die Zukunft gewissermaßen zu remixen. Neben Ronson und Terry taucht auf »Looking for Lester«

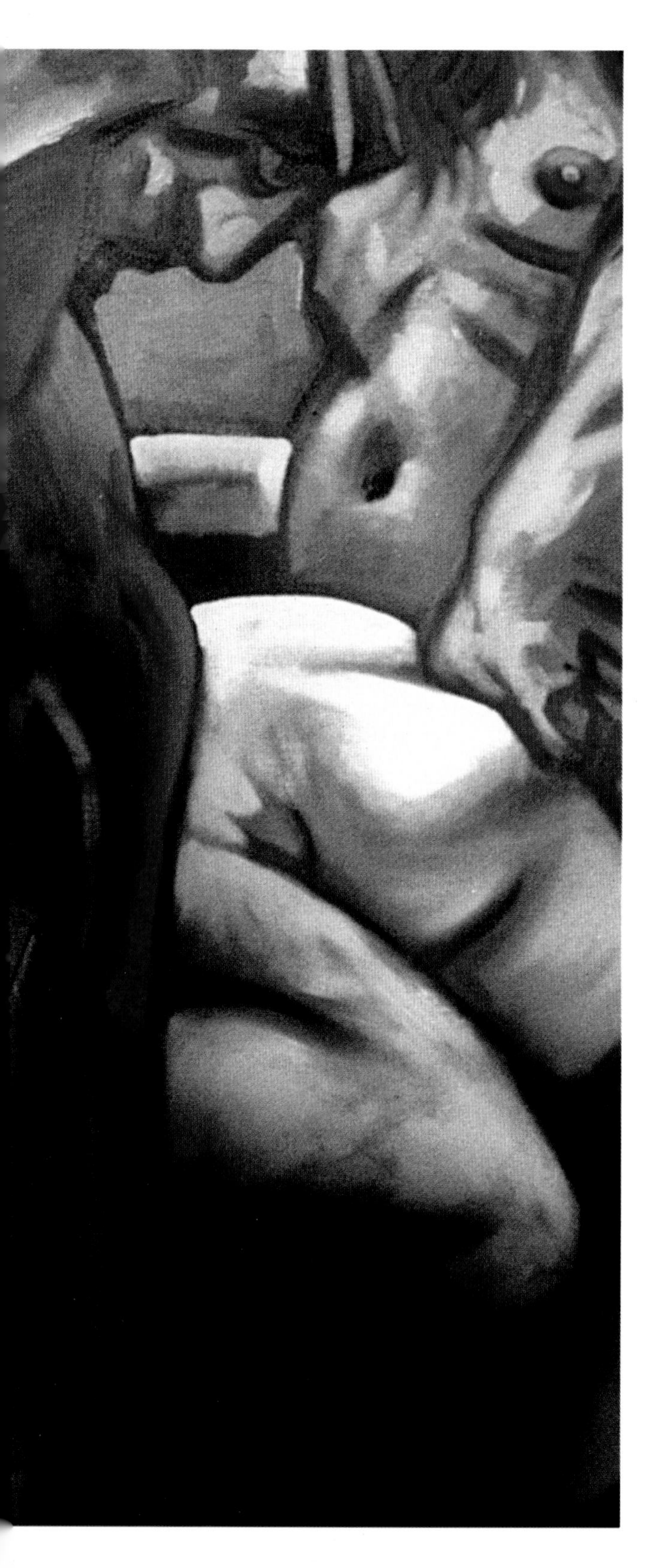

auch Pianist Mike Garson wieder auf. Zudem gibt es etliche Verweise auf seine eigenen Songs (»Ch-ch-ch-ch-ch-ch-changed« singt er zum Beispiel auf »You've Been Around«), und im Titelsong greift er Marvin Gayes ewige Frage »What's going on?« auf. Die Antwort, die er darauf erhält, lautet: »There'll be some blood …«

In »Black Tie White Noise« hat Bowie die Rassenunruhen in Los Angeles verarbeitet, die er hautnah miterlebte. Die Wut und Brutalität, die sich dabei Bahn brachen, waren nicht nur für Bowie ein Beleg für den großen Riss, der die Gesellschaft spaltet.

»Es war, als würden unschuldige Insassen eines riesigen Gefängnisses versuchen auszubrechen, sich von ihren Ketten zu befreien.« D. B. 1993

Mit »Nite Flights« ehrte Bowie Scott Walker, den er bewunderte und dessen Gesangsstil er bereits mehr als einmal imitiert hatte, und mit »Pallas Athena« zeigte er, dass auf sein Gespür für experimentelle Ideen noch Verlass war.

»Miracle Goodnight« ist eine schlichte Hommage an seine Frau: »Morning star you're beautiful / Yellow diamond high / Spins around my little room / Miracle goodnight.« »Looking for Lester« handelt von seinem Namensvetter, dem legendären Trompeter Lester Bowie, der auch auf auf dem Album zu hören ist. Ursprünglich hatte man ihn nur für einen Trompetenpart auf »Don't Let Me Down & Down« engagiert, doch am Ende hat er dann bei ganzen sechs Songs mitgespielt und damit wesentlich zum Sound des Albums beigetragen. Im Bewusstsein seines neuen Status innerhalb der Musikszene erweist Bowie all seinen neuen Jüngern mit einer Coverversion von Morrisseys »I Know It's Gonna Happen Somewhere« seine Reverenz. Hier singt Bowie Morrissey so wie Morrissey Bowie singt.

Den Abschluss des Albums bildet eine Reprise von »The Wedding« – und damit schließt sich der Kreis.

Bowie war 46 Jahre alt und die Liebe hatte ihm zu einer neuen Wahrnehmung seiner selbst verholfen. Auf *Black Tie White Noise* wirkt er ruhig und entspannt; hier gelang es ihm, die pure Energie von Tin Machine in ausgewogenere, positive Bahnen zu lenken. Hartgesottene Bowie-Fans haben damit gewiss ihre Probleme gehabt. In den USA erreichte das Album lediglich Platz 39, in Großbritannien stieg die Platte sofort auf Platz eins ein und verdrängte dadurch das Debütalbum der bekennenden Bowie-Fans Suede von der Spitzenposition.

THE BUDDHA OF SUBURBIA 1993

»DIESES ALBUM KÖNNTE DURCHAUS EINES DER VERGNÜGLICHSTEN PROJEKTE GEWESEN SEIN, AN DENEN ICH JE BETEILIGT WAR.«

DAVID BOWIE, 1993

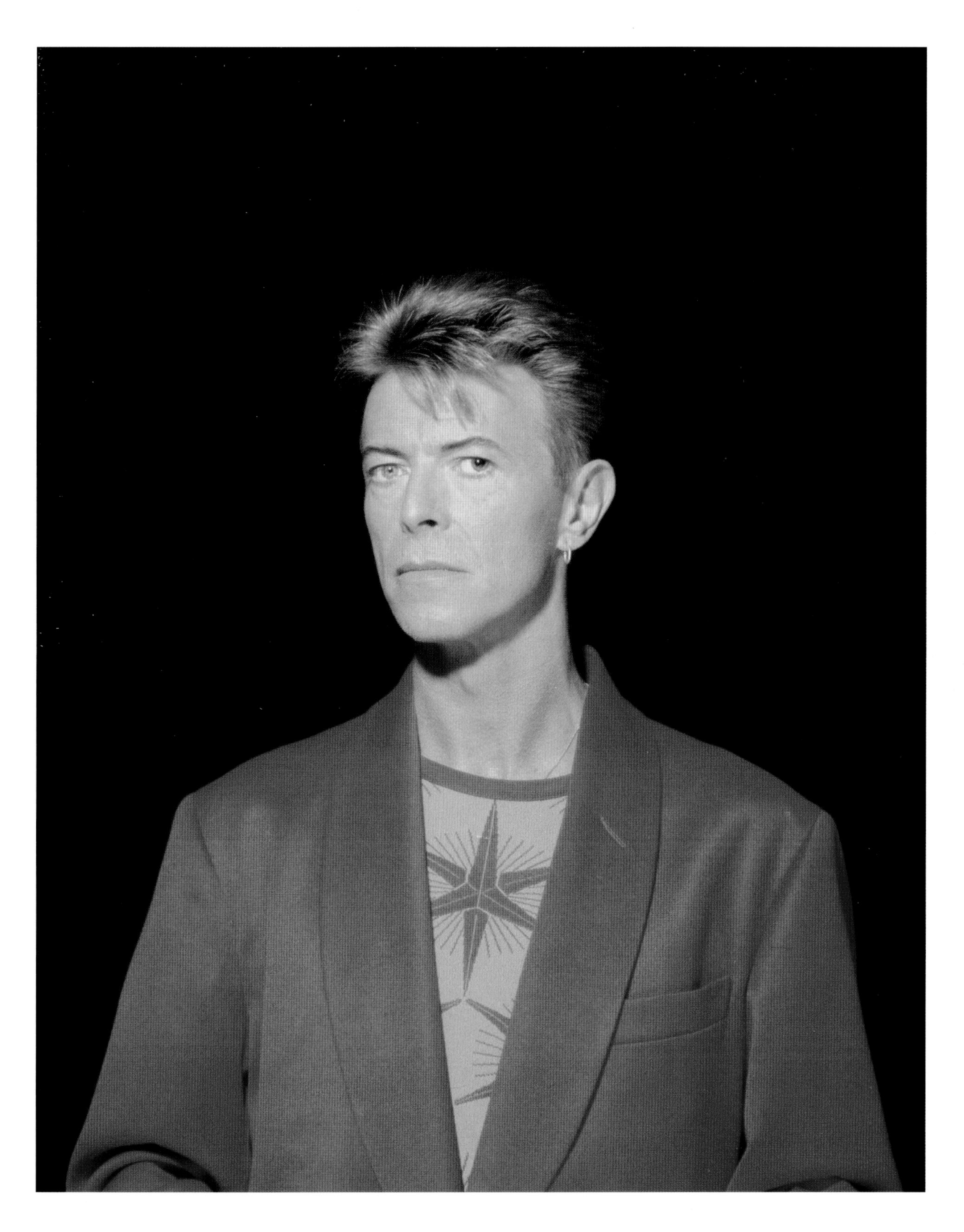

1993

29. April
Mick Ronson stirbt im Alter von 46 Jahren.

Juni
Veröffentlichung von »Black Tie White Noise« (div. Ed.) (UK 36, US –).

Oktober
Veröffentlichung von »Miracle Goodnight« (div. Ed.) (UK 40, US –).

November
UK-Veröffentlichung von »The Buddha Of Suburbia«/ »Dead Against It« (35).

8. November
UK-Veröffentlichung von *The Buddha Of Suburbia* (87).

Vorherige Seite: Porträt von Albert Sanchez, 1993.

Gegenüber: Lockerungsübungen für das Video zu »Miracle Goodnight«, Los Angeles, Mai 1993.

Bowie hielt dieses Album für eines seiner besten, womit er nicht ganz unrecht hatte. Auf *The Buddha of Suburbia* präsentiert er souverän eine beeindruckende Bandbreite an Stilen – von verträumten Sixties-Melodien bis hin zu moderner Popmusik, Acid House, Jazz und Ambient.

Hanif Kureishis Roman *Der Buddha aus der Vorstadt*, auf dem die TV-Serie basierte, für die Bowie den Soundtrack schrieb, handelt von einem Jungen, der in den 70ern in Bromley aufwächst und sich mit soziokulturellen, religiösen und sexuellen Problemen herumgeplagt, während sein bester Freund Rockstar werden will – ein Stoff, der Bowie sicher genug Anknüpfungspunkte zur Identifikation bot.

Bowies und Kureishis Biografien haben einige Berührungspunkte. Beide wuchsen in der Londoner Vorstadt Bromley auf, wo sie sich wie Außenseiter fühlten, und dieses Gefühl des Fremdseins wurde zu einem wichtigen Stimulus ihrer Kunst, in der sie diese Erfahrung verarbeiteten. Beide hatten für Furore gesorgt – Bowie durch sein Spiel mit den Genderrollen, sein grelles Make-up und die extravaganten Kostüme, Kureishi durch den Film *Mein wunderbarer Waschsalon*, in dem sich ein Skinhead in einen jungen Asiaten verliebt. Und nicht zuletzt drehte sich das Leben der beiden fast ausschließlich um Kunst, insbesondere um Musik und Literatur.

Nachdem man ihn gebeten hatte, den Soundtrack zu der BBC-Adaption von *Der Buddha aus der Vorstadt* zu komponieren, schrieb Bowie über 40 Instrumentalstücke, die sich nahtlos in den Mix aus Seventies-Klassikern einreihen, die naheliegenderweise ebenfalls für den Soundtrack ausgewählt wurden. Bowies Originalkompositionen kamen so gut an, dass sie sogar für einen BAFTA-Award nominiert wurden – veröffentlicht wurden sie jedoch nie. Die Arbeit an dem Soundtrack inspirierte Bowie zu einem neuen, völlig andersgearteten Projekt: eine Sammlung von Songs, die abgesehen von dem Titelstück und ein paar musikalischen Motiven mit seinen Kompositionen für die TV-Serie kaum etwas gemein hatte.

Beflügelt von seinen frischen Ideen benötigte Bowie nur sechs Tage, um die Songs für sein neues Album zu schreiben und einzuspielen – und weitere 15 Tage für die Abmischung. Mit dem Multi-Instrumentalisten Erdal Kizilcay an seiner Seite, der zuvor bereits an den Aufnahmen zu *Never Let Me Down* mitgewirkt hatte, ging es ihm von Anfang an darum, jedes musikalische Klischee zu vermeiden.

Er nahm die Motive seiner Filmmusik als Ausgangspunkt und ließ seinen Ideen freien Lauf, sodass sich davon ausgehend etwas völlig Neues entwickeln konnte.

»Oft habe ich einfach alle Tonregler runtergedreht und nur die Percussionspur laufen lassen, ohne irgendeine Melodie als Bezugspunkt. Ich habe Schicht für Schicht gearbeitet und die zentralen Elemente der Komposition gewissermaßen im Blindflug konstruiert. Als alle Regler wieder raufgefahren waren, prallte da natürlich einiges aufeinander. Die interessantesten Ergebnisse wurden dann isoliert und in unterschiedlichen Intervallen wiederholt, was am Ende den Endruck vermittelt, dass das alles vorab so geplant war.« D. B. 1993

Der Titelsong ist der einzige Track des Albums, der auch in der TV-Serie zu hören ist. Ein wunderbarer Popsong mit leichten Sixties-Anklängen, in dem Bowie auch auf einige seiner früheren Hits anspielt (»Space Oddity«, »Starman«). Mit Zeilen wie »living lies by the railway lines«, »screaming in South London« und »sometimes I fear that the whole world is queer« entlarvt er den Schrecken hinter dem vordergründigen Vorstadtidyll und präsentiert diese Welt als Ort des Schweigens und der stummen Träume.

Es folgt »Sex And The Church«, eine Acid-House-Nummer mit einem tranceartigen elektronischen Riff, den Bowies roboterartig verzerrte Stimme überlagert. »South Horizon« besticht durch einen überraschenden Stilmix. Was zunächst wie ein jazziges Instrumentalstück erscheint – das dem Pianisten Mike Garson Gelegenheit bietet, alle Register zu ziehen –, entwickelt sich auf halbem Wege zu einem Acid-House-Track, um zum Schluss beide Stilrichtungen in faszinierender Weise miteinander zu vereinen.

»The Mysteries« ist Ambient vom Feinsten, ebenso gut oder sogar noch besser als alles, was *Low* oder *"Heroes"* zu bieten haben. Das Instrumental bewegt mit seiner berührenden Musik, die eine beachtliche Tiefe besitzt. Die Instrumente tröpfeln die Noten förmlich in einen Klangsee, in dem sie sanfte musikalische Wellen auslösen.

»Bleed Like A Craze, Dad« ist pure Dance Music mit Anklängen an Stereo MCs 1992er-Hit »Connected«. Auch hier ist ein Jazzpiano zu hören, diesmal im Zusammenspiel mit einem harten Funkriff und einigen beeindruckenden Gitarreneinlagen. Es folgt das mitreißende »Strangers When We Meet«, dessen treibende Bassline stark an »Gimme Some Lovin'« von der Spencer Davis Group erinnert. Sowohl vom Sound als auch vom Aufbau her überzeugt der Song vollkommen. In seiner zunehmenden Intensität erinnert er an »"Heroes"«, allerdings ist der Text im Vergleich zu dem des Bowie-Klassikers weniger kryptisch und introspektiv. Als Single wäre die Nummer gewiss ein Hit geworden. Stattdessen nahm ihn Bowie für sein nächstes Album neu auf – leider ohne den ursprünglichen Drive.

»Dead Against It« ist ein brillanter Song im Stil der Pet Shop Boys, und in »Untitled No. 1« schwebt Bowies unterkühlter Gesang über einem Meer aus Synthesizern.

Die einzige vergleichsweise schwache Nummer ist »Ian Fish, UK Heir« (ein Anagramm für Hanif Kureishi). Dem Instrumentalstück fehlen der Fokus, die Präsenz und das Bewegende einer Nummer wie »The Mysteries«. Den Abschluss des Albums bildet eine alternative Version des Titelsongs, bei der Lenny Kravitz Gitarre spielte.

In den Liner Notes zählt Bowie einige der Personen, Dinge und Methoden auf, die ihn während der Arbeit an dem Album beeinflussten, darunter frei assoziierte Texte, Pink Floyd, Harry Partch, Bluesclubs, Unter den Linden, das Berliner Brücke-Museum, Pet Sounds, Roxy Music, T. Rex, Neu!, Kraftwerk, Bromley, Prostituierte und Soho sowie Philip Glass in New Yorker Clubs. Interessanterweise erwähnt er auch Eno. Sein ehemaliger kongenialer mu-

Gegenüber: Der Schriftsteller Hanif Kureishi, Autor von *Der Buddha aus der Vorstadt*, wuchs ebenso wie Bowie im Südlondoner Vorort Bromley auf; er besuchte sogar dieselbe weiterführende Schule. Bowie ging mit viel Enthusiasmus an die Arbeit am Soundtrack für die TV-Adaption des Romans. Trotz der begeisterten Kritiken verkaufte sich *The Buddha of Suburbia* nur mäßig.

Rechts: Fotografie von Albert Sanchez, 1993.

sikalischer Partner hatte zwar nichts zur Entstehung dieses Albums beigetragen, trotzdem lobt ihn Bowie in höchsten Tönen für seine inspirierenden Arbeitsmethoden.

»Meiner bescheidenen Meinung nach nimmt Brian Eno im Bereich der Populärmusik des späten 20. Jahrhunderts den Platz ein, den Clement Greenberg in den 40ern und Richard Hamilton in den 60er-Jahren im Bereich der bildenden Kunst innehatten. Brians Ansichten zu Form oder Zweck lösen bei den meisten Kritikern ungeheure Verzückungen und intellektuelle Verrenkungen aus, die sich letztendlich in hohlem, prätentiösem Geschwafel niederschlagen.« D. B. 1993

Falls er sich damit bei Eno einschmeicheln wollte, so ist ihm das gelungen: Schon auf Bowies nächstem Album arbeiteten die beiden wieder zusammen.

The Buddha of Suburbia verstaubte derweil in den Regalen. Nur echte Hardcorefans erkannten auf Anhieb den wahren Wert dieses Albums. Obwohl nur der Titelsong einen direkten Bezug zur TV-Serie hatte, wurde die Platte als Soundtrack vermarktet und überdies mit einem lieblos zusammengeschusterten Cover ausgestattet, bei dem es scheint, als sei extra Mühe darauf verwandt worden, zu verschleiern, dass es sich um ein Bowie-Album reinsten Wassers handelt. In den USA kam die Platte ohnehin erst zwei Jahre später auf den Markt, diesmal immerhin mit einem dem Inhalt angemessenen Cover. Man hätte annehmen können, dass durch Bowies frühere Ausflüge in die Gefilde der Filmmusik und der experimentellen Musik ein größeres Interesse an diesem Album geweckt worden wäre, doch dem war offensichtlich nicht so. Und als die EMI auch noch nur eine Woche später *The Singles Collection* veröffentlichte, zog diese zusätzlich das Interesse der potenziellen Käufer von der wirklichen Neuveröffentlichung ab.

The Buddha of Suburbia ist daher leider immer noch ein eher randständiges, verkanntes Album in Bowies beeindruckender Diskografie. Allerdings darf man hoffen, dass es mit der Zeit seinen ihm gebührenden Rang darin noch einnehmen wird.

1.OUTSIDE 1995

»ES IST WIE BEIM MALEN ODER BEI DER BILDHAUEREI: MAN IST SICH NICHT SICHER, WAS MAN DA GERADE MACHT, ABER WENN MAN FERTIG IST, ERKENNT MAN ES.«

DAVID BOWIE, 1995

1994
25. April
Veröffentlichung von *Santa Monica '72* (UK 74, US –).
ca. September
Wird Mitherausgeber des Kunstmagazins *Modern Painters*.

1995
18.–29. April
Erste eigene Ausstellung, Kate Chertavian Gallery, London.
14. September
Die *Outside*-Tour startet im Meadows Amphitheater, Hartford, Connecticut.
September
Veröffentlichung von »The Hearts Filthy Lesson« (div. Ed.) (UK 35, US 92).
25. September
Veröffentlichung von *1.Outside* (UK 8, US 21).

Vorherige Seite: Die Kunst, nicht still zu sein. Foto von Gavin Evans, 1995.

Gegenüber: Die *Outside*-Tour war Bowies erste Tournee, seit er mit Tin Machine 1992 unterwegs war. Die Industrial-Rocker Nine Inch Nails bestritten das Vorprogramm in den USA. In der für ihn typisch unorthodoxen Art kam Bowie bereits vor dem Ende ihres Sets auf die Bühne und sang mit der Band Songs wie »Scary Monsters« und »Hallo Spaceboy«.

Beflügelt durch den kommerziellen Erfolg von *Black Tie White Noise* und der Anerkennung für das künstlerische Meisterwerk *The Buddha of Suburbia* brach Bowie zu einer weiteren kreativen Reise auf.

Bowie hatte etwas, das vielen anderen Musikern fehlt: das fast schon zwanghafte Bedürfnis Neues zu schaffen. Auf dieser Eigenschaft gründete seine lange Karriere, sie half ihm, sich von seinen Mitstreitern abzugrenzen, sich abseits der ausgetreten Pfade zu bewegen und unser Interesse immer wieder aufs Neue zu wecken, ganz gleich wie wir das eine oder andere Resultat bewertet haben mögen.

Mit 48 Jahren sind Musiker seines Formats nicht mehr unbedingt daran interessiert, Musik zu machen, die auf der Höhe ihrer Zeit ist, indem sie sich produktiv mit den aktuellen Strömungen auseinandersetzt. Viel lieber lassen sie sich in Florida die Sonne auf den Bauch scheinen und begnügen sich damit, sich selbst zu kopieren, um auch weiterhin von den Erfolgen der Vergangenheit profitieren zu können. Bowie hingegen war in diesem Alter mehr als je zuvor darauf versessen, etwa zu tun, was noch keiner vor ihm getan hatte.

Dabei konnte er wieder auf einen alten Weggefährten bauen. Bei seiner Hochzeitsfeier in Florenz hatte Bowie Brian Eno nach langer Zeit wiedergesehen. Die gegenseitige Bewunderung war auf Anhieb wieder da und so ließen sie ihre alte Freundschaft wieder aufleben.

»Wir hatten sofort wieder einen Draht zueinander, und es amüsierte uns und war bezeichnend zugleich, dass sich keiner von uns für irgendwas von dem begeistern konnte, was die Popmusik aktuell zu bieten hatte.« D. B. 1995

Ein Jahr später würdigte Bowie Eno in den Liner Notes zu *The Buddha of Suburbia;* Eno wiederum mokierte sich öffentlich über Presse und Publikum, weil sie das Album bloß als einen Soundtrack wahrnahmen. Dass es zu einer neuerlichen Zusammenarbeit kam, war nur konsequent. Und so trafen sich die beiden im März 94 mit Reeves Gabrels, Mike Garson, Erdal Kizilcay und Sterling Campbell in den Mountain Studios in Montreux.

Brian Eno hatte wieder seine Oblique-Strategies-Karten dabei, die inzwischen allerdings Teil eines Rollenspiels geworden waren. Er habe seine Familie einmal an Weihnachten beim Scharadespielen beobachtet, erzählte Eno.

»Dabei fiel mir auf, dass das Großartige am Spielen ist, dass es einen in gewisser Weise von sich selbst befreit. Man darf dabei ein Verhalten an den Tag legen, das man im wirklichen Leben unnötig, peinlich oder auch völlig irrational finden würde.«

Eno hatte sich für jeden Musiker einen recht detailliert ausgearbeiteten fiktionalen Charakter ausgedacht, und nun forderte er alle auf, so zu spielen, wie es dem Wesen dieses Charakters – sei es nun »ein stinksaures Ex-Mitglied einer südafrikanischen Rockband« oder »der letzte Überlebende einer Katastrophe« – entsprechen würde.

Als Bowie ins Studio ging, hatte er noch keine einzige Note zu Papier gebracht. Stattdessen kam er mit Staffelei, Farben, Pinsel, Papier und Kohle zu den Sessions. Malerei und Musik waren ihm inzwischen gleich wichtig, was sich schon an seinem verstärkten Engagement im Bereich der bildenden Kunst ablesen lässt. So war er beispielsweise 1994 Mitherausgeber des Kunstmagazins *Modern Painters* geworden. Was ihn besonders faszinierte war die Fixierung einiger moderner Künstler auf Blut und Morbides, wie sie etwa in den Arbeiten von Künstlern wie Rudolf Schwarzkogler oder Damien Hirst zum Ausdruck kommt. Seine erste eigene Ausstellung unter dem Titel *New Afro/Pagan And Work 1975–1995* war im April 95 in der Kate Chertavian Gallery zu sehen.

Die Oblique Strategies waren nicht die einzige Kreativtechnik, auf die Bowie setzte. Inspiriert von William Burroughs hatte er sich seit den 70ern beim Schreiben seiner Songtexte wiederholt der sogenannten Cut-up-Technik bedient. Inzwischen verfügte er über ein Computerprogramm, das ihm die Schnipselarbeit abnahm.

»Ich gebe drei verschiedene Themen in den Computer ein und starte dann den Zufallsgenerator. Der zerlegt jeden Satz in drei oder vier Teile und mischt diese mit Teilen eines anderen Satzes. Auf diese Weise entsteht ein ziemlich verworrenes Konstrukt. Einige der Sätze, die der Computer ausgab, waren so genial, dass ich sie unverändert übernommen habe, andere brachten mich auf weitere neue Ideen.« D.B. 1995

Dank dieser experimentellen Improvisationen war es möglich, sämtliche Backing Tracks innerhalb von nur zehn Tagen aufzunehmen. Den Rest des Jahres widmeten sich Bowie und Eno dem Feinschliff; sie arbeiteten an Leitmotiven und einem roten Faden, der zwischen den einzelnen Songs einen Zusammenhang herstellen sollte.

»Als wir uns näher mit dem Material beschäftigten, erkannten wir, dass wir eine ziemlich unzusammenhängende, nichtlineare Erzählung um diese paar Figuren gesponnen hatten, wobei ein Erzählstrang immer wieder Probleme mit den anderen aufwarf. Wie im echten Leben gab es weder ein klares Ende noch einen klaren Anfang; das Ganze war ziemlich chaotisch und wir dachten: Nun, so soll es wohl sein. Lassen wir es doch so.«
D.B. 1995

Und so wurde *1.Outside* in gewissem Sinne zu einem Konzeptalbum: Detective Professor Nathan Adler untersucht den Mord an einer 14-Jährigen, deren Leiche auf den Stufen eines Museums gefunden wurde. Entscheidend dabei ist, dass das Album das Konzept bestimmte, nicht umgekehrt. Denn wer glaubt, dass sich *1.Outside* einfach in das enge Korsett einer Erzählung zwingen ließ, unterschätzt es gewaltig.

»Das Thema des Albums mag die Geschichte von Nathan Adler sein. Doch inhaltlich geht es um das Jahr 1995. Die Geschichte ist lediglich ein Skelett, Fleisch und Blut erhält es erst durch die Darstellung dessen, was es bedeutet, 1995 auf der Welt zu sein.« D.B. 1995

Und so ist *1.Outside* ein chaotisches, bruchstückhaftes, hektisches, wildes, starkes, eindringliches, bewusst widersprüchliches und kraftstrotzendes Album geworden, dessen dichter, unerbittlicher Sound mit einer Prise Gefahr, Unbehagen und Schwermut gewürzt ist. Keine Frage: Ein einfaches, zugängliches Album ist es sicher nicht.

Die Songs entwickeln sich nur selten so wie erwartet. Die Melodie des Titeltracks klingt beispielsweise so, als hätte sie auch das Glenn Miller Orchestra spielen können; sie muss sich behaupten gegen scheppernde Drums und dramatische Streicher.

»Hallo Spaceboy« wird zusammengehalten von einem furiosen Gitarrenriff. »The Motel« ist eine typische Bowie-Eno-Komposition, die merkwürdigerweise aber auch ein wenig an *Aladdin Sane* erinnert. »I Have Not Been To Oxford Town« ist klassischer Bowie-Funk, während »A Small Plot Of Land« als Free-Jazz-Nummer startet, bis Bowie zu singen beginnt und dabei klingt wie ein russischer Mönch, der Scott Walker imitiert.

Das alles beschreibt allerdings nur den Stil der Songs, nicht ihren Aufbau. Bowies Ziel war es, das Lebensgefühl kurz vor Beginn eines neuen Jahrtausends einzufangen, eine fragmentierte, postmoderne Gesellschaft inmitten einer unerbittlichen Flut ungefilterter Informationen darzustellen, der es an hierarchischen Strukturen und linearen Erzählformen mangelt.

»Es gibt keine absolute Religion, kein absolutes politisches System, keine absolute Kunstform, kein absolutes Dies oder absolutes Das. Es gibt so viele Widersprüche und Konflikte, doch wenn man diese als das akzeptiert, was sie sind, nämlich Mani-

Gegenüber: Bei einem Konzert in der Wembley Arena im November 1995.

Rechts: »Vielen Dank, Tony. Vielen Dank an alle anderen. Ich denke, jetzt werde ich was für euch singen.« Bowie machte nicht viele Worte, als ihm der britische Premierminister Tony Blair 1996 einen BRIT Award überreichte.

festationen der Chaos-Theorie, und wenn man akzeptiert, dass die Gesellschaft dekonstruiert ist, dann lösen sich die Widersprüche fast schon auf. Dann ist jede Information so unwichtig wie jede andere.« D. B. 1995

Jede der 57 Minuten Laufzeit von *1.Outside* fordert den Hörer. Hätte man es in der Urfassung belassen, wäre das Album noch länger und anspruchsvoller geworden. Unter dem Arbeitstitel *Leon* war es zunächst als Doppel-, wenn nicht gar Triple-CD geplant. Es ist kaum verwunderlich, dass die Plattenbosse vor solch einem Projekt zurückschreckten. Daher gingen Bowie und Eno zusammen mit einigen Musikern zwischen Januar und Februar 95 in die New Yorker Hit Factory. Sie arbeiteten nicht nur bereits bestehendes Material um, sondern nahmen auch ein paar neue Nummern auf, die wieder mehr mit »normalen Songs« gemein hatten, darunter »Thru' These Architects Eyes«, »We Prick You« und »I Have Not Been To Oxford Town«.

Im Juni 95 hatte Bowie neue Verträge mit Virgin America und BMG in Großbritannien unterzeichnet. Als *1.Outside* drei Monate später herauskam, waren fast alle Kritiker und Käufer gleichermaßen begeistert.

Damals hatte Bowie noch vor, die Geschichte von Nathan Adler bis zum Jahr 2000 auf je einem Album pro Jahr weiterzuerzählen. Auch wenn es dazu leider nicht gekommen ist, hatte es Bowie endlich wieder geschafft, ein Album herauszubringen, das von der Kritik gefeiert wurde und gleichzeitig kommerziell sehr erfolgreich war.

Oben: Bowie wirbt für *1.Outside* im HMV Store am New Yorker Herald Square, 1995.

BOWIES KUNST

»Das einzige andere berufliche Betätigungsfeld, das ich je in Betracht gezogen habe, war die Malerei, die visuelle Kunst. In den 80er-Jahren stand ich tatsächlich kurz davor, diesen Schritt zu tun.« D. B. 1995

Bowies gesamte Karriere war ein multimediales künstlerisches Experiment, von bewussten Rollenspielen als Ziggy Stardust und Aladdin Sane über Cut-up-Lyrics und experimentelle Videos bis hin zur Aneignung zahlreicher musikalischer Stile und Genres.

Seit 1975 widmete er sich ernsthaft der Malerei, doch erst 20 Jahre später war er als bildender Künstler selbstbewusst genug, seine Werke der Öffentlichkeit zu präsentieren, was sich vor allem daran zeigte, dass er für das Cover von *1.Outside* ein Selbstporträt auswählte.

1994 stiftete er für Brian Enos Wohltätigkeitsprojekt Little Pieces From Big Stars die multimediale Erzählung *We Saw A Minotaur*, die später auch neben Werken von Francis Bacon und Picasso in der Ausstellung *Minotaurs, Myths and Legends* in der Londoner Berkeley Square Gallery zu sehen war.

1995, im Jahr seiner ersten Einzelausstellung, arbeitete er auch mit Damien Hirst zusammen und entwarf das Plakat für das Montreux Jazz Festival. 1996 waren auf der Biennale in Florenz Gemeinschaftsinstallationen von ihm und Tony Oursler zu sehen. Es folgten weitere Gemeinschaftsprojekte mit Künstlern wie Laurie Anderson und Beezy Bailey sowie mehrere Einzelausstellungen, darunter zwei in der Rupert Goldsworthy Gallery in New York.

1997 gründete Bowie zusammen mit anderen den Kunstverlag 21 Publishing, in dem er 1998 William Boyds Monografie über das Werk des Künstlers Nat Tate veröffentlichte – den, was kaum jemand wusste, Boyd frei erfunden hatte (Nat Tate war eine Zusammensetzung aus den Namen der beiden renommiertesten britischen Kunstmuseen, der National und der Tate Gallery). Zahlreiche sich bei diesem Anlass wissend und verzückt gerierende Kritiker und Mitglieder der Kunstszene waren bis auf die Knochen blamiert, als herauskam, dass sie einem formidablen Jux aufgesessen waren.

Als Mitherausgeber des Kunstmagazins *Modern Painters* führte Bowie in den 90ern überdies einige interessante Künstlergespräche, u. a. auch mit Roy Lichtenstein, den er als Letzter vor seinem Tod interviewte.

Gegenüber: Leicht nervös vor der Eröffnung seiner ersten Einzelausstellung *New Afro/Pagan And Work 1975–1995* in der Kate Chertavian Gallery in London, April 1995. Bowie lehnt auf einer sargförmigen Skulptur mit dem Titel »District 6«, zu der ihn wie zu vielen seiner Arbeiten, die diese Ausstellung zeigte, eine Reise nach Südafrika inspirierte.

EARTHLING 1997

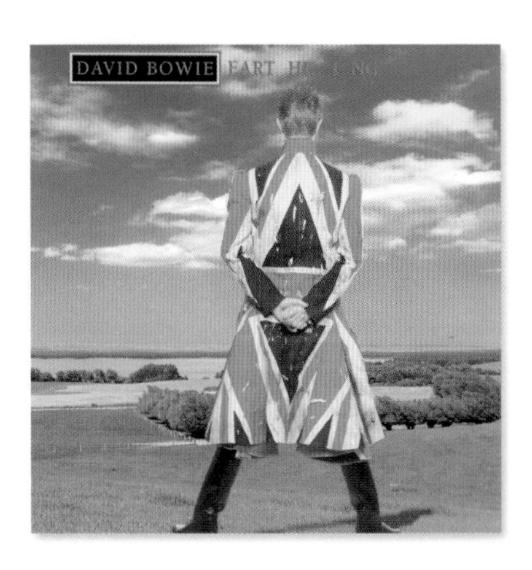

»ICH MÖCHTE MEINE CHANCE ZU EXPERIMENTIEREN NICHT VERTUN. WENN MAN EINMAL SO WEIT GEKOMMEN IST, KANN MAN NICHT MEHR ZURÜCK. UND ICH BIN SO WEIT GEKOMMEN. ICH BIN IN MEINEM LAND, ICH TUE ES.«

DAVID BOWIE, 1997

1995

24. Oktober
US-Veröffentlichung von *The Buddha of Suburbia* (–).

31. Oktober
Gewinnt den Inspiration Award bei den Q Awards.

November
Veröffentlichung von »Strangers When We Meet« (div. Ed.) (UK 39, US –).

1996

17. Januar
Aufnahme in die Rock and Roll Hall of Fame.

Februar
Veröffentlichung von »Hallo Spaceboy« (div. Ed.) (UK 12, US –).

19. Februar
Tony Blair überreicht Bowie den Preis für herausragende Leistungen bei den BRIT Awards.

20. Februar
Die *Outside*-Tour endet im Palais Omnisports, Paris.

9. August
Kinopremiere von *Basquiat* (Bowie spielt Andy Warhol).

November
UK-Veröffentlichung von »Telling Lies« (div. Ed.) (–).

1997

Januar
Veröffentlichung von »Little Wonder« (div. Ed.) (UK 14, US –).

9. Januar
Geburtstagskonzert anlässlich seines 50. im Madison Square Garden, New York (u. a. mit Foo Fighters, Frank Black, Lou Reed, Placebo und Robert Smith).

3. Februar
Veröffentlichung von *Earthling* (UK 6, US 39).

Vorherige Seite: Foto von Michael Benabit, New York, 1997.

Gegenüber: Bowie beim Konzert anlässlich seines 50. Geburtstags im Madison Square Garden, New York, 9. Januar 1997.

In den späten 80ern grassierte in ganz England das Acid-House-Fieber; in den Diskos tummelten sich Teenager, die dem Four-on-the-Floor-Beat und der Versuchung kleiner weißer Pillen erlegen waren. Vor allem in Großbritannien gilt das Jahr 1988 auch als Second Summer of Love.

Doch irgendwann wurden die Drogen gestreckt und finsterere Zeiten brachen an. Das Geld wurde knapp und im Nahen Osten gingen Bomben nieder. Die Musik wurde auf 160 bpm beschleunigt und aus den Boxen wummerte reine Aggression. Es war die Zeit des Drum'n'Bass.

Drum'n'Bass beeindruckte Bowie weit mehr als das simple, lineare Acid House. Dass es dieser Musik gelang, Popsongs in kleinste Einheiten aufzulösen, faszinierte ihn ungemein. »Wer könnte sich diesem Einfluss entziehen?«, fragte er. »Es ist der aufregendste Rhythmus unserer Zeit.«

Ist *Earthling* also Bowies Drum'n'Bass-Album geworden? Na ja – nicht wirklich. In einigen Songs klingt der charakteristische Rhythmus zwar durch, im Großen und Ganzen hat Bowie mit Drum'n'Bass aber nur sein einzigartiges musikalisches Arsenal bereichert, ohne dass es darin eine besonders wichtige Rolle spielen würde. So erarbeitete sich der Drummer Zachary Alford beispielsweise verschiedene Drum-Patterns, die er mit 120 bpm einspielte. Anschließend beschleunigte er die Aufnahme auf 160 bpm und legte weitere improvisierte Rhythmen darüber, wodurch ein Techno-analoger Zwittersound entstand.

Bowie griff nach langer Zeit wieder einmal auf seine Anthony-Newley-Stimme zurück, mit der er gegen die schnellen, harten Beats ansingt, was für eine besondere Spannung in der Musik sorgt.

Earthling ist kürzer als *1.Outside*, aber nicht weniger fordernd. Zwar ist das Album nicht so vielschichtig wie sein Vorgänger, doch das einzige Zugeständnis an das Bedürfnis nach Melodischem sind Bowies Stimme und ein paar Instrumentalparts wie der Bassriff in »Seven Years In Tibet« oder ein paar Takte im Refrain von »Battle For Britain (The Letter)« und »Dead Man Walking«. Ansonsten dominieren musikalische Dissonanzen und abstrakte Texte.

»Wir leben in einer chaotischen, fragmentierten Zeit, was wir positiv sehen sollten, statt uns davor zu fürchten; wir sollten in ihr nicht die Zerstörung der Gesellschaft sehen, sondern sie als Material betrachten, aus dem wir eine neue Gesellschaft erschaffen können. Es bereitet einem Unbehagen, zu beobachten,

Von der vermeintlichen Angst vor Amerikanern, die Bowie auf *Earthling* einräumt, war während seines Geburstagskonzerts im Madison Square Garden nichts zu spüren. Zu Bowies Gästen zählten u.a. Frank Black, Robert Smith und Dave Grohl (oben, mit Bowie bei »Seven Years In Tibet«). Das Highlight war ein Gastauftritt von Lou Reed (unten) bei »Queen Bitch«, »Waiting For The Man«, »Dirty Blvd.« und »White Light/White Heat«.

wie Menschen in den Trümmern herumwühlen und versuchen, die alten Verabsolutierungen wieder auszugraben.« D. B. 1997

Die Aufnahmen begannen nach der *Outside*-Tour, die ganze fünf Monate gedauert hatte, obschon Bowie ursprünglich nur sechs Konzerte hatte geben wollen. Auch diesmal hatte er auf seine großen Hits verzichtet, dafür spielte er ein paar grundlegend überarbeitete alte Titel wie »The Man Who Sold The World«. Es war abzusehen, dass er sich damit einige scharfe Kritiken einhandelte, doch das kümmerte ihn nicht sehr; Bowie war viel zu begeistert von seiner neuen Band, um sich über so etwas wirklich aufregen zu können. Die Tour hatte die Musiker zusammengeschweißt, und er wollte ihr Können in einer »musikalischen Momentaufnahme« dokumentieren.

Im August 96 ging er mit Reeves Gabrels, Mike Garson, der Bassistin Gail Ann Dorsey und dem Drummer Zachary Alford in die New Yorker Looking Glass Studios. Mark Plati, der schon an *Graffiti Bridge* von Prince mitgewirkt hatte, war für die Samples und Loops verantwortlich.

»Can't tell them apart at all«: 1996, fast ein Vierteljahrhundert nachdem er Andy Warhol kennengelernt und einen Song über ihn geschrieben hatte, spielte Bowie die Rolle des Pop-Art-Künstlers in Julian Schnabels Filmbiografie über den amerikanischen Künstler Jean-Michel Basquiat. Hier sieht man ihn im Kreise seiner Schauspielkollegen (v. l. n. r.): Jeffery Wright (Basquiat), Gary Oldman (in der Rolle des fiktionalen Künstlers Albert Milo) und Dennis Hopper (als Kunsthändler Bruno Bischofberger).

In nur wenigen Wochen entstanden sieben neue Songs, zudem wurde dem *1.Outside*-Überbleibsel »I'm Afraid of Americans« neues Leben eingehaucht. »Telling Lies« hatte Bowie bereits allein im April aufgenommen.

Das Album beginnt mit »Little Wonder«. Bowies lakonischer Cockney-Gesang trifft auf einen wilden Drum'n'Bass-Sound. Nach wie vor galt seine während der Arbeit an *1.Outside* aufgestellte Maxime, dass das Gesamte wichtiger ist als das Detail. Und so erklärte Bowie später, dass die Verworrenheit der Lyrics durchaus beabsichtigt war.

»Vor langer, langer Zeit ist mir schon aufgefallen, dass die musikalische Information zu einem Großteil allein aus dem Klang der Wörter entsteht, aus den Lauten im Kontext der Musik; die Wörter können extrem starke Emotionen hervorrufen, ohne notwendigerweise sinnstiftend zu sein. Möglicherweise ist ›Warszawa‹ von Low *hierfür das beste Beispiel.«* D. B. 1997

In »Looking For Satelites« starrt ein Mann in den Himmel in der Hoffnung, dort Antworten zu finden. Der Satellit ist hier eine Metapher für den Fortschritt, dem die ewige Suche des Menschen nach dem Spirituellen gegenübergestellt wird. Der Song beginnt mit einem melodischen Singsang; dann setzt die Band ein, die Bowies geisterhaften Gesang begleitet, bevor der Singsang wieder aufgenommen wird.

»Battle For Britain (The Letter)« stellt den Bezug zum Albumcover her, das Bowie in einer Union-Jack-Jacke zeigt. Die britische Nationalflagge war einst ein ausschließlich von radikalen Nationalisten benutztes Symbol, doch Mitte der 90er-Jahre wurde sie gewissermaßen auch zu einer Art popkulturellen Markenzeichen. Eine neue Generation vielversprechender junger Künstler, Schriftsteller und Designer hatte Großbritannien zu einem neuen kulturellen Selbstbewusstsein verholfen. Britpop brachte frischen Wind in die Rockmusik, die er gewissermaßen von den Amerikanern zurückeroberte. Bowie war zwar selbst seit Langem ein Weltbürger, doch Fragen der Identität – auch der nationalen – beschäftigten ihn noch immer.

»Dem liegt möglicherweise die Frage zugrunde: ›Bin ich Brite oder bin ich es nicht?‹ Es ist ein innerer Kampf, den wohl die meisten Exillanten mit sich austragen müssen. Seit 1974 lebe ich nicht mehr in Großbritannien, aber ich liebe das Land und ich komme immer wieder dorthin zurück. Gerade London erscheint mir heute ebenso spannend wie zu der Zeit, als ich dort lebte. Die Stadt strotzt nur so vor kreativer Energie. Es ist so, als hätten wir endlich kapiert, dass der Rest des Commonwealth oder der Welt nicht mehr da ist, um uns unter die Arme zu greifen, damit wir es uns bequem machen können. Wir scheinen begriffen zu haben, dass wir die Dinge jetzt selbst in die Hand nehmen müssen, um zu beweisen, wer wir sind.« D. B. 1997

Dass Bowies Gesang Einfluss auf Sänger wie den Blur-Frontman Damon Albarn hatte, kann man recht gut anhand von »Seven Years In Tibet« nachvollziehen, das manchen Jüngeren inspiriert haben dürfte. Der Song mit der eingängigen Bassline gewinnt völlig unerwartet an Drive, wenn Drums und Gitarren urplötzlich das Tempo anziehen. Inhaltlich kommt hier Bowies frühere Faszination für den fernöstlichen Mystizismus wieder zum Tragen. In einem Interview mit dem Musikmagazin *Mojo* betonte er, welch großen Eindruck Heinrich Harrers 1952 erschienenes Buch *Sieben Jahre in Tibet* einst auf ihn gemacht hatte, dass es in ihm den Wunsch geweckt hatte, Tibeter zu sein, Kutten zu tragen und wie ein Mönch zu leben.

Zum Text von »Dead Man Walking« wurde Bowie durch einen Auftritt von Neil Young und Crazy Horse auf dem Bridge-School-Benefizkonzert im Oktober 96 inspiriert, bei dem auch er aufgetreten war. Musikalisch gelingt Bowie, der hier in die Rolle eines Mannes »older as the movies« schlüpft, ein wunderbares Geschepper, bei dem er sehr melodiös gegen die wilde, harte Musik ansingt.

In »The Last Thing You Should Do« versucht sich Bowie als Ratgeber. »What have you been doing to yourself?«, fragt er, während die Drums im Hintergrund poltern. »It's the last thing you should do.«

»I'm Afraid Of Americans« thematisiert die kulturellen Widersprüche der Vereinigten Staaten: die allgegenwärtige Präsenz von Micky Maus und McDonald's als Ausdruck eines Lifestyles, der die einzigartigen, unvergänglichen großen amerikanischen Errungenschaften in Bereichen wie der Musik, des Films, der Literatur und des Modedesigns an den Rand drängt.

Im Großen und Ganzen kehrt Bowie auf *Earthling* jedoch in heimatliche Gefilde zurück, im geografischen ebenso wie im spirituellen Sinne. Er ist wie der heimkehrende Flüchtling, der die Bilder und Klänge seiner Heimat neu entdeckt und seinen Platz in der Welt neu vermisst. Als solcher bildet er eine Gegenfigur zu all seinen früheren amerikafixierten, unterkühlten und der Welt entrückten Alter Egos.

»ICH BEREUE NICHTS. WENN MAN MICH DAZU BEKOMMT, ÜBER DIE VERGANGENHEIT NACHZUDENKEN, WAS NUR SEHR SELTEN GESCHIEHT, BETRACHTE ICH SIE WENIGER ALS ETWAS BELASTENDES DENN ALS ETWAS BEFLÜGELNDES.«

DAVID BOWIE, 1999

1997
Februar
Ausgabe der Bowie-Bonds.
12. Februar
Bekommt einen Stern auf dem Hollywood Walk of Fame.
April
Veröffentlichung von »Dead Man Walking« (div. Ed.) (UK 32, US –).
Mai
Wird Gründungsdirektor des Kunstbuchverlags 21 Publishing.
15. Mai
Philip Glass' Sinfonie Nr. 4 *"Heroes"* wird in London uraufgeführt.
7. Juni
Die *Earthling*-Tour startet auf dem Lübecker Flughafen Blankensee.
August
Veröffentlichung von »Seven Years In Tibet« (div. Ed.) (UK 61, US –).
UK-Veröffentlichung unter dem Pseudonym Tao Jones Index von »Pallas Athena (live)«/»V-2 Schneider (live)« (–).
Oktober
US-Veröffentlichung von »I'm Afraid Of Americans« (div. Ed.) (66).
November
UK-Veröffentlichung, mit anderen Künstlern, von »Perfect Day '97«/ »Perfect Day '97 (female version)«/»Perfect Day '97 (male version)« (1).
7. November
Die *Earthling*-Tour endet im Ferrocarril Oeste Stadium, Buenos Aires.

1998
Februar
UK-Veröffentlichung von »I Can't Read (short version)«/ »I Can't Read (long version)«/»This Is Not America« (73).
31. März
Bowie beteiligt sich an einer Juxaktion und lädt gemeinsam mit dem Autor William Boyd die New Yorker Kunstszene zur Vorstellung von Boyds Monografie über – den fiktiven Künstler – Nat Tate ein.
1. September
BowieNet geht an den Markt, der »erste von einem Künstler gegründete Internetanbieter«.
18. Dezember
Kinopremiere von *My West* (Bowie in der Rolle des Jack Sikora).

1999
20. März
Kinopremiere von *Everybody Loves Sunshine* (Bowie in der Rolle des Bernie).
Juli
Kinopremiere von *Das Geheimnis des Mr. Rice* (Bowie spielt William Rice).
August
UK-Veröffentlichung von Placebo feat. David Bowie von »Without You I'm Nothing (single mix)«/»Without You I'm Nothing (UNKLE mix)«/»Without You I'm Nothing (Flexirol mix)«/»Without You I'm Nothing (BIR mix)« (–).
September
Veröffentlichung von »Thursday's Child« (div. Ed.) (UK 16, US –).
4. Oktober
Veröffentlichung von *'hours...'* (als Download am 21. Sept.) (UK 5, US 47).

Vorherige Seite und gegenüber: Nachdem er seinen eigenen Internet Service Provider gegründet hatte, schrieb Bowie den Soundtrack für ein Computerspiel. *'hours...'*, das Album, das quasi nebenher entstand, war zwei Wochen, bevor es in die Läden kam, im Internet als kostenpflichtiger Download erhältlich. Fotografien von Jill Greenberg, 1999.

Bowie war immer für eine Überraschung gut und häufig allen anderen einen Schritt voraus. 1997 erfuhr man aus der Presse, dass er nun Bowie-Bonds ausgab. Der Mann, der einst darüber sang, im Weltraum umherzuirren, ging nun ganz bodenverhaftet an die Börse.

Bowie hatte eine zehnjährige Anleihe herausgegeben, die mit den künftigen Lizenzeinkünften aus seinem Backkatalog besichert war. Dafür konnte Bowie auf einen Schlag 55 Millionen Dollar einstreichen. Alle ausgegebenen Bonds wurden von der Prudential Insurance Company angekauft, der zusätzliche Sicherheiten von EMI garantiert wurden, die mit Bowie gerade einen 30-Millionen-Dollar-Deal abgeschlossen hatten. Bowie war jetzt außerordentlich vermögend und er konnte nun tun, was er wollte – u.a. all die Rechte zurückkaufen, die bis zu diesem Zeitpunkt immer noch bei Tony Defries lagen.

»Die Vermarktung von David Bowie! Na ja, mit anderen Künstlern hat man's auch gemacht, nachdem sie tot waren. Es ist schon eine Art Pionierleistung und es ist auch ein bisschen anrüchig. Und das ist für meine Begriffe schon subversiv genug, um es zu machen.« D. B. 1999

Ein weiterer überraschender Schritt nach drei brillanten, künstlerisch zufriedenstellenden und kommerziell erfolgreichen Alben war, dass er einfach weitermachte und noch ein paar Songs schrieb – Songs mit eingängigen Texten und geradlinigen Arrangements, die man tatsächlich mitsingen konnte.

Die Arbeit an *'hours...'* begann Ende 98. In den Monaten davor hatte sich Bowie mit dem Aufbau eines Kunstbuchverlags, Auftritten in drei verschiedenen Filmen und der Gründung des Internetproviders BowieNet beschäftigt. Zu dieser Zeit hatte man ihm angeboten, die Musik für das Computerspiel *Omikron: The Nomad Soul* zu komponieren. Und während er daran arbeitete, kristallisierte sich die Idee für das neue Album *'hours...'* heraus, das in einer überarbeiteten Form auch jene acht Songs enthält, die Bowie für *Omikron* schrieb. Üblicherweise dominieren dissonante Industrial-Klänge den Soundtrack solcher Spiele, aber Bowie schlug natürlich eine andere Richtung ein.

Beim Schreiben der Songs für seine letzten Alben hatte er wieder auf die spontanen Kreativtechniken seiner Berlin-Phase zurückgegriffen und letztlich die ganze schöpferische Arbeit binnen kurzer Zeit im Studio erledigt. Aber um nun den *Omikron*-Soundtrack zu schreiben, zog er sich mit Reeves Gabrels auf die Bermudas zurück, wo er sich wieder in klassischer Art und Weise ans Songwriting machte. Anfang 99 präsentierten die beiden den Verantwortlichen des Softwareherstellers Eidos in Paris Demobänder mit den Ergebnissen ihrer Arbeit, und als sie auf die Bermudas zurückkehrten, waren alle Songs fertig, sodass sie gleich aufgenommen werden konnten – für den Soundtrack und für Bowies neues Album.

Zum ersten Mal gestattete Bowie, dass Gabrels für seine Beiträge auch in den Songwriting-Credits genannt wird. Ein weiteres Novum war, dass er seine Fans via Internet bat, eigene Songtexte zu schreiben und einzusenden. Der Gewinner dieses Wettbewerbs hieß Alex Grant. Er wurde umgehend nach New York geflogen, um dort als Backgroundsänger an der Aufnahme des von ihm mitgeschriebenen »What's Really Happening« mitwirken zu können.

Auffällig ist, wie viele *'hours…'*-Songs sich mit der Vergangenheit beschäftigen und sich mit ehemaligen Beziehungen oder familiären Bindungen auseinandersetzen.

»Es war eine Übung, bei der es um die Auseinandersetzung mit Reue, Selbstvorwürfen und Bedauern ging; das Album sollte helfen, diesen Dingen auf den Grund zu gehen.« D. B. 1999

Warum überkamen diese Gefühle einen derart auf die Zukunft fixierten Künstler wie ihn gerade jetzt? Hatte er durch seine extrem erfolgreichen Finanzgeschäfte so viel Sicherheit und Zufriedenheit erlangt, dass es ihn nun zu einer umfassenden Rückschau drängte? Oder lag es an der bevorstehenden Millenniumswende? Hing dieser unerwartete Blick zurück zusammen mit seiner Vorstellung von zukunftsorientiertem Denken? Oder hatte es mit seinem voranschreitenden Alter zu tun? Bowie war inzwischen immerhin 52, ein Alter, in dem den meisten Menschen klar wird, dass sie wahrscheinlich die Hälfte ihres Lebens bereits hinter sich haben. Vor diesem Hintergrund wird die Vergangenheit zu etwas Faszinierendem, das erforscht werden will, wenn auch nur, um Aufschlüsse über Gegenwärtiges zu erhalten.

Bowie fühlte sich zu jener Zeit in seiner Haut wohler denn je. Die Ängste, die ihn in den 70ern geplagt hatten, waren überwunden. Er musste nichts mehr beweisen. Er wusste inzwischen, wer David Bowie wirklich war, und dies hatte eine ungemein befreiende Wirkung.

Einer der Schlüsselsongs des Albums ist »Seven«, eine wunderbar melodische Meditation über seinen Vater, seine Mutter und seinen Bruder. »I forgot what my brother said«, singt er, doch »I remember how he wept/On a bridge of violent people/I was small enough to cry.«

Lange Zeit befürchtete Bowie, dass die psychischen Probleme, unter denen sein Bruder gelitten hatte, eines Tages auch bei ihm zum Ausbruch kommen könnten. Und vielleicht ist genau das ja auch geschehen. Vielleicht rührten gerade daher all seine brillanten Songideen; vielleicht war es eine Art kreative Schizophrenie, die ihn so viele verwirrende musikalische Welten erschaffen ließ.

»Es ist ein persönlicheres Stück, aber ich würde es nicht autobiografisch nennen … Der Erzähler ist anscheinend ein ziemlich desillusionierter Mann. Er ist nicht glücklich. Ich hingegen bin extrem glücklich! Was ich hier versucht habe, mehr als alles andere, ist etwas von der Angst und den Gefühlen zu vermitteln, mit denen es Männer meines Alters zu tun haben.« D. B. 1999

»Survive« und »Something in the Air« sind Reflexionen über einstige Beziehungen – mit wem bleibt offen. Wie bei allen Texten dieses Albums geht Bowie auch hier nicht ins Detail, sondern überlässt vieles der Vorstellungskraft seiner Hörer. 1984 hatte er dem *NME* gesagt:

»Das Unbewusste offenbart sich in der Melodie und der Setzung eines Wortes auf einer ganz bestimmten Note. Ganz gleich wie gut oder schlecht man es findet, die ganze Information ist in dem Song enthalten, nicht in der Intention des Komponisten oder gar in den Lyrics.« D. B. 1984

Dass *'hours…'* in vielerlei Hinsicht unkonkret bleibt, liegt auch an der engen Beziehung des Albums zu *Omikron*. Wie schon bei *Labyrinth* war es nicht allein Bowie, der den inhaltlichen Kontext vorgab, doch diesmal bot ihm dieser – ein nichtlineares, vielschichtiges Adventure für Erwachsene – allerdings mehr Freiräume.

Gegenüber: Bowie singt »Thursday's Child« in der französischen TV-Sendung *Les Années Tubes*, Oktober 1999.

Folgende Seite, links: Bowie bei *VH1 Storytellers* im August 1999. Ein Album und eine DVD von diesem Auftritt kamen zehn Jahre später auf den Markt.

Folgende Seite, rechts: Bowie bei den BRIT Awards im Februar 1999. Er begleitete die Band Placebo bei einer Version des T. Rex-Songs »20th Century Boy«. Außerdem sang er noch im selben Jahr auf ihrer Single »Without You I'm Nothing«.

»Letztendlich haben wir wohl Songs geschrieben, die viel Raum zum Interpretieren lassen und so etwas wie emotionale Impulse geben … Ein gutes Game muss die Spieler meiner Meinung nach dazu bringen, aus ihrem realen Erfahrungsschatz zu schöpfen, damit sie nahtlos in die Welt des Spiels eintauchen können. Die Musik, auf 'hours…' *wie auch im Soundtrack zu* Omikron, *soll helfen, diese Kluft zu überwinden und Zweifel zu zerstreuen.«* D. B. 1999

Das rockige Getöse von »The Pretty Things Are Going To Hell« (ein Kandidat für den besten Bowie-Titel aller Zeiten) zeugt von dem inneren Chaos, das das Alter manchmal mit sich bringt, wenn bisherige Gewissheiten plötzlich fragwürdig werden: »What to do? What to say? … Who to trust? Who to listen to?«

Bemerkenswert ist auch das ergreifende »Thursday's Child«, die erste Singleauskopplung des Albums. Der »Monday, Tuesday, Wednesday«-Refrain erinnert an den von Danny Kaye in dem Film *Hans Christian Andersen und die Tänzerin* gesungenen Frank-Loesser-Song »The Inchworm«, von dem Bowie als Junge so fasziniert war.

Bowie selbst deutete an, das Album sei eine Suche nach spirituellen Antworten. Institutionalisierte Religionen hatten ihn nie sehr interessiert, die Vorstellung, etwas zu finden, an das man seine Seele hängen kann, hingegen schon.

»Ein Glaubenssystem ist im Grunde nichts anderes als ein persönlicher Halt. Es obliegt mir, eines zu errichten, das nicht in Stein gemeißelt ist, das sich über Nacht ändern kann.« D. B. 1999

Das gesamte Album ist durchsetzt von einer religiösen Bildsprache, von den Texten bis hin zum Cover, das bewusst an eine Pietà erinnert – die Darstellung Marias mit dem Leichnam Christi in der bildenden Kunst. Der Albumtitel kann überdies als Anspielung auf das spätmittelalterliche Stundenbuch verstanden werden, das für die verschiedenen Stunden des Tages unterschiedliche Andachten und Gebete enthielt. Bowie zufolge ist *'hours…'* außerdem ein Wortspiel mit dem im Englischen gleich lautenden Wort »ours« (dt. »unser«), was darauf verweisen würde, dass unsere individuellen Erfahrungen über die Zeit hinweg von anderen geteilt werden.

In diesem Sinne ist *'hours...'* ein Album über die Midlife Crisis, über die unbestimmten, unausgesprochenen, aber dennoch drängenden Sorgen eines Menschen, der sich vor der Zukunft fürchtet und auf die Vergangenheit zurückblickt, um sich mit der Gegenwart zu versöhnen – eigentlich ein Sinnbild für die gesamte Menschheit am Vorabend der Jahrtausendwende.

»Ich habe tatsächlich eine Reihe Midlife-Krisen durchlebt – die meisten davon zwischen 20 und 30. Das war keine besonders glückliche Zeit in meinem Leben ... Seltsamerweise habe ich mich auf Erfahrungen aus dieser Zeit gestützt, als ich ein Album über mein heutiges Alter schreiben wollte.« D. B. 1999

Bowie konnte noch mit einer weiteren Überraschung aufwarten: *'hours...'* war das erste Album eines Megastars, das einige Wochen, bevor es in die Läden kam, komplett als kostenpflichtiger Internet-Download erhältlich war.

Auch wenn sich Bowie in dieser Zeit intensiv mit der Vergangenheit auseinandergesetzt hatte, die Zukunft hatte er immer noch fest im Visier.

ARTWORK

Das Cover von *'hours...'* nimmt direkt Bezug auf die Pietà, eine im Mittelalter und der Renaissance verbreitete Darstellung der Jungfrau Maria, die den Leichnam Jesu in den Armen hält. Der Bowie der *'hours...'*-Phase (fotografiert von Tim Bret-Day) hält hier den Bowie der *Earthling*-Phase (fotografiert von Frank Ockenfels) in den Armen. Diese religiöse Bildsprache findet sich auch auf der Coverrückseite. Hier sind gleich drei Bowies zu sehen, angeordnet in Form eines Triptychons, denen eine Schlange zu Füßen liegt. Zusammen mit der Gegenüberstellung der beiden Schriftzüge – »David Bowie« in altertümlich gebrochener Schrift, der Albumtitel in modernen serifenlosen Lettern – betont dies die Kernthematik des Albums: Es geht um die spirituelle Erkundung der Vergangenheit, um angstfrei in die Zukunft blicken zu können; es geht um das Bekenntnis der Sünden als Voraussetzung dafür, Erlösung finden zu können; es geht um den Tod der schwachen, orientierungslosen Jugend und die Wiederauferstehung durch Selbsterkenntnis.

Der Pietà-Bezug erschließt sich, wenn man das *'hours...'*-Cover mit Michelangelos *Pietà*-Statue aus dem Petersdom vergleicht.

HEATHEN 2002

»ICH MÖCHTE, DASS MEINE MUSIK DIE GEISTER IN MIR WECKT. VERSTEHEN SIE MICH RICHTIG, NICHT DIE DÄMONEN, DIE GEISTER.«

DAVID BOWIE, 2002

1999

1999–2000
Tritt in der Rolle des Julian Priest in neun Folgen der TV-Serie *Begierde* auf.
9. Oktober
Tritt bei NetAid im Londoner Wembley Stadium auf.
10. Oktober
Die *'hours...'*-Tour startet im HQ, Dublin.
14. Oktober
Bowie wird der französische *Ordre des Arts et des Lettres* verliehen.
28. Oktober
Wird in der Kategorie Legende bei den Radio Music Awards ausgezeichnet.
7. Dezember
Die *'hours...'*-Tour endet im Vega, Kopenhagen.

2000

Januar
Veröffentlichung von »Survive« (div. Ed.) (UK 28, US –).
25. Juni
Tritt als Headliner beim Glastonbury Festival auf.
27. Juni
Aufzeichnung von Bowies Auftritt im Londoner BBC Radio Theatre, die von der BBC am 24. September gesendet wird.
Juli
Veröffentlichung von »Seven« (div. Ed.) (UK 32, US –).
15. August
Geburt seiner Tochter Alexandria Zahra Jones.
13. September
Das Album *liveandwell.com* kommt exklusiv für BowieNet-Kunden heraus.

2001

26. Februar
Tritt zusammen mit Moby und Philip Glass bei einem Wohltätigkeitskonzert zugunsten des Tibet House Trust auf, Carnegie Hall, New York.
2. April
Seine Mutter Margaret Mary »Peggy« Jones stirbt im Alter von 88 Jahren.
28. September
Kinopremiere von *Zoolander* (Bowie spielt in einem Cameo-Auftritt sich selbst).
20. Oktober
Bowie tritt als Erster beim Concert For New York City auf, Madison Square Garden, New York.

2002

10. Juni
Veröffentlichung von *Heathen* (UK 5, US 14).

Vorherige Seite: Fotografie von Sukita, 2002.

Gegenüber: Als Bowie 1971 zum ersten Mal in Glastonbury auftrat, nannte sich das Festival noch Glastonbury Fayre, und Bowie wurde um fünf Uhr früh auf die Bühne geschickt. Bei seiner triumphalen Rückkehr im Jahr 2000 spielte er als Headliner vor ca. 100.000 Fans.

Bowies Auftritt beim Glastonbury Festival im Juni 2000 war etwas ganz Besonderes. Zum ersten Mal seit vielen Jahren spielte er wieder ein Set mit seinen größten Hits und erinnerte damit sowohl die Welt als auch sich selbst daran, über was für ein grandioses Repertoire er verfügte. Es waren zeitlose, großartige Songs. Einen Monat später nahm er ein neues Album in Angriff, das *Toy* heißen sollte.

Bowie wollte für dieses Album einigen der Songs, die er in den 60ern geschrieben hatte, neues Leben einhauchen: »The London Boys«, »Liza Jane«, »I Dig Everything«, »Can't Help Thinking About Me«, »You've Got A Habit Of Leaving«, »Baby Loves That Way«, »Conversation Piece«, »Let Me Sleep Beside You«, »Silly Boy Blue«, »In The Heat Of The Morning« und »Karma Man«. Zudem wollte er einige Nummern einspielen, die er bereits geschrieben, aber noch nicht aufgenommen hatte; angeblich handelte es sich dabei um »Hole In The Ground« und »Miss American High«. Daneben hatte er auch ein paar Neukompositionen eingeplant: »Toy« (später umbenannt in »Your Turn To Drive« und erst 2014 auf der Compilation *Nothing Has Changed* erschienen), und die beiden im Nachhinein auf *Heathen* veröffentlichten Titel »Afraid« und »Uncle Floyd« (aus dem auf *Heathen* »Slip Away« wurde).

Mitten während der Aufnahmen legte Bowie eine Pause ein, um Iman am 15. August bei der Geburt ihrer gemeinsamen Tochter Alexandria Zahra Jones beizustehen.

Die nächsten beiden Wochen konzentrierte er sich voll und ganz auf seine Vaterrolle. Den Fehler, den er bei seinem Sohn Duncan begangen hatte, wollte er auf keinen Fall wiederholen. Nach dessen Geburt im Mai 71 hatte er es nicht geschafft, einen Weg zu finden, um mit der Doppelbelastung aus Songwriting und Auftritten auf der einen und Kindeserziehung auf der anderen Seite klarzukommen. Nach der Geburt von Alexandria wollte er als Vater seiner Verantwortung gerecht werden.

»Keine Frage: Ich war einfach viel zu oft nicht für ihn da … Ich war ehrgeizig, ich wollte präsent sein, ich wollte jemand sein … Glücklicherweise läuft zwischen uns heute alles großartig. Aber ich würde alles darum geben, die Zeit noch einmal zurückdrehen und ihn bewusster aufwachsen sehen zu können.« D. B. 2003

Nach zwei Wochen kehrte Bowie ins Studio zurück, und Anfang 2001 präsentierte er seiner Plattenfirma EMI/Virgin die Aufnahmen. Dort hieß es, man sei im Moment sehr beschäftigt, werde das Album aber natürlich veröffentlichen, wahrscheinlich im Mai.

Die Zeit verging, es wurde Sommer und die Chancen für eine Veröffentlichung von *Toy* standen zunehmend schlechter. Stattdessen schlugen die Verantwortlichen bei EMI/Virgin Bowie vor, ein ganzes Album mit neuen Songs aufzunehmen.

Bowie kochte vor Wut. Er hatte bei seinen Fans schon Vorfreude geschürt und erklärt, *Toy* sei »weniger ein *Pin Ups II* als ein Update I«. Im März 2002 kehrte er seinem alten Label den Rücken, gründete mit ISO sein eigenes und schloss mit Columbia Records einen Marketing- und Vertriebsvertrag. *Toy* harrt bis heute seiner offiziellen Veröffentlichung, allerdings sind inzwischen einige Tracks als B-Seiten erschienen – und 2011 kursierte es im Netz.

Während die Masterbänder von *Toy* bei EMI/Virgin irgendwo unter einem Stapel in irgendeinem Büro herumlagen, ging Bowie erneut ins Studio. Um des ganzen Staubs Herr zu werden, den er mit dem Rauskramen der alten Sachen aufgewirbelt hatte, bat er einen alten Freund, vorbeizukommen und einen neuen Besen mitzubringen.

Bowie und Visconti waren sich seit ihrer letzten Zusammenarbeit an *Scary Monsters* nicht mehr grün. Angeblich hatte sich Bowie darüber geärgert, dass Visconti in Interviews freimütig Auskunft über ihre gemeinsame Zeit gegeben hatte. Doch inzwischen waren sie älter geworden und die alte, freundschaftliche Verbundenheit hatte die Jahre am Ende überdauert.

»Ich hatte ihm mehrfach geschrieben und gebeten: ›Was immer ich auch getan habe, lass uns darüber reden‹«, sagte Visconti 2006. »Dann rief er mich eines Tages an. Ich brach in Tränen aus, weil ich ihn wirklich vermisst hatte. Er streifte das Problem nur am Rande, und innerhalb weniger Minuten hatten wir die Vergangenheit abgehakt und sprachen über die Zukunft.«

Seit 98 hatten die beiden bereits wieder an verschiedenen kleinen Projekten zusammengearbeitet – eine Single hier, ein paar Streicherarrangements da. Es war ein vorsichtiges Beschnüffeln vor der endgültigen Wiedervereinigung. Bowie bezeichnete die Reunion als »perfekt ... als hätten wir nach dem letzten Album einfach mit diesem

2. Oktober 2002: Das letzte Konzert der *Heathen*-Tour fand im (heute Apollo genannten) Hammersmith Odeon statt, wo Ziggy Stardust einst seinen Abschied von der Bühne bekanntgab. Bei dem Abschlusskonzert der Tour im Herbst 2002 hatte Bowie zum ersten Mal in seiner langen Karriere den *Hunky Dory*-Track »The Bewlay Brothers« live gesungen.

weitergemacht. Es war unglaublich angenehm, wieder miteinander zu arbeiten.«

Bowie ging es mit diesem Album um etwas Ähnliches wie bei *'hours…'*; wieder einmal wollte er sich mit spirituellen Themen beschäftigen und »die großen Fragen stellen, ohne zu abgehoben zu klingen«. Diesmal allerdings waren die Umstände trauriger und ernster.

Im April 2001 starb Bowies Mutter im Alter von 88 Jahren. Einen Monat später verstarb sein alter Freund, der Designer Freddie Burretti. Hatte Bowie für *'hours…'* noch in eine Rolle schlüpfen müssen, um ein gewisses Unbehangen nachempfinden zu können und sich mit den Widersprüchen des Lebens auseinanderzusetzen, so musste er jetzt nicht mehr so tun als ob; seine Melancholie war ganz offensichtlich nicht gespielt.

»Wir drehen uns so oft im Kreis auf dieser geraden Straße, über die uns unsere vermeintliche Reise führt. In Wahrheit ist das gar keine Reise. Wir kommen und gehen zur selben Zeit.« D. B. 2002

Die Arbeit an dem neuen Album begann in den New Yorker Looking Glass Studios. Bowie hatte 40 verschiedene Stücke im Gepäck – es waren keine ausgearbeiteten Songs, vielmehr war es Material, auf dem man aufbauen konnte. Doch zunächst tat sich diesbezüglich gar nichts, bis sich die Crew – darunter Carlos Alomar und David Torn, ein Neuzugang an der Gitarre – in den neu eröffneten Allaire Studios in den Catskill Mountains im Hinterland von New York einquartiert hatte. Das hoch auf einem Hügel gelegene stattliche Anwesen bot eine grandiose Fernsicht und machte auf Bowie einen nachhaltigen Eindruck.

»Man liest von Erscheinungen, von Damaskuserlebnissen. Die Ruhe und die Erhabenheit dieses Ortes haben mich so beflügelt, dass sich alles, was ich geschrieben hatte, nun auf wundersame Weise zusammenfügte.« D. B. 2002

Schon nach einem Tag flossen ihm neue Songs nur so aus der Feder, darunter auch »Sunday«, die vielleicht schönste Nummer des Albums. Über einen Teppich aus ätherischen Klängen singt Bowie mit seiner besten Scott-Walker-Stimme über eine zerstörte Welt, bevor er daran erinnert, dass sich alles ändern muss, damit alles bleiben kann, wie es ist. »Nothing has changed and everything has changed«, singt Bowie. Jenseits der Wolken tritt er Gott gegenüber und erklärt ängstlich: »we must find peace, we must find love«, bevor er zu dem Schluss kommt: »All my trials, Lord, will be remembered.«

Auch in »A Better Future« wendet er sich gen Himmel, während er in »I Would Be Your Slave« Gottes Wege und Ratschlüsse zornig infrage stellt, enttäuscht, dass Gott für einen Menschen, der nicht im Glauben gefestigt ist, nicht greifbar ist.

»Afraid« klingt unbeschwert und frech, dennoch ist es eine ernsthafte Auseinandersetzung mit der Frage nach der Quelle des inneren Friedens. »Things really matter to me / But I put my faith in tomorrow«, singt Bowie und widerspricht damit John Lennons entschiedener Ablehnung jeglicher Form von Religion, auf dessen Song »God« er mit den Versen »I believe in the Beatles / I believe my little soul has grown« Bezug nimmt. Trotz allem ist er immer noch »so afraid«. Daher besinnt er sich auf sich selbst und kann nun Kraft aus der eigenen Erfahrung im Hier und Jetzt schöpfen: »If I put faith in medication / If I can smile a crooked smile / If I can talk on television / If I can walk an empty mile / Then I won't feel afraid.«

»In all diesen ›langen, einsamen Stunden‹, in denen ich philosophiere, ist der Quell meiner ganzen Frustration zu finden; wieder und wieder bedrängen mich Fragen, die ich mir stelle, seit ich 19 bin. In Wahrheit hat sich für mich nichts geändert. Diese permanent entmutigende spirituelle Suche. Könnte man mit einer gewissen Logik einen spirituellen Zusammenhang herstellen, würde alles andere einen Sinn ergeben. Man könnte eine Moral erkennen, irgendeine Absicht würde sich einem offenbaren, es ergäbe alles irgendeinen Sinn. Aber genau das will sich mir nicht erschließen. Trotzdem muss ich immer wieder darüber schreiben.« D. B. 2003

Viele nahmen an, dass sich das Album mit den schrecklichen Ereignissen des 11. September 2001 auseinandersetze, als islamistische Terroristen Passagierflugzeuge in die Türme des World Trade Center lenkten. Bowie selbst gab darauf allerdings zu bedenken, dass wohl ein halbes Dutzend seiner früheren Alben die Leute zu ähnlichen Spekulationen verleitet hätten, wenn sie nach diesem Anschlag veröffentlicht worden wären. Ängste, Zweifel, Isolation und Zurückweisung sind wiederkehrende Sujets in seinem Schaffen. Als neues Thema kam nun die Vergänglichkeit hinzu.

»Solange man jung ist, ist man noch ›im Werden‹. In meinem Alter ist man mehr mit dem ›Sein‹ beschäftigt. Und in nicht allzu ferner Zukunft werde ich mich mit dem ›Überleben‹ auseinandersetzen müssen, da bin ich mir sicher… Ich habe schon mal vorsichtig an die Tür geklopft und eine gemurmelte Antwort erhalten. Aber ich weiß immer noch nicht, was die Stimme gesagt hat – geschweige denn, welche Sprache sie benutzte.« D. B. 2002

Bowie hatte Kinder, er hatte seine Traumfrau gefunden und wusste, wo sein Platz in der Welt war. Die Vorstellung, dass ihm der Tod das alles eines Tages nehmen würde, war nicht zu ertragen. Doch trotz allem blieb ihm die ungeheure Lust am Leben. Also blickte er weiter zum Himmel auf und suchte nach Antworten von einem Gott, von dem er sich nicht sicher war, dass er überhaupt existierte. Seine Fragen finden auf *Heathen* ihren Widerhall.

Rechts: Bowie hat sich im Lauf seiner Karriere immer mal wieder mit religiösen Fragen auseinandergesetzt – in besonderem Maße schlug sich das in dem gebetsähnlichen »Word On A Wing« von *Station To Station* und in dem auf christliche Motive Bezug nehmenden *'hours…'*-Covers nieder. Ebenfalls zu erwähnen ist Bowies Rolle als Pontius Pilatus in Martin Scorseses *Die letzte Versuchung Christi*. Die Bildsprache des *Heathen*-Covers vermittelt die Absage an jegliche Form von Religion.

ARTWORK

Das Heathen*-Cover besticht durch seine dramatische Bildsprache Bowies Augen, die Fenster der Seele, wirken erschreckend leer. Sein Gesicht scheint wie in Stein gemeißelt, kalt und entschlossen. Die geschändeten Kunstwerke im Booklet sind weniger Zeugnisse des Unglauben als der bewussten Verneinung Gottes durch den Heiden (engl. heathen, Die Verwendung von Guido Renis Gemälde* Kindermord in Betlehem *(engl. Titel:* Massacre Of The Innocents*) wirkt wie ein Nachhall von 9/11. Auch die drei abgebildeten Bücher sind bedeutsam: In* Die fröhliche Wissenschaft *resümiert Nietzsche: »Gott ist tot«, und Einsteins* Allgemeine Relativitätstheorie *sowie Freuds* Die Traumdeutung *sind Schlüsselwerke für die Erforschung des inneren wie äußeren Universums des Menschen ohne Rückbezug auf irgendeinen Gott. Auf einem weiteren Bild sehen wir einen entschlossen eine Treppe hinabsteigenden Bowie, der dem Licht den Rücken kehrt. Dies alles steht für die bewusste Abkehr vom Glauben an einen Gott, der uns offenbar im Stich gelassen hat, zugunsten des schwachen Trostes menschenmöglichen Wissens*

REALITY 2003

»ALLES IN UNSEREM LEBEN IST DERZEIT IN EINER EINZIGEN GROSSEN AUFLÖSUNG BEGRIFFEN. IM WESENTLICHEN GEHT ES DARUM, WIE ICH UND MEINE FAMILIE DURCH DEN TAG KOMMEN.«

DAVID BOWIE, 2002

2002

Juni

Ist als Kurator für das Programm des Meltdown Festival verantwortlich, Royal Festival Hall, London.

29. Juni

Die *Heathen*-Tour startet mit Bowies eigenem Meltdown-Konzert, bei dem er die Alben *Low* und *Heathen* komplett spielt.

September

Veröffentlichung von »Everyone Says 'Hi'« (div. Ed.) (UK 20, US –).

23. Oktober

Die *Heathen*-Tour endet im Orpheum Theater, Boston.

2003

September

Veröffentlichung von »New Killer Star« (Video-Version und div. Ed.) (UK 38, US –).

8. September

Livepräsentation seines eine Woche später erscheinenden neuen Albums *Reality*, die in Kinos auf der ganzen Welt übertragen wird.

15. September

Veröffentlichung von *Reality* (UK 3, US 29).

7. Oktober

Die *A Reality*-Tour startet im Forum, Kopenhagen.

2004

Juni

UK-Veröffentlichung von »Rebel Never Gets Old (radio mix)«/»Rebel Never Gets Old (7th Heaven edit)«/»Rebel Never Gets Old (7th Heaven mix)«/»Days (album version)« (47).

25. Juni

Die *A Reality*-Tour endet vorzeitig mit dem Auftritt beim Hurricane Festival im niedersächsischen Scheeßel.

26. Juni

Bowie unterzieht sich einer Notfall-Herz-OP im Hamburger Allgemeinen Krankenhaus St. Georg.

November

UK-Veröffentlichung von »Band Aid 20: Do They Know It's Christmas?«/»Band Aid: Do They Know It's Christmas?«/»Band Aid: Do They Know It's Christmas? (live at Live Aid)« (1).

2005

8. September

Tritt zusammen mit Arcade Fire beim Fashion Rocks Konzert auf, Radio City Music Hall, New York.

November

Veröffentlichung der lediglich als Download verfügbaren EP *Live At Fashion Rocks* von Arcade Fire und David Bowie mit den Titeln »Life On Mars?«/»Five Years«/»Wake Up« (–).

Vorherige Seite: Bei einer Pressekonferenz während der *Reality*-Tour in Sidney, Februar 2004.

Gegenüber: Gut gelaunt in der Hartwall Areena in Helsinki, Oktober 2003.

Nächste Seite: Bowie in Bestform in der MEN Arena in Manchester, der ersten englischen Station auf der *Reality*-Tour, November 2003.

2006

8. Februar

Bekommt (in Abwesenheit) bei den Grammys den Lifetime Achievement Award verliehen.

29. Mai

Gastauftritt beim Konzert von David Gilmour in der Royal Albert Hall, London.

21. September

Bowie spielt sich selbst in einer Folge der BBC-Comedy-Show *Extras* und singt dort den Song »Pug Nosed Face«.

17. Oktober

Kinopremiere von *Prestige – Meister der Magie* (Bowie in der Rolle des Nikola Tesla).

9. November

Letzter Liveauftritt beim Black-Ball-Benefizkonzert, Hammerstein Ballroom, New York.

Dezember

UK-Veröffentlichung der von David Gilmour und David Bowie gemeinsam veröffentlichten Single »Arnold Layne« (div. Ed.) (19).

29. Dezember

Kinopremiere von *Arthur und die Minimoys* (Bowie lieh der Figur des Maltazard seine Stimme).

2007

Mai

Bowie kuratiert das New Yorker High Line Festival.

3. Juni

Bowie wird bei den Webby Awards mit einem Preis für sein Lebenswerk ausgezeichnet, wobei auch besonders seine Internet-Pionierleistungen gewürdigt werden.

25. Juni

Veröffentlichung des DVD/CD-Set *Glass Spider* (–).

2008

22. Januar

Kinopremiere von *Der Börsen-Crash* (Bowie hat einen Cameo-Auftritt als Cyrus Ogilvie).

2009

6. Juli

Veröffentlichung des DVD/CD-Set *VH1 Storytellers* (UK –, US –).

August

Kinopremiere von *Bandslam – Get ready to rock!* (Bowie spielt in einen Kurzauftritt sich selbst).

2010

25. Januar

Veröffentlichung von *A Reality Tour* (UK 53, US –).

27. September

Wiederveröffentlichung von *Station To Station* als Deluxe Edition mit *Live Nassau Coliseum '76.*

2011

März

Das unveröffentlichte Album *Toy* wird unautorisiert über das Internet verbreitet.

Als die *Heathen*-Tour im Oktober 2002 in Boston zu Ende ging, war Bowie vollkommen euphorisch und schwärmte von seinen Tourmusikern als »eine der stärksten Bands, mit denen ich je zusammengearbeitet habe«. Er wollte sofort wieder ins Studio gehen, neue Songs einspielen und die nächste Tour in Angriff nehmen.

Im November begannen er und Visconti mit der Arbeit an einem Album, dessen Songs man ohne große Umstände auch live spielen können sollte. »*Heathen* war ziemlich grob gestrickt, aber mit einem gewaltigen Klangteppich unterfüttert; wir hatten mit etlichen Overdubs gearbeitet«, erklärte Visconti später. »Bei *Reality* wollte er [Bowie] es anders machen, sodass er mit seiner Band die Sachen direkt auf die Bühne bringen konnte …« Und so wurden dann auch, nachdem die beiden die Demos mit dem neuen Material im Januar 2003 fertiggestellt hatten, größtenteils die auf der *Heathen*-Tour dabei gewesenen Musiker gebeten, an den Aufnahmen in den Looking Glass Studios mitzuwirken. Die Wahl fiel ganz bewusst auf das Studio im Herzen von New York – wegen der urbanen Atmosphäre und der besonderen Situation nach 9/11. »*Reality* spiegelt dieses New-York-Gefühl wider«, sagte Bowie, und so zieht sich die Stadt auf ähnliche Weise durch das gesamte Album wie der Broadway durch Manhattan.

Reality ist konzeptionell und thematisch offener gehalten als die vorangegangenen Alben; die einzelnen Songs behandeln unterschiedliche, durchaus vertraute Themen. Wieder einmal geht es um Vergänglichkeit (»Never Get Old«), Angst, Isolation und die Welt nach dem 11. September (»Fall Dog Bombs The Moon«), es gibt elliptische Lyrics (»Bring Me The Disco King«) und eine Rückkehr zum Rollenspiel mit Exkursionen in das Leben von Figuren, die nur in seiner Vorstellung existieren (»The Loneliest Guy« und »She'll Drive The Big Car«).

»In der Hauptsache schreibe ich über sehr persönliche Gefühle, und jedes Mal erforsche ich sie auf andere Weise. Das ist nichts Hochgeistiges. Ich bin ein Popsänger, Himmel noch mal. Ich bin ein ziemlich unkomplizierter Mensch.« D. B. 2002

Wie immer, wenn Bowie über die Zukunft der Menschheit nachdachte, fand er nichts, was die trüben Aussichten gemildert und Anlass zur Hoffnung gegeben hätte. Später verriet er, dass ihn die Vaterschaft in Bezug auf diese Schwarzseherei allerdings in ein Dilemma gestürzt habe.

»Ich kann über das Negative nicht mehr in der Form sprechen wie vor ihrer Geburt – jedes Mal, wenn ich sage, dass die Welt am Arsch ist und es völlig unerheblich ist, ob wir in ihr leben, sagt sie: ›Na dann vielen Dank dafür, dass ihr mich gezeugt habt.‹« D. B. 2003

Musikalisch gesehen sind die Songs geradliniger und zugänglicher als die auf *1.Outside*. Mit der Coverversion von Jonathan Richmans »Pablo Picasso« orientiert sich Bowie Stooges-artig fast in Richtung Punk. In »Fall Dog Bombs The Moon« erinnert er in Neil-Young-und-Crazy-Horse-Manier an die Ängste und das Grauen des 11. September. Auf »Days« gesteht er, bei einem Freund in der Schuld zu stehen. »Do I need a friend?«, singt er und fügt schwermütig hinzu: »All the days of my life, all the days I owe you.«

In all dem schwingt immer auch eine Spur jener großen Rastlosigkeit mit, die Bowie umtreibt. Er ist sich nicht sicher, ob er tanzen oder doch lieber die »idiotischen Fragen« beantworten soll, die ihn nicht loslassen.

»Ich glaube nicht, dass ich über besonders viele Themen schreibe. Es fasziniert mich, mich mit demselben Thema immer wieder neu zu befassen, und ich glaube, im Grunde genommen tun das alle Autoren. Mich beschäftigen immer dieselben Gefühle der Isolation, derselbe Mangel an Kommunikation und all solche negativen Dinge, und wahrscheinlich werde ich mich bis zum Ende meines Lebens damit auseinandersetzen. Es sind ganz bestimmte spirituelle Fragen, woran sich nicht viel ändern wird, weil sich auch bisher nicht viel daran geändert hat, von ›Major Tom‹ bis hin zu Heathen.*«* D. B. 2003

Der letzte Track des Albums, »Bring Me The Disco King«, ist eine außergewöhnliche Avantgarde-Nachtclub-Jazz-Nummer. Seit fast 40 Jahren war Bowie nun schon im Geschäft und noch immer lotete er die Grenzbereiche neu aus.

Der bereits 1992 geschriebene Song sollte ursprünglich auf *Black Tie White Noise* erscheinen, wo aus ihm beinahe eine glanzlose Up-Tempo-Disco-Nummer geworden wäre. Zum Glück verzichtete Bowie darauf und modelte den Song zehn Jahre später zu einem fast klassisch anmutenden Klangkunstwerk um, in dem sich seine tiefe, nachhallende Stimme gegenüber Mike Garsons eingestreuten Pianoklängen und Sterling Campbells zögerlichen, zermürbenden Drums behauptet. In kryptischen Versen singt Bowie über seine Vergangenheit, es geht um Exzesse, Begierden und Zweifel, bevor er gegen Ende unkt: »Soon there'll be nothing left of me / Nothing left to release.« Und tatsächlich gab es seitdem von Bowie weitere zehn Jahre lang keine Neuveröffentlichung (engl. release) mehr.

Noch bevor das von der Kritik fast einhellig gefeierte neue Album *Reality* auf den Markt kam, war Bowie bereits wieder auf Tournee. Mit einer eingespielten Band auf Tour und dem neuen Album im Gepäck – es schien alles perfekt zu sein. Doch dann kam es am 18. Juni 2004 in Oslo zu einem beunruhigenden Zwischenfall: Ein Fan warf einen Lutscher Richtung Bühne und traf Bowie am Auge. »Denkt dran, ich hab nur eins!«, ermahnte er das Publikum.

Fünf Tage später in Prag spürte Bowie auf der Bühne nach nur neun Songs einen stechenden Schmerz in der Brust. Backstage wurde er sofort behandelt. Die Diagnose: ein verklemmter Schulternerv. Alle atmeten erleichtert auf.

Doch zwei Tage danach kehrte der Schmerz nach einem Auftritt auf dem Hurricane Festival im niedersächsischen Scheeßel zurück. Heftiger diesmal. Am nächsten Tag unterzog sich Bowie in Hamburg einer Not-OP am Herzen. Das Touren, das Leben, die Erwartungen, der Druck, das Erfolgsstreben – all das hatte ihn eingeholt.

In einer ersten Stellungnahme nach der OP sagte Bowie:

»Ich bin stinksauer, weil die letzten zehn Monate auf Tour absolut fantastisch waren. Ich kann gar nicht erwarten, wieder

voll auf der Höhe zu sein und mich in die Arbeit zu stürzen. Eines ist allerdings jetzt schon klar: Hierüber schreib ich keinen Song.« D. B. 2004

Bowie flog zurück nach New York, zu Iman, seiner Tochter und seiner Familie – und dort ist er geblieben.

Zu seinen weiteren Plänen hatte er sich nicht geäußert. Hatte er sich von der Bühne zurückgezogen? Schrieb er an neuen Songs? Machte er Aufnahmen? Niemand wusste es.

Es gab danach nur ein paar Kurzauftritte. 2005 sang Bowie »Life on Mars?« bei Fashion Rocks, einem Benefizkonzert zugunsten der Hurrikan-Katrina-Opfer. Er ging unter frenetischem Applaus von der Bühne und kam danach noch einmal mit Arcade Fire zurück, um »Five Years« und den Arcade-Fire-Song »Wake up« zu singen. Später erzählte er, dass er regelmäßig trainiere und es ihm viel Spaß gemacht habe, wieder auf der Bühne zu stehen. Es muss ihm wirklich sehr gefallen haben, denn nur vier Tage später trat er erneut mit Arcade Fire auf, diesmal als Gaststar bei ihrem Konzert im New Yorker Central Park.

2006 erhielt Bowie einen Grammy für sein Lebenswerk, den er allerdings nicht persönlich entgegennehmen konnte. Im Mai desselben Jahres stand er in London an der Seite des Pink-Floyd-Gitarristen David Gilmour auf der Bühne und sang »Arnold Layne« und »Comfortably Numb«. Am 9. November 2006 sang er »Changes«, »Wild Is The Wind« und »Fantastic Voyage« bei einer Wohltätigkeitsveranstaltung zugunsten der afrikanischen Aids-Hilfe, die von Alicia Keys und seiner Frau Iman moderiert wurde.

Wenn man einigen Leuten, die es wissen konnten, Glauben schenkte, drehte sich sein Leben fortan nur noch um eines – und das war nicht die Kunst: Es war seine Familie. Das mochte stimmen, aber bei Bowie konnte man sich nie sicher sein. Vielleicht gab es ja doch noch eine klitzekleine Chance, dass sich seine Muse während dieses selbst verordneten Rückzugs noch einmal meldete.

Unten: Bowie musste am 23. Juni 2004 sein Konzert in Prag wegen starker Schmerzen in der Brust abbrechen. Nach einer weiteren Show im niedersächsischen Scheeßel wurde die Tour abgebrochen und Bowie unterzog sich einer Not-OP am Herzen.

Gegenüber: »Just gonna have to be a different man.« Während seines letzten Liveauftritts beim Black-Ball-Benefizkonzert im Hammerstein Ballroom in New York am 9. November 2006 sang Bowie mit Alicia Keys »Changes«.

»ER SAGTE: ›HALTE ES GEHEIM. SPRICH MIT NIEMANDEM DARÜBER. NICHT MAL MIT DEINEM BESTEN FREUND.‹ ICH FRAGTE: ›DARF ICH ES MEINER FREUNDIN ERZÄHLEN?‹ ER SAGTE: ›JA, DEINER FREUNDIN DARFST DU ES ERZÄHLEN, ABER SIE MUSS ES UNBEDINGT FÜR SICH BEHALTEN.‹«

TONY VISCONTI, 2013

2012

27. März

Enthüllung einer Plakette am Haus Nr. 11 in der Heddon Street, die daran erinnert, dass Bowie hier für das Cover von *The Rise And Fall Of Ziggy Stardust And The Spiders From Mars* fotografiert wurde.

12. August

Bowie lehnt es ab, bei der Abschlussfeier der Olympischen Spiele 2012 in London »"Heroes"« zu singen, die inoffizielle Hymne der britischen Olympia-Mannschaft.

31. August – 2. September

Bowiefest, ein dem Filmschaffen von Bowie gewidmetes Festival, findet im Institute of Contemporary Arts in London statt.

14. November

Veröffentlichung von Soulwax' *Radio Soulwax Presents DAVE*, eine 60-minütige Video-Hommage an David Bowie und seine Musik.

2013

8. Januar

Veröffentlichung der Single »Where Are We Now?« (UK 6, US –) an Bowies 66. Geburtstag und Ankündigung des neuen Albums.

25. Februar

Veröffentlichung von »The Stars (Are Out Tonight)« (–).

11. März

Veröffentlichung von *The Next Day* (UK 1, US 2).

23. März – 11. August

David Bowie is, die erste internationale Ausstellung zu Bowies Werk, wird im Londoner Victoria and Albert Museum gezeigt.

25. Mai

Die von der BBC produzierte Dokumentation *David Bowie – Five Years* wird im englischen Fernsehen ausgestrahlt.

Brillant, einfach brillant. Am 8. Januar 2013, seinem 66. Geburtstag, veröffentlichte Bowie mit »Where Are We Now?« seine 108. Single. Und zwar unangekündigt und völlig unerwartet. Abgesehen von den paar Menschen, die an dem Projekt beteiligt waren, hätte niemand gedacht, dass Bowie kürzlich neue Songs geschrieben oder gar aufgenommen haben könnte. Dass es ihm gelang, seine Arbeit daran wirklich geheim zu halten, lag nicht zuletzt an den Musikern, die er für sein Projekt verpflichtete: alte Weggefährten wie Earl Slick, Gail Ann Dorsey, Gerry Leonard und Tony Visconti, die sein volles Vertrauen besaßen.

Was hat es nun auf sich mit der Single, deren Veröffentlichung Anfang 2013 weltweit wie eine Bombe einschlug? »Where Are We Now?« ist eine faszinierende Rückschau auf Bowies Zeit in Berlin. In seiner nostalgischen Kargheit war der Song dermaßen überzeugend, dass viele vermuteten, das dazugehörige Album, das noch am gleichen Tag angekündigt wurde, würde genauso klingen. Auf *The Next Day*, so die Spekulationen, würden wir einem nachdenklichen Bowie begegnen, der sich mit seiner Vergangenheit auseinandersetzt. Verstärkt wurde dieser Eindruck durch eine Vorabveröffentlichung des Covers: eine schlichte Reproduktion des klassischen *"Heroes"*-Covers, das zum größten Teil von einem weißen Quadrat abgedeckt wird. Nostalgie in Reinform – könnte man meinen.

Aber natürlich führte Bowie wieder einmal alle an der Nase herum. Er hatte nicht vor, lange in der Vergangenheit zu schwelgen.

The Next Day ist ein weiteres Werk, das sein einzigartiges Œuvre komplettiert. Die Songs sind in einer unbestimmten Zeit angesiedelt und lassen sich auch geografisch nicht verorten. Bowie erzählt in ihnen nicht gradlinig, sondern vermittelt uns seine Beobachtungen und Geschichten in Form aneinandergereihter Gedankensplitter.

Am wenigsten erzählt das Album über Bowie selbst. Jede Selbstoffenbarung birgt immer auch die Gefahr, für immer festgelegt zu sein und in eine bestimmte Schublade gesteckt zu werden – wovor sich alle Künstler fürchten. Statt in diese Falle zu tappen, macht Bowie extrem kraftvolle, sehr ambitionierte Musik. Beim ersten Hören klingt *The Next Day* unausgewogen und disharmonisch. Wie auf

vielen seiner vorangegangenen Alben – man denke etwa an *1. Outside* – hat er einen komplexen Sound geschaffen, der sich erst bei mehrmaligem Hören vollständig erschließt.

Den Anfang machen vier energiegeladene Songs, die jede Sorge um Bowies Gesundheitszustand vergessen ließen. Bowie klingt ungemein vital, entschlossen und kontrolliert.

Im Titelsong singt er von einem Lynchmob, »they can't get enough of that doomsday song«, von einem Priester mit purpurfarbenem Kopf und Menschen, die für den Teufel arbeiten, sich aber wie Heilige kleiden. Visconti erzählte, dass Bowie während der Entstehung des Albums viel über Englands Geschichte im Mittelalter las und sich das in der Bildsprache des Openers niederschlug.

Mit »Dirty Boys« folgt ein Song, der sich durch einen prononcierten Stakkatosound auszeichnet und von einem Baritonsaxofon geprägt wird. Er hätte auch auf *"Heroes"* gepasst.

»The Stars (Are Out Tonight)«, die zweite Singleauskopplung, beginnt mit einem schrägen Gitarrenriff, woraufhin Bowies sehr melodischer Gesang einsetzt, während im Hintergrund die Gitarre weiterhin disharmonische Akzente setzt. In den Lyrics vergleicht Bowie Prominente mit Vampiren, die uns mit ihrem verführerischen Lächeln blenden und uns mit ihren strahlenden Augen in die Falle locken. Man bedenke: Das singt einer der vermutlich prominentesten Menschen der Welt!

In »Love Is Lost« geht es um eine attraktive 22-Jährige, die sich mit lauter Neuem umgibt: Freunde, Haus – selbst ihre Augen sind neu. Ihre Ängste jedoch sind so alt wie die Welt.

»Where Are We Now?«, der eingängigste Song des Albums, erzeugt eine melancholische, ja nostalgische Stimmung. Einen trotz allem hoffnungsvollen Ausblick scheinen die Worte »As long as there's me. As long as there's you« anzudeuten, wobei Bowie allerdings keine konkrete Antwort auf die Frage »Was dann?« gibt. Mehr an Selbstoffenbarung ist von ihm nicht zu erwarten. Er ist nach wie vor ein Modernist, der immer nach vorn blickt, nie zurück.

»Valentine's Day« und »If You Can See Me« wirken dann trotzdem wieder wie Reminiszenzen an seine Vergangenheit. Während man sich Ersteres wegen des Gesangs gut neben »The Prettiest Star« auf *Aladdin Sane* vorstellen kann, klingt Letzteres, als stamme es von dem Drum 'n' Bass-Album *Earthling*.

»I'd Rather Be High« mit seinem wunderschönen Refrain ist eines der vielen Highlights des Albums. Der Song handelt von einem jungen Rekruten, der in den Krieg geschickt wird und dann feststellt, dass er lieber high wäre als andere Menschen zu töten. Musikalisch ist »Boss Of Me« ähnlich gestrickt. Auch hier kontrastiert ein schräges Gitarrenriff mit einem relativ harmonischen Refrain.

Oben: Mit dem völlig überraschenden neuen Album und der großen Ausstellung im Londoner Victoria and Albert Museum kehrte die Bowie-Mania plötzlich wieder zurück..

Gegenüber: In dem Video zu »The Stars (Are Out Tonight)« spielen Bowie und Tilda Swinton ein biederes Paar. Swinton, die mit Bowie eng befreundet war, hatte zur Eröffnung der Ausstellung *David Bowie is* eine denkwürdige Rede gehalten.

Mit seiner Mischung aus heulendem Gitarrensound und anderen sphärischen Klängen ist »Dancing Out In Space« einer der vielschichtigsten Songs des Albums, der geradezu zum Tanzen animiert. Dagegen ist »How Does The Grass Grow?« wohl der reizloseste Song von *The Next Day*. Das musikalische Zitat des berühmten Shadows-Instrumentals »Apache« versetzt uns allerdings zurück in die Zeit von Bowies erster Band, The Konrads.

Mit »(You Will) Set The World On Fire« bleiben wir in den frühen 60ern. Der Schauplatz verlagert sich jedoch in die Folk-Szene von Greenwich Village, wo sich Bob Dylan, Pete Seeger und Joan Baez die Klinke in die Hand geben. Musikalisch haben wir es hier allerdings mit lupenreinem Rock zu tun.

Einer der faszinierendsten Songs von *The Next Day* ist »You Feel So Lonely You Could Die«. Verstörende Bilder von heimtückischen Morden beherrschen die Lyrics, in denen Bowie dem Protagonisten ganz unverhohlen den Tod wünscht. An wen mag er dabei denken? Der Song endet mit dem Drum-Outro von »Five Years«. Ein Hinweis auf die Identität der namenlos bleibenden Person?

»Heat«, der letzte Track, beginnt monoton, entwickelt sich jedoch allmählich zu einem sehr spannungsreichen Song. Bowie lässt sein bemerkenswertes letztes Album ausklingen mit den mehrfach wiederholten Worten »My father ran the prison«, was man als durchaus passendes Ende für *The Next Day* betrachten kann – ein Album, auf dem Bowie sich jedem Versuch, ihn zu fassen, erfolgreich entzieht.

In über 20 Ländern belegte das Album Platz eins. Der Vorverkauf für die Tickets zur großen Bowie-Retrospektive im Londoner Victoria and Albert Museum (die – zufällig? – zwei Wochen nach dem Erscheinen des Albums öffnete) brach alle Rekorde. Plötzlich war Bowie überall auf der Welt wieder auf den Titelseiten. Da er sich Interviews verweigerte, beschäftigten sich die Journalisten mit der Frage, ob Bowie mit *The Next Day* auch wieder auf Tour gehen würde. Es war ein beeindruckendes Comeback, in dessen Zuge viel über seine bedeutenden Leistungen räsoniert und über seinen zukünftigen Weg spekuliert wurde.

BLACKSTAR 2016

»SEIN TOD WAR WIE SEIN LEBEN – EIN KUNSTWERK. *BLACKSTAR* WAR SEIN ABSCHIEDSGESCHENK FÜR UNS. EIN JAHR LANG WUSSTE ICH, DASS ES SO KOMMEN WÜRDE. TROTZDEM WAR ICH DARAUF NICHT VORBEREITET. ER WAR EIN AUSSERGEWÖHNLICHER MENSCH, VOLLER LIEBE UND LEBEN. ER WIRD IMMER BEI UNS SEIN.«

TONY VISCONTI, 2016

2013

17. Juni
Veröffentlichung von »The Next Day« (–).
19. August
Veröffentlichung von »Valentine's Day« (–).
25. September – 19. November
Die Ausstellung *David Bowie is* beginnt, um die Welt zu touren; die erste Station ist in Toronto in der Art Gallery Ontario.
4. November
Veröffentlichung von *The Next Day Extra*, einer zwei CDs und eine DVD umfassenden Edition mit Remixen, Bonustracks und Videos.
16. Dezember
Veröffentlichung von »Love Is Lost (James Murphy Remix)« (–).

2014

31. Januar – 20. April
Die Ausstellung *David Bowie is* wird in São Paulo im Museu da Imagem e do Som gezeigt.
19. Februar
Bowie wird als bester männlicher Solokünstler mit einem BRIT Award ausgezeichnet; er ist der älteste Preisträger in der Geschichte des Awards.
20. Mai – 24. August
Als Nächstes macht die Ausstellung *David Bowie is* in Berlin im Martin-Gropius-Bau Station.
23. September – 4. Januar 2015
Die Ausstellung *David Bowie is* wird in Chicago im Museum of Contemporary Art gezeigt; zur Eröffnung wird erstmals die Dokumentation *David Bowie Is Happening Now* gezeigt.
17. November
Veröffentlichung von »Sue (Or In A Season Of Crime)«, aufgenommen mit dem Maria Schneider Orchestra (UK 81, US –).
18. November
Veröffentlichung der Compilation *Nothing Has Changed* (UK 9, US 57).

2015

2. März – 31. Mai
David Bowie is ist eine der ersten Ausstellungen, die in der neu gebauten Philharmonie de Paris gezeigt werden.
16. Juli – 1. November
Die Ausstellung macht Station in Melbourne im ACMI.
20. November
Veröffentlichung von »Blackstar« (–).
7. Dezember – 20. Januar 2016
Bowies Musical *Lazarus*, das er zusammen mit Enda Walsh geschrieben hat, wird am Broadway im New York Theatre Workshop aufgeführt.
11. Dezember – 13. März 2016
Die Ausstellung *David Bowie is* kehrt zurück nach Europa – im niederländischen Groningen ist sie im Groninger Museum zu sehen; zudem wird angekündigt, dass sie im Frühjahr 2017 nach Japan kommt.
17. Dezember
Veröffentlichung von »Lazarus« (–).

2016

8. Januar
Veröffentlichung von *Blackstar* (UK 1, US 1).
10. Januar
David Bowie stirbt zwei Tage nach seinem 69. Geburtstag.

Am Sonntag, den 10. Januar 2016, verlor David Bowie den Kampf gegen den Krebs, den er 18 Monate lang ausgetragen hatte, ohne dass die Öffentlichkeit etwas wusste. Er starb nur zwei Tage nach seinem 69. Geburtstag, an sein 29. Studioalbum *Blackstar* erschienen war. Als die Todesnachricht am folgenden Tag kurz vor 8 Uhr MEZ verbreitet wurde, waren Millionen Menschen erschüttert und gaben ihrer Trauer auf vielfältige Weise Ausdruck.

Dass sein Tod so viele bewegte, hat nicht zuletzt damit zu tun, dass seine Musik viele Menschen begleitet hat und eine Fülle an Erinnerungen mit ihr verbunden ist. Für etliche von uns ist Bowies Musik der Soundtrack unserer Generation. Wir wuchsen mit ihr auf und wurden mit ihr alt. Von *Ziggy Stardust* über *Young Americans* und *"Heroes"* bis hin zu *Scary Monsters* reisten wir mit ihm von einer Station zur nächsten – »from station to station« eben. Es war eine ungeheuer spannende, in unbekannte Fernen führende Reise, die unser kollektives Bewusstsein mitprägte.

Doch ist dies nicht die einzige Erklärung für die große Trauer weltweit. In dem Beklagen seines Verlusts kommt auch eine enorme Hochachtung vor Bowies künstlerischem Wagemut zum Ausdruck. Sein facettenreiches Lebenswerk beeinflusste Künstler ganz unterschiedlicher Stilrichtungen. New Romantics, Hardrocker, Modernisten, Intellektuelle, Avantgardisten und andere fanden in seinen Songs Werte und Ideen widergespiegelt, die ihnen wichtig waren oder sie inspirierten, neue Wege zu gehen. Bowie hat mit seiner Musik wichtige Impulse gegeben, intellektuelle ebenso wie emotionale. Sein Einfluss auf den kulturellen und gesellschaftlichen Diskurs war beispiellos.

Blackstar ist ein weiterer Beleg für Bowies weitreichende künstlerische Strahlkraft. Trotz seiner Krebserkrankung war er bis kurz vor der Veröffentlichung seines letzten Albums noch sehr aktiv.

Diagnostiziert wurde sein Krebs im Sommer 2014. Spätestens im November 2015 wusste er, dass er nicht heilbar war. Zu dieser Zeit steckte er mitten in einem neuen Projekt, dem Musical *Lazarus*, an dem er zusammen mit dem irischen Tony-Award-Preisträger Enda Walsh arbeitete.

Die Inspirationsquelle für dieses Stück war Walter Trevis' Roman *Der Mann, der vom Himmel fiel* von 1963. In der von Nicolas Roeg gedrehten Verfilmung des Buchs hatte Bowie 1976 die Hauptrolle gespielt. Das Musical setzt 30 Jahre nach dem Ende der Roman- bzw. Filmhandlung an. Warum beschäftigte sich Bowie gerade jetzt wieder mit dieser Figur? Vielleicht weil Newton, wie er in dem Stück sagt, ein »Sterbender [ist], der nicht sterben kann«.

Vierzehn Songs aus Bowies Œuvre sind in dem Musical zu hören, wobei einige zu diesem Zweck neu berarbeitet wurden, wie etwa »The Man Who Sold The World«, das als Synthiepop-Version daherkommt, oder »Heroes«, das in einer sehr abgespeckten Fassung präsentiert wird. Etwas gradliniger sind die Interpretationen von Songs wie »All The Young Dudes«, »Changes« und »This Is Not America«.

Der Film- und Theaterproduzent Robert Fox war beeindruckt, wie sehr sich Bowie bei den Proben einbrachte, insbesondere in Anbetracht der Tatsache, dass sich seine Krebserkrankung damals bereits im Endstadium befand. »An einigen Tagen konnte er einfach nicht dabei sein, aber wenn er da war, hat seine Arbeit nie darunter gelitten.«

Ivo Van Hove, der Regisseur des Stücks, erzählte der Choreografin Annie B. Parson, Bowie habe ihm gesagt, *Lazarus* sei »das traurigste Projekt, an dem er je gearbeitet habe«. Später fügte er hinzu: »Ich habe einen Mann gesehen, der gekämpft hat. Er gekämpft wie ein Löwe und gearbeitet wie ein Löwe. Davor habe ich größten Respekt.«

Für *Lazarus* schrieb Bowie eine neue Nummer, nämlich den Titelsong des Musicals, der auch auf *Blackstar* enthalten ist. Die Sessions für das neue Album begannen im Januar 2015 im Magic Shop Studio in Downtown Manhattan, ganz in der Nähe von Bowies Wohnung. Täglich wurde dort von elf Uhr vormittags bis vier Uhr nachmittags gearbeitet, und im April hatte man sieben Songs aufgenommen, die Produzent Tony Visconti anschließend in seinem eigenen Studio abmischte. Wie schon bei *The Next Day* drang nicht das Geringste an die Öffentlichkeit.

Später im Jahr, als die Arbeit an *Blackstar* bereits abgeschlossen war, erklärte sich Bowie bereit, die Titelmusik für eine neue TV-Serie des Senders Sky Atlantic, *The Last Panthers*, zur Verfügung zu stellen. Der Regisseur Johan Renck sagte: »Die Musik, die er uns gab, spiegelte unsere Figuren sowie die Serie selbst in all ihren Facetten wieder. Sie war düster, depressiv, wunderschön und voller Gefühl. Bowie hat mich in dieser Zeit immens inspiriert und fasziniert. Ich war ganz überwältigt von seiner Großzügigkeit.«

Bowie verriet dem Filmemacher, dass die Musik, die er für die Serie zur Verfügung gestellt hatte, die ersten Takte von »Blackstar« waren – einem neuen Song, den er geschrieben hatte –, und er bat den Regisseur, mit ihm das Video dazu zu drehen. Renck schlug später vor, Sequenzen mit ritualartigen, okkultistisch anmutenden Handlungen einzustreuen. Bowie wiederum schickte Renck die Zeichnung einer Figur namens Button Eyes, die er in dem Video verkörpern wollte. Aufgrund seines Gesundheitszustands mussten die Szenen, an denen er beteiligt war, im September 2015 an nur einem Tag aufgenommen werden.

Im November trafen sich Renck und Bowie erneut, um ein weiteres Video zu drehen, diesmal für den Song »Lazarus«, der als zweite Singleauskopplung vor der Veröffentlichung des Albums herauskam. Abermals tritt Bowie darin als Button Eyes auf. Diesmal windet er sich in einem Krankenbett. Darüber hinaus sieht man Szenen mit Bowie in einem gestreiften Overall, der einem Outfit ähnelt, das er Mitte der 1970er-Jahre bei einer Fotosession trug, bei der er ein kabbalistisches Diagramm auf den Boden zeichnete. Im »Lazarus«-Video sieht man ihn zunächst tanzen, dann irgendetwas im Wahn niederschreiben – wie ein Mann, dem die Zeit davonläuft –, bevor er sich unnatürlich rückwärts bewegend in einem Schrank verschwindet.

Zwei Monate nach dem Dreh, an Bowies 69. Geburtstag, wurde *Blackstar* veröffenlicht. Die Kritiker, die zu diesem Zeitpunkt noch nichts von seiner schweren Krankheit ahnten, waren voll des Lobes für das neue Album. Zu Recht: Es ist ein überbordendes Werk, es sprüht nur so vor Energie und neuen Ideen. Es steckt so viel Schaffenskraft, so viel Kreativität darin. Kein Vergleich zu *The Next Day*.

Bowies Studioband auf *Blackstar* ist das Donny McCaslin Quartett. Bowie hatte die Jazzband 2014 in einem New Yorker Klub entdeckt, nachdem ihn die Jazzmusikerin Maria Schneider auf sie aufmerksam gemacht hatte. Das Ergebnis ihrer Zusammenarbeit ist phänomenal.

Bowie erschloss sich mit dem Free Jazz ein völlig neues Genre, das er sich so zu Eigen machte, dass sein Songwriting auch hierin Maßstäbe setzt. Der Experimentierfreude, ja der Abenteuerlust, die im Jazz tief verwurzelt ist, entspricht jene Triebkraft, die allen bahnbrechenden Bowie-Alben zugrunde liegt, sei es *Young Americans*, *Station to Station*, *Low*, *"Heroes"*, *1.Outside* oder einer seiner anderen musikalischen Meilensteine.

Das Album beginnt mit dem Titelsong. Es ist ein episches Werk, komplex, voller Anspielungen und extrem verstörend. Tony Visconti zufolge ist »Blackstar« das Ergebnis einer Verbindung zweier eigenständiger Kompositionen. Der erste Teil, der von einem beschwörenden Singsang dominiert wird, in dem von Hinrichtungen und Kerzen die Rede ist, klingt unheilvoll und düster. Der zweite Teil hingegen wird getragen von einer hellen, fröhlichen Melodie.

Viel ist in den Song hineininterpretiert worden, angefangen bei McCaslins Behauptung, Bowie habe ihm erzählt, »Blackstar« sei seine Reaktion auf die Verbrechen des IS. Bowies Pressesprecherin stellte allerdings klar, dass diese Deutung in die Irre gehe, was freilich nichts daran änderte, dass sich in den Tagen und Wochen nach dem Tod des Musikers viele an Interpretationen des Songs versuchten. Dass es im Grunde um Okkultismus gehe (manchen Lesarten zufolge enthält der Song Reminiszenzen an Aleister Crowley), wurde ebenso behauptet, wie dass der Schlüssel zum Verständnis im Bereich der Onkologie (der »schwarze Stern« als eine bestimmte Tumorwuchsform) oder der Astronomie (der »schwarze Stern« als Übergangsstadium zwischen einem kollabierten Stern und einer unendlichen Menge) zu finden wäre. Eine weitere Bedeutungsebene erschloss der Bowie-Experte und -Archivar Kevin Cann, indem er auf eine Referenz an Elvis verwies.

1960 nahm Elvis einen Song mit dem Titel »Black Star« auf, eine kaum bekannte Alternativversion von »Flaming Star«. Die ersten Zeilen daraus lauten: »Every man has a black star, a black star over his shoulder and when a man sees his black star he knows his time has come…« Versuchte Bowie mit dem Verweis auf eines seiner ersten musikalischen Vorbilder (das zufälligerweise auch am selben Tag Geburtstag hatte wie er selbst) einen Kreis zu schließen, um seinem bevorstehenden Tod einen Sinn zu verleihen?

Angenommen wir folgten der medizinischen Lesart von »Blackstar« und gingen davon aus, dass mit dem »schwarzen Stern« eine Art Tumor gemeint sei. Dann würde Bowie, der mitten in diesem erhabenen Song erklärt, dass er kein Filmstar, kein Popstar und auch kein »Gangstar« sei, sondern lediglich ein Blackstar, ein schwarzer Stern,

»At the centre of it all«: Szenen aus dem beeindruckenden »Blackstar«-Video, bei dem Johan Renck Regie führte.

sagen, dass er ein Mensch sei, der nur noch durch seine Krankheit definiert wird, die alles, was sein Leben ausgemacht hat, auf einen Schlag ausradiert.

Entscheidend ist allerdings etwas ganz anderes. Nämlich dass uns Bowies kryptische, bis zum Schluss vieldeutige Texte dazu zwingen, uns mit seiner Musik auseinanderzusetzen und für uns selbst eine eigene Bedeutung darin zu finden – wobei nicht alles besonders tiefsinnig sein muss.

»'Tis A Pity She Was A Whore« beispielsweise beginnt mit einer ziemlich witzigen Zeile, »Man, she punched me like a dude«, der einige weitere folgen, die ehrlich gesagt nicht viel Sinn ergeben (der Rezensent des *New Yorker* nannte es in seiner Besprechung von *Blackstar* Bowies »bereitwilliges Sich-zu-Eigen-Machen von Blödsinn«). Die Musik hingegen ist atemberaubend.

In »Lazarus« berührt er den Hörer, indem er davon singt, im Himmel zu sein, Narben zu haben, die niemand sehen kann, und frei zu sein wie ein Vogel. Zudem sagt er voraus, welche Auswirkung sein Tod auf seine Rezeption haben wird, wie die Zeile »Everybody knows me now« zeigt (wobei es natürlich vermessen wäre, zu glauben, dass wir Bowie jetzt wirklich kennen würden oder ihn jemals richtig kennenlernen könnten).

Die wesentlichen musikalischen Elemente von »Lazarus« sind Wiederholung und Intensität. Der dramatische Gitarrensound wird etwas zurückgenommen, um Bowies Stimme, die den Song am Ende dominiert, genügend Raum zu lassen. Das ist eines der vielen Klangwunder, die Tony Visconti auf diesem Album vollbrachte. Der Sound von *Blackstar* ist großartig, das Potenzial jedes einzelnen Tracks kommt voll zur Entfaltung. Bowie hätte sich keinen besseren Partner für sein letztes Album wünschen können.

»Sue (Or in A Season Of Crime)« hatte Bowie bereits 2014 mit dem Maria Schneider Orchestra aufgenommen. Im November desselben Jahres war es auf der Compilation *Nothing Has Changed* veröffentlicht worden. Für *Blackstar* wurde der Song mit McCaslins Band neu eingespielt.

In »Girl Loves Me« bedient sich Bowie des fiktionalen Jargons Nadsat, der von Anthony Burgess für seinen Roman *Uhrwerk Orange* erfundenen Jugendsprache. Damit verweist er indirekt auf Ziggy, war die Verfilmung von Burgess Roman doch eine Hauptinspirationsquelle für den Ziggy-Look. Darüber hinaus singt Bowie in dem Song auch in Polari, einem Soziolekt, der im London der 1950er-Jahre u.a. unter Homosexuellen weit verbreitet war.

Die zwei letzten Titel des Albums sind »Dollar Days« und »I Can't Give Everything Away«. Ausgangspunkt für »Dollar Days« war ein schlichtes Gitarrenthema, das Bowie im Studio entwickelte. Von dieser Melodie ausgehend entfaltet sich der Song und erkundet verschiedene musikalische Landschaften. Bowies Gesang ist ergreifend, er singt aus tiefstem Herzen: »Don't believe for just one second I'm forgetting you, I'm trying to, I'm dying to...«

Das Stück endet mit einem modernen Äquivalent zum Drum-Outro von »Five Years«, das nahtlos in »I Can't Give Everything Away« überleitet – Bowies letzte Botschaft an uns. Der Titel wirkt selbsterklärend (wenngleich man sich da bei Bowie nie sicher sein kann) und erinnert zudem an Bowies erste Solosingle, »Can't Help Thinking About Me«, auf der er davon sang, seine Sachen zu packen und sein Elternhaus zu verlassen, voller Zuversicht, alleine klarzukommen. Nun scheint der verlorene Sohn am Ende seiner Reise angekommen zu sein.

Seine ganze Karriere über hat Bowie sein Publikum herausgefordert und versucht, uns für neue Ideen und Erfahrungen zu begeistern. So auch auf *Blackstar*. Visconti soll er wenige Tage vor der Veröffentlichung verraten haben, dass er inzwischen noch von fünf neuen Songs Demoversionen aufgenommen habe. Bowie war bis zuletzt kreativ.

»David Bowie war alles: intelligent, einfallsreich, mutig, charismatisch, cool, sexy und inspirierend – Letzteres sowohl durch seine äußere Erscheinung als auch durch seine Musik. Er hat so unglaublich brillante Sachen gemacht, und dann auch noch so viele... Es gibt großartige Menschen, die großartige Dinge tun, aber wer hat schon eine Spur hinterlassen, die sich mit seiner vergleichen ließe? Es gibt niemanden wie ihn... Auf welcher Reise sich diese wunderbare Seele inzwischen auch befinden mag, ich hoffe, er kann auf irgendeine Weise spüren, wie sehr wir ihn alle vermissen.«

Kate Bush, 22.02.2016

Als sich die Nachricht von Bowies Tod verbreitete, verwandelte sich das Wandbild, das der australische Künstler Jimmy C 2013 in Bowies Geburtsort in Brixton angefertigt hatte, in einen Schrein. Das nahegelegene Ritzy-Kino änderte den Schriftzug auf seiner Reklametafel in »David Bowie, our Brixton boy, RIP« und Hunderte von Fans veranstalteten auf dem Platz davor ein spontanes Straßenfest zu Ehren dieses außergewöhnlichen Menschen.

STAR MAN!
GOBLIN KING
Thank you
David
You influenced my life
from my teenage years
onward. I will treasure
and play your music always
TO THE STARMAN

»DER MUSIK HABE ICH VIELE AUSSER-GEWÖHNLICHE ERFAHRUNGEN ZU VERDANKEN. SIE HAT DEN SCHMERZ UND DAS LEID ZWAR NICHT WIRKLICH GELINDERT, ABER SIE HAT MIR IMMER GESELLSCHAFT GELEISTET, WENN ICH EINSAM WAR, UND SIE HAT MIR ALS EINE SEHR FEINSINNIGE FORM DER KOMMUNIKATION GEHOLFEN, MENSCHEN ZU BERÜHREN. SIE IST FÜR MICH SOWOHL DAS TOR ZUR ERKENNTNIS ALS AUCH DAS HAUS, IN DEM ICH WOHNE.«

DAVID BOWIE, 1999

STUDIOALBEN

DAVID BOWIE 1967

Aufgenommen in den Decca Studios
165 Broadhurst Gardens, West Hampstead, London, UK
Produziert von Mike Vernon

Besetzung
David Bowie – Gesang, Gitarre, Saxofon
Derek Boyes – Orgel
John Eager – Schlagzeug
Derek Fearnley – Bass

Covergestaltung
Gerald Fearnley – Fotografie
Kenneth Pitt – Text

Seite eins
»Uncle Arthur«/»Sell Me A Coat«/»Rubber Band«/»Love You Till Tuesday«/»There Is A Happy Land«/»We Are Hungry Men«/»When I Live My Dream«

Seite zwei
»Little Bombardier«/»Silly Boy Blue«/»Come And Buy My Toys«/»Join The Gang«/»She's Got Medals«/»Maid Of Bond Street«/»Please Mr. Gravedigger«

Veröffentlichungsdatum
UK: 1. Juni 1967, US: August 1967

Label und Katalognummer
UK: Deram SML 1007, US: Deram DES 18003

Höchste Chartplatzierung
UK & US: keine Platzierung

Anmerkungen
Alle Songs von David Bowie.
»We Are Hungry Men« und »Maid Of Bond Street« fehlen auf der original US-Version. Zudem wurden zwei Titel auf dem Cover falsch geschrieben: »Little Bombadier« statt »Little Bombardier«; »Silly Boy Blues« statt »Silly Boy Blue«.
Wiederveröffentlicht als LP auf Deram, August 1984 (Kat.-Nr. DOA-1). Erste Veröffentlichung auf CD im Oktober 1983 in Deutschland auf London (Kat.-Nr. 800 087-2); 1989 im UK auf Deram (Kat.-Nr. 800 087-2); 2010 auf Deram (Kat.-Nr. 531 79-5) als Deluxe Edition inklusive Stereo- und Monomixe plus Bonusdisc mit zeitgenössischen Singles, einer 1968er-Version von »London Bye Ta-Ta« und einer 1967er-BBC-*Top Gear*-Session: »Rubber Band« (mono)/»The London Boys« (mono)/»The Laughing Gnome« (mono)/»The Gospel According To Tony Day« (mono)/»Love You Till Tuesday« (mono)/»Did You Ever Have A Dream« (mono)/»When I Live My Dream« (mono)/»Let Me Sleep Beside You« (mono)/»Karma Man« (mono)/»London Bye Ta-Ta« (mono)/»In The Heat Of The Morning« (mono)/»The Laughing Gnome« (stereo)/»The Gospel According To Tony Day« (stereo)/»Did You Ever Have A Dream« (stereo)/»Let Me Sleep Beside You« (stereo)/»Karma Man« (stereo)/»In The Heat Of The Morning« (stereo)/»When I'm Five«/»Ching-A-Ling« (stereo)/»Sell Me A Coat« (1969)/»Love You Till Tuesday« (BBC)/»When I Live My Dream« (BBC)/»Little Bombardier« (BBC)/»Silly Boy Blue« (BBC)/»In The Heat of the Morning« (BBC).

DAVID BOWIE / SPACE ODDITY 1969

Aufgenommen in den Trident Studios
17 St Anne's Court, Wardour Street, Soho, London, UK
Produziert von Tony Visconti (»Space Oddity« von Gus Dudgeon)

Besetzung
David Bowie – Gesang, Gitarre, Stylophone, Kalimba, Orgel
Paul Buckmaster – Cello
John Cambridge – Schlagzeug
Terry Cox – Schlagzeug
Keith Christmas – Gitarre
Herbie Flowers – Bass
John »Honk« Lodge – Bass
Benny Marshall – Mundharmonika
Tim Renwick – Gitarre, Flöte, Blockflöte
Tony Visconti – Bass, Flöte, Blockflöte
Rick Wakeman – Mellotron, elektrisches Cembalo
Mick Wayne – Gitarre

Covergestaltung
Vernon Dewhurst – Fotografie
Victor Vasarely – Gestaltung Vorderseite
George Underwood – Illustration Rückseite

Seite eins
»Space Oddity«/»Unwashed And Somewhat Slightly Dazed«/»Don't Sit Down«*/»Letter To Hermione«/»Cygnet Committee«

Seite zwei
»Janine«/»An Occasional Dream«/»Wild Eyed Boy From Freecloud«/»God Knows I'm Good«/»Memory Of A Free Festival«

Veröffentlichungsdatum
14. November 1969

Label und Katalognummer
UK: Philips SBL 7912, US: Mercury 61246

Gegenüber: PR-Auftritt zur Sound+Vision-Tour, Tokio, 12. Mai 1990.

Höchste Chartplatzierung
UK & US: keine Platzierung

Anmerkungen
Alle Songs von David Bowie.
Der Originaltitel *David Bowie* (UK) bzw. *David Bowie: Man of Words, Man of Music* (US) wurde mit der Wiederveröffentlichung von 1972 geändert in *Space Oddity.*
*»Don't Sit Down« fehlt auf der original US- und jeder späteren Veröffentlichung bis 1990. Auf dem US-Cover rückt zudem Bowies Gesicht stärker in den Vordergrund und der gepunktete, farblich changierende Hintergrund ist durch einen klaren einfarbigen ersetzt.
Wiederveröffentlicht als LP unter dem Titel *Space Oddity* auf RCA 1972 (Kat.-Nr. LSP 4813) mit einem neuen Cover, das ein Ziggy-Stardust-Porträt von Mick Rock zeigt, ohne »Don't Sit Down«; im Oktober 1984 auf RCA im UK (Kat.-Nr. PL 84813); im April 1990 in den USA als transparente Doppel-LP auf Rykodisc (Kat.-Nr. RALP 0131-2) und im UK als normale LP auf EMI (Kat.-Nr. EMC 3571) mit dem wieder zur Tracklist hinzugenommenen »Don't Sit Down« und Bonussongs: »Conversation Piece«/»Memory Of A Free Festival« (Part 1)/»Memory Of A Free Festival« (Part 2); 2000 im UK als Teil der Simply Vinyl Series von Virgin/EMI (Kat.-Nr. SVLP 263).
Wiederveröffentlicht als CD 1985 auf RCA (Kat.-Nr. PD 84813); 40th Anniversary Doppel-CD-Edition veröffentlicht 2009 (Kat.-Nr. EMI DBSOCD 40) inklusive Bonusdisc mit: »Space Oddity« (demo)/»An Occasional Dream« (demo)/»The Wild Eyed Boy From Freecloud« (B-side)/»Let Me Sleep Beside You« (live)/»Unwashed And Somewhat Slightly Dazed« (live)/»Janine« (live)/»London Bye Ta-Ta« (stereo version)/»The Prettiest Star« (stereo version)/»Conversation Piece« (stereo version)/»Memory Of A Free Festival« (Part 1)/»Memory Of A Free Festival« (Part 2)/»The Wild Eyed Boy From Freecloud« (alternate album mix)/»Memory Of A Free Festival« (alternate album mix)/»London Bye Ta-Ta« (alternate stereo mix)/»Ragazzo Solo, Ragazza Sola« (full-length stereo version).

THE MAN WHO SOLD THE WORLD 1970

Aufgenommen in den Trident Studios
17 St Anne's Court, Wardour Street, Soho, London, UK
Advision Studios,
23 Gosfield Street, London, UK
Produziert von Tony Visconti

Besetzung
David Bowie – Gesang, Gitarre
Ralph Mace – Synthesizer
Mick Ronson – Gitarre, Gesang
Tony Visconti – Bass, Piano, Gitarre
Mick »Woody« Woodmansey – Schlagzeug

Covergestaltung
Keith »Keef« MacMillan – Fotografie (UK)
Mike Weller – Illustration (US)

Seite eins
»The Width Of A Circle«/»All The Madmen«/»Black Country Rock«/»After All«

Seite zwei
»Running Gun Blues«/»Saviour Machine«/»She Shook Me Cold«/»The Man Who Sold The World«/ »The Supermen«

Veröffentlichungsdatum
UK: April 1971, US: 4. November 1970

Label und Katalognummer
UK: Mercury 6338 041, US: Mercury 61325

Höchste Chartplatzierung
keine Platzierung

Anmerkungen
Alle Songs von David Bowie.
Die original US-Veröffentlichung zeigt einen Cartoon von Mike Weller mit einem Cowboy vor dem Cane Hill Hospital auf dem Cover. Wiederveröffentlichungen in den Jahren 1972, 1983 und 1984 zeigen auf dem Cover ein von Brian Ward geschossenes SW-Foto, auf dem ein sein Bein in die Luft schwingender Ziggy zu sehen ist.
Wiederveröffentlichungen als LP 1972 auf RCA (Kat.-Nr. LSP 4816); 1983 auf RCA (Kat.-Nr. INTS 5237); 1984 auf RCA (Kat.-Nr. NL 84654); 1990 als Doppel-LP in den USA auf Rykodisc (Kat.-Nr. RALP 0132-2 2LP) und im UK auf EMI (Kat.-Nr. EMC 3573); 2001 im UK als Teil der Simply Vinyl Series von Virgin/EMI (Kat.-Nr. SVLP264).
Wiederveröffentlicht als CD 1984 (PD-84654); 1990 in den USA auf Rykodisc (Kat.-Nr. RCD 10132) und im UK auf EMI (Kat.-Nr. CDP 79 1837 2) mit den Bonustracks: »Lightning Frightening«/»Holy Holy«/»Moonage Daydream« (Arnold Corns)/»Hang On To Yourself« (Arnold Corns).

HUNKY DORY 1971

Aufgenommen in den Trident Studios
17 St Anne's Court, Wardour Street, Soho, London, UK
Produziert von Ken Scott und David Bowie

Besetzung
David Bowie – Gesang, Gitarre, Saxofon, Piano
Trevor Bolder – Bass, Trompete
Mick Ronson – Gitarre
Rick Wakeman – Piano
Mick »Woody« Woodmansey – Schlagzeug

Covergestaltung
Brian Ward – Fotografie
Terry Pastor – Kolorierung

Seite eins
»Changes«/»Oh! You Pretty Things«/»Eight Line Poem«/»Life On Mars?«/»Kooks«/»Quicksand«

Seite zwei
»Fill Your Heart«/»Andy Warhol«/»Song For Bob Dylan«/»Queen Bitch«/»The Bewlay Brothers«

Veröffentlichungsdatum
17. November 1971

Label und Katalognummer
UK: RCA SF 8244, US: RCA LSP 4623

Höchste Chartplatzierung
UK: 3, US: 93

Anmerkungen
Alle Songs von David Bowie, außer Seite zwei, Track eins: Biff Rose/Paul Williams.
Wiederveröffentlicht als LP im Januar 1981 auf RCA (Kat.-Nr. INTS 5064); im April 1984 im UK als Limited Edition Picture Disc (Kat.-Nr. BOPIC2); im November 1984 auf RCA (Kat.-Nr. NL 83844); im April 1990 als Doppel-LP in den USA auf Rykodisc (Kat.-Nr. RALP 0133-2) und im UK auf EMI (Kat.-Nr. EMC 3572) mit den Bonustracks »Bombers«/»The Supermen« (alternate version)/»Quicksand« (demo)/»The Bewlay Brothers (alternate mix)«; 2001 im UK als Teil der Simply Vinyl Series von Virgin/EMI (Kat.-Nr. SVLP265).
Wiederveröffentlichungen auf CD 1985 in Deutschland auf RCA (Kat.-Nr. RCA PD-84623); 1990 in den USA auf Rykodisc (Kat.-Nr. RCD 10133) und im UK auf EMI (Kat.-Nr. CDP 79 1843 2) mit Bonustracks (siehe oben).

THE RISE AND FALL OF ZIGGY STARDUST AND THE SPIDERS FROM MARS 1972

Aufgenommen in den Trident Studios
17 St Anne's Court, Wardour Street, Soho, London, UK
Produziert von Ken Scott und David Bowie

Besetzung
David Bowie – Gesang, Gitarre, Keyboard, Saxofon
Trevor Bolder – Bass
Dana Gillespie – Backgroundgesang (»It Ain't Easy«)
Mick Ronson – Gitarre, Piano, Gesang
Rick Wakeman – Cembalo, Keyboard (»It Ain't Easy«)
Mick »Woody« Woodmansey – Schlagzeug

Covergestaltung
Brian Ward – Fotografie
Terry Pastor – Kolorierung

Seite eins
»Five Years«/»Soul Love«/»Moonage Daydream«/»Starman«/»It Ain't Easy«

Seite zwei
»Lady Stardust«/»Star«/»Hang On To Yourself«/»Ziggy Stardust«/»Suffragette City«/»Rock'n'Roll Suicide«

Veröffentlichungsdatum
UK: 6. Juni 1972, US: 1. September 1972

Label und Katalognummer
UK: RCA SF8287, US: AFL-1 4702

Höchste Chartplatzierung
UK: 5, US: 75

Anmerkungen
Alle Songs von David Bowie, außer Seite eins, Track fünf: Ron Davies.
Wiederveröffentlicht als LP 1981 auf RCA (Kat.-Nr. INTS 5063); im April 1984 im UK als Limited Edition Picture Disc auf RCA (Kat.-Nr. BOPIC 3); 1984 auf RCA (Kat.-Nr. NL 83843); im Juni 1990 als Doppel-LP in den USA auf Rykodisc (Kat.-Nr. RALP 0134-2) und im UK auf EMI (Kat.-Nr. EMC 3577) mit Bonustracks: »John, I'm Only Dancing« (remix)/ »Velvet Goldmine«/»Sweet Head«/»Ziggy Stardust« (demo)/»Lady Stardust« (demo); 2001 im UK als Teil der Simply Vinyl Series von Virgin/EMI (Kat.-Nr. SVLP 275).
Wiederveröffentlicht als CD 1985 in Deutschland auf RCA (Kat.-Nr. PD-84702); 1990 in den USA auf Rykodisc (Kat.-Nr. RCD 10134) und im UK auf EMI (Kat.-Nr. CDP 79 4400 2); 1990 als Limited Edition Boxed Set in den USA auf Rykodisc (Kat.-Nr. RCD 90134) und im UK auf EMI (Kat.-Nr. CDEMCX 3577) mit Bonustracks (siehe oben); im September 1999 im UK auf EMI (Kat.-Nr. 7243 5219000); im Juli 2002 im UK als Doppel-CD 30th Anniversary Ed. auf EMI (Kat.-Nr. 539 8262) mit Bonustracks: »Moonage Daydream« (Arnold Corns)/»Hang On To Yourself« (Arnold Corns)/»Lady Stardust« (demo)/»Ziggy Stardust« (demo)/»John, I'm Only Dancing«/»Velvet Goldmine«/»Holy Holy«/»Amsterdam«/ »The Supermen«/»Round And Round«/»Sweet Head« (take 4)/»Moonage Daydream« (new mix).

ALADDIN SANE 1973

Aufgenommen in den Trident Studios
17 St Anne's Court, Wardour Street, Soho, London, UK
RCA Studios
155 East 24th Street, Manhattan, New York, USA
RCA Studios
1611 Roy Acuff Place, Nashville, Tennessee, USA

Produziert von David Bowie und Ken Scott

Besetzung
David Bowie – Gitarre, Mundharmonika, Saxofon, Gesang
Trevor Bolder – Bass
Ken Fordham – Saxofon
Juanita »Honey« Franklin – Backgroundgesang
Mike Garson – Piano
Linda Lewis – Backgroundgesang
Mac Cormack (Geoff MacCormack) – Backgroundgesang
Mick Ronson – Gitarre, Piano, Gesang
Brian »Bux« Wilshaw – Saxofon, Flöte
Mick »Woody« Woodmansey – Schlagzeug

Covergestaltung
Brian Duffy – Fotografie

Seite eins
»Watch That Man«/»Aladdin Sane« (1913–1938–197?)/ »Drive-In Saturday«/»Panic In Detroit«/»Cracked Actor«

Seite zwei
»Time«/»The Prettiest Star«/»Let's Spend The Night Together«/»The Jean Genie«/»Lady Grinning Soul«

Veröffentlichungsdatum
13. April 1973

Label und Katalognummer
RCA RS 1001

Höchste Chartplatzierung
UK: 1, US: 17

Anmerkungen
Alle Songs von David Bowie, außer Seite zwei, Track drei: Mick Jagger/Keith Richards.
Wiederveröffentlicht als LP im Januar 1981 auf RCA (Kat.-Nr. INTS 5067); im März 1984 auf RCA (Kat.-Nr. NL 83890); im April 1984 als Picture Disc auf RCA (Kat.-Nr. BOPIC 1); im Juli 1990 in den USA auf Rykodisc (Kat.-Nr. RALP 0135-2) und im UK auf EMI (Kat.-Nr. EMC 3579); im September 1999 im UK als Limited Millennium Edition auf EMI (Kat.-Nr. 7243 4994631 6); 2001 im UK als Teil der Simply Vinyl Series von Virgin/EMI (Kat.-Nr. SVLP 276).
Wiederveröffentlicht als CD 1984 in Deutschland auf RCA (Kat.-Nr. PD 83890); im Juli 1990 in den USA auf Rykodisc (Kat.-Nr. RCD 10135) und im UK auf EMI (Kat.-Nr. EMC 3579); im September 1999 auf EMI (Kat.-Nr. 7243 5219020); im Mai 2003 als 30th Anniversary Doppel-CD Edition auf EMI (Kat.-Nr. 7243 5830122) mit Bonustracks: »John, I'm Only Dancing« (sax version)/»The Jean Genie« (original single mix)/»Time« (single edit)/»All The Young Dudes«/ »Changes« (live in Boston 1/10/1972)/»The Supermen« (live in Boston 1/10/1972)/»Life On Mars?« (live in Boston 1/10/1972)/ »John, I'm Only Dancing« (live in Boston 1/10/1972)/»The Jean Genie« (live in Santa Monica 20/10/1972)/»Drive-In Saturday« (live in Cleveland 25/11/1972), und 2014 als 30th Anniversary Remastered Edition auf EMI (Kat.-Nr. DBAS40).

PIN UPS 1973

Aufgenommen in den Château d'Hérouville Studios
Pontoise, Frankreich
Produziert von David Bowie und Ken Scott

Besetzung
David Bowie – Gesang, Gitarre, Saxofon
Trevor Bolder – Bass
Aynsley Dunbar – Schlagzeug
Ken Fordham – Saxofon
Mike Garson – Piano
G A MacCormack (Geoff MacCormack) – Backgroundgesang
Mick Ronson – Gitarre, Piano, Gesang

Covergestaltung
Justin de Villeneuve – Fotografie Vorderseite
Mick Rock – Fotografie Rückseite

Seite eins
»Rosalyn«/»Here Comes The Night«/»I Wish You Would«/ »See Emily Play«/»Everything's Alright«/»I Can't Explain«

Seite zwei
»Friday On My Mind«/»Sorrow«/»Don't Bring Me Down«/ »Shapes Of Things«/»Anyway, Anyhow, Anywhere«/ »Where Have All The Good Times Gone!«

Veröffentlichungsdatum
19. Oktober 1973

Label und Katalognummer
RCA RS 1003

Höchste Chartplatzierung
UK: 1, US: 23

Anmerkungen
Die Songs wurden geschrieben von (in der entsprechenden Reihenfolge): Jimmy Duncan/Bill Farley; Bert Berns; Billy Boy Arnold; Syd Barrett; Nicky Crouch/John Konrad/Simon Stavely/Stuart James/Keith Karlson; Pete Townshend; George Young/Harry Vanda; Bob Feldman/Jerry Goldstein/Richard Gotteher; Johnnie Dee; Paul Samwell-Smith/Jim McCarty/Keith Relf; Roger Daltrey/Pete Townshend; Ray Davies.
Wiederveröffentlicht als LP im Februar 1983 auf RCA (Kat.-Nr. INTS

5236); im April 1984 als Limited Edition Picture Disc auf RCA (Kat.-Nr. BOPIC 4); im Juli 1990 in den USA auf Rykodisc (Kat.-Nr. RALP 0136-2) und im UK auf EMI (Kat.-Nr. EMC 3580) mit Bonustracks: »Growin' Up«/»Amsterdam«; 2001 im UK als Teil der Simply Vinyl Series von Virgin/EMI (Kat.-Nr. SVLP 277).
Wiederveröffentlicht als CD 1984 in Deutschland auf RCA (Kat.-Nr. PD 84653); im Juli 1990 in den USA auf Rykodisc (RCD 10146) und im UK auf EMI (Kat.-Nr. CDP 79 4767 2) mit Bonustracks (siehe oben); im September 1999 auf EMI (Kat.-Nr. 7243 5219030) remastered, aber ohne die Bonustracks der Ausgaben von 1990.

DIAMOND DOGS 1974

Aufgenommen in den Olympic Studios
117 Church Road, Barnes, London, UK
Island Studios
8–10 Basing Street, London, UK
Studio L. Ludolf
Machineweg 8–12, Hilversum, Niederlande
Produziert von David Bowie

Besetzung
David Bowie – Gesang, Gitarre, Saxofon, Moog-Synthesizer, Mellotron
Aynsley Dunbar – Schlagzeug
Herbie Flowers – Bass
Mike Garson – Keyboard
Tony Newman – Schlagzeug
Alan Parker – Gitarre (»1984«)
Tony Visconti – Streicherarrangements

Covergestaltung
Guy Peellaert – Illustration
Terry O'Neill – Fotografie
Leee Black Childers – Gatefold-Collage

Seite eins
»Future Legend«/»Diamond Dogs«/»Sweet Thing«/»Candidate«/»Sweet Thing (reprise)«/»Rebel Rebel«

Seite zwei
»Rock'n'Roll With Me«/»We Are The Dead«/»1984«/»Big Brother«/»Chant Of The Ever Circling Skeletal Family«

Veröffentlichungsdatum
31. Mai 1974

Label und Katalognummer
RCA APL1 0576

Höchste Chartplatzierung
UK: 1, US: 5

Anmerkungen
Alle Songs von David Bowie, außer Seite zwei, Track eins: David Bowie/Warren Peace (Geoff MacCormack).
Das Album wurde 2003 als Teil eines Doppel-CD-Set zusammen mit *Aladdin Sane* und 2004 als Teil eines Dreifach-CD-Sets zusammen mit *Aladdin Sane* und *Hunky Dory* veröffentlicht.
Wiederveröffentlicht als LP im Mai 1983 auf RCA (Kat.-Nr. INTS 5068); im März 1984 auf RCA (Kat.-Nr. NL 83889); im April 1984 als Limited Edition Picture Disc auf RCA (Kat.-Nr. BOPIC 5); im August 1990 in den USA auf Rykodisc (Kat.-Nr. RALP 0137-2) und im UK auf EMI (Kat.-Nr. EMC 3584) mit unzensiertem Cover und Bonustracks: »Dodo«/»Candidate« (demo).
Wiederveröffentlicht als CD 1985 in Deutschland auf RCA (Kat.-Nr. PD 83889); im August 1990 in den USA auf Rykodisc (Kat.-Nr. RCD 10137) und im UK auf EMI (Kat.-Nr. CDP 79 5211 2) mit Bonustracks (siehe oben); 1999 auf EMI (Kat.-Nr. 7243 5219040) remastered; 2004 auf EMI (Kat.-Nr. 07243 57785754) als Doppel-CD 30th anniversary edition mit Bonustracks: »1984/Dodo«/»Rebel Rebel« (US single version)/»Dodo«/»Growin' Up«/»Alternative Candidate«/ »Diamond Dogs« (K-Tel Best Of edit)/»Candidate« (Intimacy mix)/»Rebel Rebel« (2003 version).

YOUNG AMERICANS 1975

Aufgenommen in den Sigma Sound Studios
212 North 12th Street, Philadelphia, USA
Electric Lady Studios
52 West 8th Street, New York, USA
Produziert von Tony Visconti (»Across The Universe« und »Fame« von David Bowie und Harry Maslin)

Besetzung
David Bowie – Gesang, Gitarre, Piano
Carlos Alomar – Gitarre
Ava Cherry – Backgroundgesang
Robin Clark – Backgroundgesang
Mike Garson – Piano
Anthony Hinton – Backgroundgesang
Warren Peace (Geoff MacCormack) – Backgroundgesang
Andy Newmark – Schlagzeug
Pablo Rosario – Percussion
David Sanborn – Saxofon
Diane Sumler – Backgroundgesang
Luther Vandross – Backgroundgesang
Larry Washington – Conga
Willie Weeks – Bass
Nur »Across The Universe« und »Fame«:
Dennis Davis – Schlagzeug
Jean Fineberg – Backgroundgesang
Emir Kassan – Bass
John Lennon – Gesang, Gitarre
Ralph McDonald – Percussion

Jean Millington – Backgroundgesang
Earl Slick – Gitarre

Covergestaltung
Eric Stephen Jacobs – Fotografie

Seite eins
»Young Americans«/»Win«/»Fascination«/»Right«

Seite zwei
»Somebody Up There Likes Me«/»Across The Universe«/ »Can You Hear Me«/»Fame«

Veröffentlichungsdatum
7. März 1975

Label und Katalognummer
RCA RS 1006

Höchste Chartplatzierung
UK: 2, US: 9

Anmerkungen
Alle Songs von David Bowie, außer Seite eins, Track drei: David Bowie/Luther Vandross; Seite zwei, Track zwei: Lennon/McCartney; Seite zwei, Track vier: David Bowie/Carlos Alomar/John Lennon.
Die Originalplatte steckte in einer einfachen Hülle, die 1991er-Wiederveröffentlichung besaß ein Gatefold-Cover, doch waren auf der Coverinnenseite keine Texte abgedruckt.
Das Album wurde 2004 als Teil eines Dreifach-CD-Set zusammen mit *Let's Dance* und *Station To Station* veröffentlicht.
Wiederveröffentlicht auf LP im Oktober 1984 auf RCA (Kat.-Nr. PL 80998); im April 1991 auf EMI (Kat.-Nr. EMD 1021) mit Bonustracks: »Who Can I Be Now?«/»It's Gonna Be Me«/»John, I'm Only Dancing (Again)«. Wiederveröffentlicht auf CD 1985 in Deutschland auf RCA (Kat.-Nr. PD 80998); im April 1991 in den USA auf Rykodisc (Kat.-Nr. RCD 10140) und im UK auf EMI (CDP 79 6436 2) mit Bonustracks (siehe oben); im September 1999 auf EMI (Kat.-Nr. 7243 5219050 8); 2007 in den USA auf EMI (Kat.-Nr. 0946 3 51260 2 0) und im UK (Kat.-Nr. 09463 51258 2 5) als Doppel-Disc CD/DVD mit Filmmaterial aus der *Dick Cavett Show,* inklusive »1984«, »Young Americans« und einem Interview mit Dick Cavett. Bonustracks auf der CD: »John, I'm Only Dancing (Again)«/»Who Can I Be Now?«/ »It's Gonna Be Me« (with strings).

STATION TO STATION 1976

Aufgenommen in den Cherokee Studios
751 North Fairfax Avenue, Los Angeles, USA
Record Plant Studios
8456 West Third Street, Los Angeles, USA
Produziert von David Bowie und Harry Maslin

Besetzung
David Bowie – Gesang, Gitarre, Saxofon
Carlos Alomar – Gitarre
Roy Bittan – Piano
Dennis Davis – Schlagzeug
Warren Peace (Geoff MacCormack) – Backgroundgesang
George Murray – Bass
Earl Slick – Gitarre

Covergestaltung
Steve Schapiro – Fotografie

Seite eins
»Station To Station«/»Golden Years«/»Word On A Wing«

Seite zwei
»TVC 15«/»Stay«/»Wild Is The Wind«

Veröffentlichungsdatum
23. Januar 1976

Label und Katalognummer
RCA APLI 1327

Höchste Chartplatzierung
UK: 5, US: 3

Anmerkungen
Alle Songs von David Bowie, außer Seite zwei, Track drei: Ned Washington/Dimitri Tiomkin.
Das Cover war ursprünglich ungerahmt und farbig gestaltet, bis zu einer von Bowie in letzter Minute veranlassten Änderung. Einige farbige Proof- bzw. Promo-Exemplare existieren noch.
Das Album wurde 2004 als Teil eines Dreifach-CD-Sets zusammen mit *Let's Dance* und *Young Americans* veröffentlicht.
Wiederveröffentlicht als LP 1984 auf RCA (Kat.-Nr. PL 81327); im April 1991 auf EMI (Kat.-Nr. EMD 1020) mit farbig gestaltetem Cover und Bonustracks: »Word On A Wing« (live)/»Stay« (live). Wiederveröffentlicht als CD 1985 in Deutschland auf RCA (Kat.-Nr. PD 8132); im April 1991 in den USA auf Rykodisc (Kat.-Nr. RCD 10141) und im UK auf EMI (Kat.-Nr. CDP 79 6435 2) mit farbig gestaltetem Cover und Bonustracks (siehe oben); 1999 auf EMI (Kat.-Nr. 7243 5219060 7) remastered, mit farbig gestaltetem Cover; 2010 auf EMI (Kat.-Nr. BOWSTSX2010) als Dreifach-CD Special Edition mit Bonustracks, aufgenommen live im Nassau Coliseum 1976: »Station To Station«/»Suffragette City«/»Fame«/ »Word On A Wing«/»Stay«/»Waiting For The Man«/»Queen Bitch«/»Life On Mars?«/»Five Years«/»Panic In Detroit«/ »Changes«/»TVC 15«/ »Diamond Dogs«/»Rebel Rebel«/ »The Jean Genie« und einem nur als Download verfügbaren »Panic In Detroit« (unedited alternate mix); 2010 auf EMI (Kat.-Nr. BOWSTSD2010) als Dreier-LP, Fünfer-CD, DVD Deluxe Edition mit zusätzlichen Bonustracks: »Golden

Years« (single version)/»TVC 15« (single edit)/»Stay« (single edit)/ »Word On A Wing« (single edit)/»Station To Station« (single edit).

LOW 1977

Aufgenommen in den Château d'Hérouville Studios
Pontoise, Frankreich
Hansa Studios
Köthener Straße 38, 10963 Berlin, BRD
Produziert von David Bowie und Tony Visconti

Besetzung
David Bowie – Gesang, ARP-Synthesizer, Saxofon, Cello, Gitarre, Mundharmonika, Piano, Percussion, Chamberlin-Keyboard, Vibraphon, Xylophon, Ambient Sounds
Carlos Alomar – Gitarre
Dennis Davis – Percussion
Brian Eno – Rimmer E.M.I., Splinter Mini-Moog-Synthesizer, Report ARP-Synthesizer, Chamberlin-Keyboard, Gitarreneffekte, Gesang (»Sound And Vision«)
Ricky Gardiner – Gitarre
Eduard Meyer – Cello (»Art Decade«)
George Murray – Bass
Iggy Pop – Gesang (»What In The World«)
Mary Visconti – Gesang (»Sound And Vision«)
Roy Young – Piano, Farfisa-Orgel
Peter und Paul – Piano, ARP-Synthesizer (»Subterraneans«)

Covergestaltung
Steve Schapiro – Fotografie

Seite eins
»Speed Of Life«/»Breaking Glass«/»What In The World«/ »Sound And Vision«/»Always Crashing In The Same Car«/ »Be My Wife«/ »A New Career In A New Town«

Seite zwei
»Warszawa«/»Art Decade«/»Weeping Wall«/»Subterraneans«

Veröffentlichungsdatum
14. Januar 1977

Label und Katalognummer
RCA PL 12030

Höchste Chartplatzierung
UK: 2, US: 11

Anmerkungen
Alle Songs von David Bowie, außer Seite eins, Track zwei: David Bowie/Dennis Davis/George Murray; Seite zwei, Track eins: David Bowie/Brian Eno.
Eine geringe Stückzahl der Originalpressung war aus rotem Vinyl. Das Album wurde 2004 als Teil eines Doppel-CD-Sets zusammen mit *"Heroes"* veröffentlicht.
Wiederveröffentlicht als LP im Juni 1983 auf RCA (Kat.-Nr. INTS 5065); im März 1984 auf RCA (Kat.-Nr. NL 83856); im August 1991 auf EMI (Cat.No EMD 1027) remastered, mit Bonustracks: »Some Are«/»All Saints«/»Sound And Vision« (remixed).
Wiederveröffentlicht als CD 1985 in Deutschland auf RCA (Kat.-Nr. PD 83856); im August 1991 in den USA auf Rykodisc (Kat.-Nr. RCD 10142) und im UK auf EMI (Kat.-Nr. CDP 79 7719 2) remastered, mit Bonustracks (siehe oben); im September 1999 auf EMI (Kat.-Nr. 7243 521907 0 6).

"HEROES" 1977

Aufgenommen in den Hansa Studios
Köthener Straße 38, 10963 Berlin, BRD
Produziert von David Bowie und Tony Visconti

Besetzung
David Bowie – Gesang, Keyboard, Gitarre, Saxofon, Koto
Carlos Alomar – Gitarre
Dennis Davis – Percussion
Brian Eno – Synthesizer, Keyboard, Gitarreneffekte
Robert Fripp – Gitarre
Antonia Maass – Backgroundgesang
George Murray – Bass
Tony Visconti – Backgroundgesang

Covergestaltung
Masayoshi Sukita – Fotografie

Seite eins
»Beauty and the Beast«/»Joe the Lion«/»"Heroes"«/ »Sons of the Silent Age«/»Blackout«

Seite zwei
»V-2 Schneider«/»Sense of Doubt«/»Moss Garden«/ »Neuköln«/»The Secret Life of Arabia«

Veröffentlichungsdatum
14. Oktober 1977

Label und Katalognummer
RCA PL 12522

Höchste Chartplatzierung
UK: 3, US: 35

Anmerkungen
Alle Songs von David Bowie, außer Seite eins, Track drei, und Seite zwei, Tracks drei und vier: David Bowie/Brian Eno; Seite zwei,

Track fünf: David Bowie/Brian Eno/Carlos Alomar.
Das Album wurde 2003 als Teil eines Doppel-CD-Sets zusammen mit *Scary Monsters ... And Super Creeps* und 2004 als Teil eines Doppel-CD-Sets zusammen mit *Low* veröffentlicht.
Wiederveröffentlicht als LP im Juni 1983 auf RCA (Kat.-Nr. INTS 5066); im November 1984 auf RCA (Kat.-Nr. NL 83857); 1991 auf EMI (Kat.-Nr. EMD 1025) mit einem Gatefold-Cover.
Wiederveröffentlicht als CD 1985 in Deutschland auf RCA (Kat.-Nr. PD 83857); 1991 in den USA auf Rykodisc (Kat.-Nr. RCD 10143) und im UK auf EMI (Kat.-Nr. CDP 79 7720 2) mit Bonustracks: »Abdulmajid«/»Joe The Lion (remixed)«; 1999 auf EMI (Kat.-Nr. 7243 5219080) remastered.

LODGER 1979

Aufgenommen in den Mountain Studios
Rue de Théâtre 9, Montreux, Schweiz
Record Plant Studios
321 West 44th Street, New York, USA
Produziert von David Bowie und Tony Visconti

Besetzung
David Bowie – Gesang, Piano, Synthesizer, Chamberlin-Keyboard, Gitarre
Carlos Alomar – Gitarre, Schlagzeug
Adrian Belew – Mandoline, Gitarre
Dennis Davis – Percussion
Brian Eno – Ambient-Drone-Sounds, Präpariertes Piano, Cricket-Menace-Sounds, Synthesizer, Gitarreneffekte, Trompete, Waldhorn, Piano
Simon House – Mandoline, Violine
Sean Mayes – Piano
George Murray – Bass
Roger Powell – Synthesizer
Stan – Saxofon
Tony Visconti – Mandoline, Backgroundgesang, Gitarre

Covergestaltung
Brian Duffy – Fotografie
Derek Boshier und David Bowie – Gesamtkonzept

Seite eins
»Fantastic Voyage«/»African Night Flight«/»Move On«/»Yassassin«/»Red Sails«

Seite zwei
»D.J.«/»Look Back In Anger«/»Boys Keep Swinging«/»Repetition«/»Red Money«

Veröffentlichungsdatum
18. Mai 1979

Label und Katalognummer
RCA BOWLP 1

Höchste Chartplatzierung
UK: 4, US: 20

Anmerkungen
Alle Songs von David Bowie/Brian Eno, außer Seite eins, Tracks drei und vier: David Bowie; Seite zwei, Track eins: David Bowie/Brian Eno/Carlos Alomar; Seite zwei, Track vier: David Bowie; Seite zwei, Track fünf: David Bowie/Carlos Alomar.
Das Album wurde 2004 als Teil eines Doppel-CD-Sets zusammen mit *Scary Monsters ... And Super Creeps* veröffentlicht.
Wiederveröffentlicht als LP 1982 auf RCA (Kat.-Nr. INTS 5212); im März 1984 auf RCA (Kat.-Nr. NL 84234); 1991 auf EMI (Kat.-Nr. 064 7 97724 1) mit Bonustracks: »I Pray, Olé«/»Look Back In Anger« (1988 version). Wiederveröffentlicht als CD 1985 in Deutschland auf RCA (Kat.-Nr. PD 84234); 1991 in den USA auf Rykodisc (Kat.-Nr. RCD 10146) und im UK auf EMI (Kat.-Nr. EMD 1026) mit Bonustracks (siehe oben); 1999 auf EMI (Kat.-Nr. 7243 5219090) remastered.

SCARY MONSTERS ... AND SUPER CREEPS 1980

Aufgenommen in The Power Station
441 West 53rd Street, New York, USA
Good Earth Studios
59 Dean Street, London, UK
Produziert von David Bowie und Tony Visconti

Besetzung
David Bowie – Gesang, Keyboard
Carlos Alomar – Gitarre
Roy Bittan – Piano
Andy Clark – Synthesizer
Dennis Davis – Percussion
Robert Fripp – Gitarre
Chuck Hammer – Gitarre (»Ashes To Ashes« und »Teenage Wildlife«)
Michi Hirota – Stimme (»It's No Game [No. 1]«)
Lynn Maitland – Backgroundgesang
George Murray – Bass
Chris Porter – Backgroundgesang
Pete Townshend – Gitarre (»Because You're Young«)
Tony Visconti – Backgroundgesang, akustische Gitarre (»Up The Hill Backwards« und »Scary Monsters«)

Covergestaltung
Brian Duffy – Fotografie
Edward Bell – Illustration

Seite eins
»It's No Game [No. 1]«/»Up The Hill Backwards«/»Scary Monsters (And Super Creeps)«/»Ashes To Ashes«/»Fashion«

Seite zwei
»Teenage Wildlife«/»Scream Like A Baby«/»Kingdom Come«/»Because You're Young«/»It's No Game [No. 2]«

Veröffentlichungsdatum
12. September 1980

Label und Katalognummer
RCA BOWLP 2

Höchste Chartplatzierung
UK: 1, US: 12

Anmerkungen
Alle Songs von David Bowie, außer Seite zwei, Track drei: Tom Verlaine.
Das Album wurde 2003 als Teil eines Doppel-CD-Sets zusammen mit *"Heroes"* und 2004 als Teil eines Doppel-CD-Sets zusammen mit *Lodger* veröffentlicht.
Wiederveröffentlicht als LP im März 1984 auf RCA (Kat.-Nr. PL 83647).
Wiederveröffentlicht als CD 1985 in Deutschland auf RCA (Kat.-Nr. PD 83647); 1992 in den USA auf Rykodisc (Kat.-Nr. RCD 20147) und im UK auf EMI (Kat.-Nr. CDP 79 9331 2) mit Bonustracks: »Space Oddity« (1979)/»Panic In Detroit« (1979)/»Crystal Japan«/»Alabama Song«; 1999 auf EMI (Kat.-Nr. 7243 521 8950) remastered.

LET'S DANCE 1983

Aufgenommen in The Power Station
441 West 53rd Street, New York, USA
Produziert von David Bowie und Nile Rodgers

Besetzung
David Bowie – Gesang
Robert Arron – Tenorsaxofon, Flöte
Bernard Edwards – Bass (»Without You«)
Steve Elson – Baritonsaxofon, Flöte
Sammy Figueroa – Percussion
Mac Gollehon – Trompete
Omar Hakim – Schlagzeug
Stan Harrison – Tenorsaxofon, Flöte
Nile Rodgers – Gitarre
Carmine Rojas – Bass
Rob Sabino – Keyboard
George und Frank Simms – Backgroundgesang
David Spinner – Backgroundgesang
Tony Thompson – Schlagzeug
Stevie Ray Vaughan – Leadgitarre

Covergestaltung
Greg Gorman – Fotografie
Derek Boshier – Grafikdesign
Mick Haggerty – Gesamtkonzept

Seite eins
»Modern Love«/»China Girl«/»Let's Dance«/»Without You«

Seite zwei
»Ricochet«/»Criminal World«/»Cat People (Putting Out Fire)«/»Shake It«

Veröffentlichungsdatum
14. April 1983

Label und Katalognummer
EMI AML 3029

Höchste Chartplatzierung
UK: 1, US: 4

Anmerkungen
Alle Songs von David Bowie, außer Seite eins, Track zwei: David Bowie/Iggy Pop; Seite zwei, Track zwei: Peter Godwin/Duncan Browne/Sean Lyons; Seite zwei, Track drei: David Bowie/Giorgio Moroder.
Das Album wurde 2004 als Teil eines Dreifach-CD-Sets zusammen mit *Station To Station* und *Young Americans* veröffentlicht.
Wiederveröffentlicht als Picture-LP 1983 auf EMI (Kat.-Nr. AMLP 3029).
Wiederveröffentlicht als CD im April 1983 auf EMI (Kat.-Nr. EMI CDP 7 46002 2); 1995 auf Virgin (Kat.-Nr. CDVUS96) mit Bonustrack: »Under Pressure«; 1998 auf EMI (Kat.-Nr. 7243 493094 2 5); 1999 auf EMI (Kat.-Nr. 7243 521896 0 1) remastered.

TONIGHT 1984

Aufgenommen in Le Studio
Morin Heights, Kanada
Produziert von David Bowie, Derek Bramble und Hugh Padgham

Besetzung
David Bowie – Gesang
Carlos Alomar – Gitarre
Derek Bramble – Bass, Gitarre, Synthesizer
Robin Clark – Backgroundgesang
Steve Elson – Baritonsaxofon
Sammy Figueroa – Percussion
Omar Hakim – Schlagzeug
Stanley Harrison – Alt- und Tenorsaxofon
Curtis King – Backgroundgesang
Mark Pender – Trompete, Flügelhorn

Lenny Pickett – Tenorsaxofon, Klarinette
Iggy Pop – Gesang (»Dancing With The Big Boys«)
Carmine Rojas – Bass
George Simms – Backgroundgesang
Guy St Onge – Marimba
Tina Turner – Gesang (»Tonight«)

Covergestaltung
Mick Haggerty – Illustration und Gesamtkonzept

Seite eins
»Loving The Alien«/»Don't Look Down«/»God Only Knows«/»Tonight«

Seite zwei
»Neighborhood Threat«/»Blue Jean«/»Tumble And Twirl«/»I Keep Forgettin'«/»Dancing With The Big Boys«

Veröffentlichungsdatum
24. September 1984

Label und Katalognummer
EMI America DB 1

Höchste Chartplatzierung
UK: 1, US: 11

Anmerkungen
Die Songs wurden geschrieben von (in der entsprechenden Reihenfolge): David Bowie; Iggy Pop/James Williamson; Brian Wilson/Tony Asher; David Bowie/Iggy Pop; David Bowie/Iggy Pop/Ricky Gardiner; David Bowie; David Bowie/Iggy Pop; Jerry Leiber/Mike Stoller; David Bowie/Iggy Pop/Carlos Alomar.
Das Album wurde 2004 als Doppel-CD-Set zusammen mit *Never Let Me Down* veröffentlicht.
Wiederveröffentlicht als CD 1984 auf EMI (Kat.-Nr. CDP 7 46047 2); 1995 auf Virgin (Kat.-Nr. CDVUS97) mit Bonustracks: »This Is Not America«/»Absolute Beginners«/»As The World Falls Down«; 1998 auf EMI (Kat.-Nr. 7243 493102 2 3); 1999 auf EMI (Kat.-Nr. 7243 521897 0 0) remastered.

LABYRINTH 1986

Aufgenommen in den Atlantic Studios
1841 Broadway, New York, USA
Abbey Road Studios
3 Abbey Road, St John's Wood, London, UK
Produziert von David Bowie und Aruf Mardin
(»Chilly Down« von David Bowie, »Opening Titles Including Underground« von Aruf Mardin und Trevor Jones)

Besetzung
David Bowie – Gesang
Garcia Alston – Backgroundgesang
Robin Beck – Backgroundgesang (»As The World Falls Down«)
Robbie Buchanan – Keyboard, Synthesizers, Programmierung
Albert Collins – Gitarre (»Underground«)
Mary Davis Canty – Backgroundgesang
Beverly Ferguson – Backgroundgesang
Steve Ferrone – Schlagzeug, Drumeffekte
A. Marie Foster – Backgroundgesang
Bob Gay – Altsaxofon (»Underground«)
James Glenn – Backgroundgesang
Diva Gray – Backgroundgesang
Cissy Houston – Backgroundgesang
Dan Huff – Gitarre (»Magic Dance«)
Chaka Kahn – Backgroundgesang
Will Lee – Bass, Backgroundgesang
Marcus Miller – Backgroundgesang
Jeff Mironov – Gitarre (»As The World Falls Down«)
Nicky Moroch – Gitarre (»Underground« und »As The World Falls Down«)
Eunice Peterson – Backgroundgesang
Marc Stevens – Backgroundgesang
Rennele Stafford – Backgroundgesang
Richard Tee – Piano und Hammond-B-3-Orgel (»Underground«)
Fronzi Thornton – Backgroundgesang
Luther Vandross – Backgroundgesang
Daphne Vega – Backgroundgesang
Nur »Chilly Down«:
Kevin Armstrong – Gitarre
Charles Augins – Gesang
Richard Bodkin – Gesang
Kevin Clash – Gesang
Neil Conti – Schlagzeug
Danny John-Jules – Gesang
Nick Plytas – Keyboard
Matthew Seligman – Bass
Nur »Opening Titles Including Underground«:
Harold Fisher – Schlagzeug
Brian Gascoigne – Keyboards
Trevor Jones – Keyboard
David Lawson – Keyboards
Ray Russell – Gitarre
Paul Westwood – Bass

Seite eins
»Opening Titles Including Underground«/»Into The Labyrinth«/»Magic Dance«/»Sarah«/»Chilly Down«/»Hallucination«

Seite zwei
»As The World Falls Down«/»The Goblin Battle«/»Within You«/»Thirteen O'Clock«/»Home At Last«/»Underground«

Veröffentlichungsdatum
Juli 1986

Label und Katalognummer
EMI AML 3104

Höchste Chartplatzierung
UK: 38, US: 68

Anmerkungen
Alle Songs von David Bowie, außer Seite eins, Track eins: Trevor Jones/David Bowie; Seite eins, Tracks zwei, vier und sechs sowie Seite zwei, Tracks acht, zehn und elf: Trevor Jones.

NEVER LET ME DOWN 1987

Aufgenommen in den Mountain Studios
Rue de Théâtre 9, Montreux, Schweiz
The Power Station
441 West 53rd Street, New York, USA
Produziert von David Bowie und David Richards

Besetzung
David Bowie – Gesang, Gitarre, Keyboard, Mellotron, Moog, Mundharmonika, Tamburin
Carlos Alomar – Gitarre, Gitarrensynthesizer, Tamburin, Backgroundgesang
Crusher Bennett – Percussion
Robin Clark – Backgroundgesang
Steve Elson – Baritonsaxofon
Peter Frampton – Gitarre
Laurie Frink – Trompete
Earl Gardner – Trompete, Flügelhorn
Diva Gray – Backgroundgesang
Gordon Grodie – Backgroundgesang
Loni Groves – Backgroundgesang
Stan Harrison – Altsaxofon
Erdal Kizilcay – Keyboard, Schlagzeug, Bass, Trompete, Backgroundgesang, Gitarre (»Time Will Crawl«), Violine (»Bang Bang«)
Sid McGinnis – Gitarre (»Bang Bang«, »Time Will Crawl«, »Day-In Day-Out«)
Lenny Pickett – Tenorsaxofon
Carmine Rojas – Bass
Mickey Rourke – Rap (»Shining Star [Makin' My Love]«)
Philippe Saisse – Piano, Keyboard
Nur »Zeroes«:
Aglae – Backgroundgesang
Joe Jones – Backgroundgesang
Clement – Backgroundgesang
Coco – Backgroundgesang
John – Backgroundgesang
Charuvan Suchi – Backgroundgesang
Sandro Sursock – Backgroundgesang

Covergestaltung
Greg Gorman – Fotografie
Mick Haggerty – Art Direction und Gesamtkonzept

Seite eins
»Day-In Day-Out«/»Time Will Crawl«/»Beat Of Your Drum«/»Never Let Me Down«/»Zeroes«

Seite zwei
»Glass Spider«/»Shining Star (Makin' My Love)«/»New York's In Love«/»'87 And Cry«/»Too Dizzy«/»Bang Bang«

Veröffentlichungsdatum
27. April 1987

Label und Katalognummer
LP: EMI America AMLS 3117
CD: EMI America CDP 7 46677 2

Höchste Chartplatzierung
UK: 6, US: 34

Anmerkungen
Alle Songs von David Bowie, außer Seite eins, Track vier: David Bowie/Carlos Alomar; Seite zwei, Track fünf: David Bowie/Erdal Kizilcay; Seite zwei, Track sechs: Iggy Pop/Ivan Kral.
Die im UK veröffentlichte Original-LP enthielt revidierte Versionen von »Day-In Day-Out«/»Beat Of Your Drum«/ »Glass Spider«/»Shining Star (Makin' My Love)«/»New York's In Love«/»Bang Bang«.
Das Album wurde 2004 als Teil eines Doppel-CD-Sets zusammen mit *Tonight* veröffentlicht.
Wiederveröffentlicht als CD 1995 auf Virgin (Kat.-Nr. CDVUS98) ohne »Too Dizzy« aber mit Bonustracks: »Julie«/ »Girls«/»When The Wind Blows«; 1999 auf EMI (Kat.-Nr. 7243 521894 0 3) remastered.

TIN MACHINE 1989

Aufgenommen in den Mountain Studios
Rue de Théâtre 9, Montreux, Schweiz
Compass Point Studios
West Bay Street, Nassau, Bahamas
Produziert von Tin Machine und Tim Palmer

Besetzung
David Bowie – Gesang, Gitarre
Kevin Armstrong – Gitarre, Hammond B3
Reeves Gabrels – Gitarre
Hunt Sales – Schlagzeug, Gesang
Tony Sales – Bass, Gesang

Covergestaltung
Masayoshi Sukita – Fotografie

Seite eins
»Heaven's In Here«/»Tin Machine«/»Prisoner Of Love«/
»Crack City«/»I Can't Read«/»Under The God«

Seite zwei
»Amazing«/»Working Class Hero«/»Bus Stop«/»Pretty Thing«/
»Video Crime«/»Run« (nicht auf LP)/»Sacrifice Yourself« (nicht auf LP)/»Baby Can Dance«

Veröffentlichungsdatum
22. Mai 1989

Label und Katalognummer
LP: EMI USA MTLS 1044
CD: EMI USA CDP 7919902

Höchste Chartplatzierung
UK: 3, US: 28

Anmerkungen
Alle Songs von David Bowie, außer Seite eins, Tracks zwei und drei: David Bowie/Reeves Gabrels/Hunt Sales/Tony Sales; Seite eins, Track fünf, und Seite zwei, Tracks eins und drei: David Bowie/Reeves Gabrels; Seite zwei, Track zwei: John Lennon; Seite zwei, Tracks fünf und sieben: David Bowie/Hunt Sales/Tony Sales; Seite zwei, Track sechs: Kevin Armstrong/David Bowie.
Die Originalveröffentlichungen als LP, CD und Kassette haben jeweils ein unterschiedliches Coverfoto.
Wiederveröffentlicht auf CD 1995 auf Virgin (Kat.-Nr. CDVUS99) mit Bonustrack: »Bus Stop« (Live Country Version); 1998 auf EMI (Kat.-Nr. 493 1012); 1999 auf EMI (Kat.-Nr. 7243 521910 0 0) remastered.

TIN MACHINE II 1991

Aufgenommen in den Studios 301
18 Mitchell Road, Sydney, Australien
A&M Studios
1416 North La Brea Avenue, Hollywood, USA
Produziert von Tin Machine und Tim Palmer
(»One Shot« von Hugh Padgham)

Besetzung
David Bowie – Gesang, Gitarre, Piano, Saxofon
Kevin Armstrong – Piano (»Shopping For Girls«), Gitarre (»If There Is Something«)
Reeves Gabrels – Gitarre, Backgroundgesang, Vibratoren, Drano, Orgel
Tim Palmer – Piano, Percussion
Hunt Sales – Schlagzeug, Percussion, Gesang
Tony Sales – Bass, Backgroundgesang

Covergestaltung
Edward Bell – Illustration

Seite eins
»Baby Universal«/»One Shot«/»You Belong In Rock'n'Roll«/
»If There Is Something«/»Amlapura«/»Betty Wrong«

Seite zwei
»You Can't Talk«/»Stateside«/»Shopping For Girls«/»A Big Hurt«/
»Sorry«/»Goodbye Mr. Ed«

Veröffentlichungsdatum
2. September 1991

Label und Katalognummer
LP: London 828 2721
CD: London 828 2722

Höchste Chartplatzierung
UK: 23, US: keine Platzierung

Anmerkungen
Alle Songs von David Bowie/Reeves Gabrels, außer Seite eins, Track zwei, und Seite zwei, Track eins: David Bowie/Reeves Gabrels/Hunt Sales/Tony Sales; Seite eins, Track vier: Bryan Ferry; Seite zwei, Track zwei: Hunt Sales/David Bowie; Seite zwei, Track vier: David Bowie; Seite zwei, Track fünf: Hunt Sales; Seite zwei, Track sechs: David Bowie/Hunt Sales/Tony Sales.
Die US-Originalausgabe enthielt ein zensiertes Cover; eine unzensierte Digipack Limited Edition gab es auf Victory (Kat.-Nr. 314 511 575-2).

BLACK TIE WHITE NOISE 1993

Aufgenommen in den Mountain Studios
Rue de Théâtre 9, Montreux, Schweiz
38 Fresh Recording Studios
1119 North Las Palmas Avenue, Hollywood, USA
The Hit Factory
421 West 54th Street, New York, USA
Produziert von David Bowie und Nile Rodgers

Besetzung
David Bowie – Gesang, Gitarre, Saxofon, Dog alto
Tawatha Agee – Backgroundgesang
Lamya Al-Mughiery – Backgroundgesang
Pugi Bell – Schlagzeug
Lester Bowie – Trompete
Barry Campbell – Bass

Sterling Campbell – Schlagzeug
Dennis Collins – Backgroundgesang
Maryl Epps – Backgroundgesang
Reeves Gabrels – Gitarre (»You've Been Around«)
Mike Garson – Piano (»Looking For Lester«)
Richard Hilton – Keyboard
Curtis King Jr – Backgroundgesang
Connie Petruk – Backgroundgesang
John Regan – Bass
Michael Reisman – Harfe, Glockenspiel
Dave Richards – Keyboards
Nile Rodgers – Gitarre, Backgroundgesang
Mick Ronson – Gitarre (»I Feel Free«)
Philippe Saisse – Keyboard
George Simms – Backgroundgesang
Frank Simms – Backgroundgesang
David Spinner – Backgroundgesang
Wild T. Springer – Gitarre (»I Know It's Gonna Happen Someday«)
Al B Sure! – Gesang (»Black Tie White Noise«)
Richard Tee – Keyboard
Fonzi Thornton – Backgroundgesang
Gerardo Velez – Percussion
Brenda White-King – Backgroundgesang

Covergestaltung
Peter Gabriel – Fotografie
Nick Knight – Fotografie

Seite eins
»The Wedding« (nicht auf LP)/»You've Been Around«/
»I Feel Free«/»Black Tie White Noise«/»Jump They Say«/
»Nite Flights«/»Pallas Athena«

Seite zwei
»Miracle Goodnight«/»Don't Let Me Down & Down«/
»Looking For Lester«/»I Know It's Gonna Happen Someday«/
»The Wedding Song«/»Jump They Say (alternate mix)« (nicht auf LP)/»Lucy Can't Dance« (nur auf CD)

Veröffentlichungsdatum
5. April 1993

Label und Katalognummer
LP: BMG/Arista 74321 13697 1
CD: BMG/Arista 74321 13697 2

Höchste Chartplatzierung
UK: 1, US: 39

Anmerkungen
Alle Songs von David Bowie, außer Seite eins, Track zwei: David Bowie/Reeves Gabrels; Seite eins, Track drei: Jack Bruce/Pete Brown; Seite eins, Track sechs: Noel Scott Engel; Seite zwei, Track zwei: Tarha/Martine Valmont; Seite zwei, Track drei: David Bowie/Nile Rodgers; Seite zwei, Track vier: Morrissey/Mark Nevin. Wiederveröffentlicht als CD 2003 als Limited Edition Doppel-CD- und DVD-Set auf EMI (Kat.-Nr. 7243 584814 0 2) mit Bonustracks: »Real Cool World«/»Lucy Can't Dance«/ »Jump They Say« (Rock Mix)/»Black Tie White Noise« (3rd Floor US Radio Mix)/»Miracle Goodnight« (Make Believe Mix)/»Don't Let Me Down & Down« (Indonesian Vocal Version)/»You've Been Around« (Dangers 12-inch Remix)/ »Jump They Say« (Brothers In Rhythm 12-inch Remix)/ »Black Tie White Noise (Here Come Da Jazz)«/»Pallas Athena« (Don't Stop Praying Remix No. 2)/»Nite Flights« (Moodswings Back To Basics Remix)/»Jump They Say« (Dub Oddity); die DVD enthielt das Video zu »Black Tie White Noise«.

THE BUDDHA OF SUBURBIA 1993

Aufgenommen in den Mountain Studios
Rue de Théâtre 9, Montreux, Schweiz
O'Henry Sound Studios
4200 West Magnolia Blvd, Burbank, USA
Produziert von David Bowie und David Richards

Besetzung
David Bowie – Gesang, Keyboard, Synthesizer, Gitarre, Saxofon, Keyboard Percussion
Mike Garson – Piano (»South Horizon« und »Bleed Like A Craze, Dad«)
Erdal Kizilcay – Keyboards, Trompete, Bass, Gitarre, Percussion, Live-Schlagzeug,
Lenny Kravitz – Gitarre (»Buddha Of Suburbia« zweite Version)
3D Echo – Drum, Bass, Gitarre (»Bleed Like A Craze, Dad«)

Covergestaltung
John Jefford/BBC – Fotografie (Originalveröffentlichung UK)
Frank Ockenfels – Fotografie (US-Originalveröffentlichung, Wiederveröffentlichung)

Seite eins
»Buddha Of Suburbia«/»Sex And The Church«/ »South Horizon«/
»The Mysteries«/»Bleed Like A Craze, Dad«

Seite zwei
»Strangers When We Meet«/»Dead Against It«/»Untitled No. 1«/
»Ian Fish, UK Heir«/»Buddha Of Suburbia«

Veröffentlichungsdatum
UK: 8. November 1993, US: 24. Oktober 1995

Label und Katalognummer
UK: BMG/Arista 74321 170042, US: Virgin 7243 8 40988 2 7

Höchste Chartplatzierung
UK: 87, US: keine Platzierung

Anmerkungen
Alle Songs von David Bowie.
Auch erschienen auf Arista/BMG als Special Edition mit CD und Hanif Kureishis Buch in einer transparenten Plastikbox (Kat.-Nr. BMG 4321178222).
Wiederveröffentlicht als CD 1995 auf Virgin in den USA (Kat.-Nr. 7243 8 40988 2 7) mit einem anderen, monochromen Cover; 2007 auf EMI (Kat.-Nr. 5004632) mit dem Cover der US-Edition in Farbe.

1.OUTSIDE 1995

Aufgenommen in den Mountain Studios
Rue de Théâtre 9, Montreux, Schweiz
The Hit Factory
421 West 54th Street, New York, USA
Produziert von David Bowie, Brian Eno und David Richards

Besetzung
David Bowie – Gesang, Gitarre, Saxofon, Keyboard
Carlos Alomar – Gitarre
Kevin Armstrong – Gitarre (»Thru' These Architects Eyes«)
Joey Barron – Schlagzeug
Bryony – Backgroundgesang (»Hearts Filthy Lesson«, »I Am With Name«)
Sterling Campbell – Schlagzeug
Bryony, Lola, Josey und Ruby Edwards – Backgroundgesang (»Hearts Filthy Lesson«, »I Am With Name«)
Brian Eno – Synthesizer
Yossi Fine – Bass
Tom Frish – Gitarre (»Strangers When We Meet«)
Reeves Gabrels – Gitarre
Mike Garson – Piano
Josey – Backgroundgesang (»Hearts Filthy Lesson«, »I Am With Name«)
Erdal Kizilcay – Bass, Keyboard
Lola – Backgroundgesang (»Hearts Filthy Lesson«, »I Am With Name«)

Covergestaltung
Denovo – Gesamtgestaltung
David Bowie – Illustration
John Scarisbrick – Fotografie

Titelliste
»Leon Takes Us Outside«/»Outside«/»Hearts Filthy Lesson«/ »A Small Plot Of Land«/»Segue – Baby Grace (A Horrid Cassette)«/ »Hallo Spaceboy«/»The Motel«/»I Have Not Been To Oxford Town«/»No Control«/»Segue – Algeria Touchshriek«/»The Voyeur Of Utter Destruction (As Beauty)«/»Segue – Ramona A. Stone/I Am With Name«/»Wishful Beginnings«/»We Prick You«/»Segue – Nathan Adler«/»I'm Deranged«/»Thru' These Architects Eyes«/ »Segue – Nathan Adler«/ »Strangers When We Meet«

Veröffentlichungsdatum
25. September 1995

Label und Katalognummer
RCA 74321 310662

Höchste Chartplatzierung
UK: 8, US: 21

Anmerkungen
Tracks eins, drei, vier, fünf, zehn, zwölf und fünfzehn: David Bowie/ Reeves Gabrels/Mike Garson/Erdal Kizilcay/Sterling Campbell, Track zwei: Kevin Armstrong/David Bowie; Tracks sechs, acht, neun, dreizehn, vierzehn, sechzehn und achtzehn: David Bowie/Brian Eno; Tracks sieben und neunzehn: David Bowie; Track elf: David Bowie/ Brian Eno/Reeves Gabrels; Track siebzehn: David Bowie/Reeves Gabrels. Alle Songtexte von David Bowie.
Eine LP-Version unter dem Titel *Excerpts From 1.Outside* erschien 1995 auf Arista/RCA (Kat.-Nr. 74321307021) mit revidierten Versionen von »Leon Takes Us Outside«/»The Motel« und den Missing Tracks: »No Control«/»Segue – Algeria Touchshriek«/»Wishful Beginnings«/»Thru' These Architects Eyes«/»Segue – Nathan Adler (No. 2)«/»Strangers When We Meet«.
Wiederveröffentlicht auf CD 1999 auf Arista/BMG (Kat.-Nr. 74321 36009 2) als *1.Outside Version 2* mit Bonustrack: »Hallo Spaceboy« (Pet Shop Boys Remix) und Missing Track: »Wishful Beginnings«; 2004 auf ISO/Columbia in den USA (Kat.-Nr. CK 92100) und im UK (Kat.-Nr. 511934 2) mit Bonustrack: »Get Real«; 2004 auf ISO/ Columbia (Kat.-Nr. 511934 9) als Doppel-CD Limited Edition mit Bonustracks: »The Hearts Filthy Lesson« (Trent Reznor Alternative Mix)/»The Hearts Filthy Lesson« (Rubber Mix)/»The Hearts Filthy Lesson« (Simple Text Mix)/»The Hearts Filthy Lesson« (Filthy Mix)/»The Hearts Filthy Lesson« (Good Karma Mix By Tim Simenon)/»A Small Plot Of Land (Basquiat)«/»Hallo Spaceboy« (12-inch Remix)/»Hallo Spaceboy« (Double Click Mix)/»Hallo Spaceboy« (Instrumental)/»Hallo Spaceboy« (Lost In Space Mix)/»I Am With Name« (Album Version)/»I'm Deranged« (Jungle Mix)/»Get Real«/»Nothing To Be Desired«.
Die Doppel-CD-Edition erschien ebenso 2004 als Teil des Limited Edition Boxset zusammen mit den Doppel-CDs der remasterten Versionen von *Earthling* und *'hours...'*.

EARTHLING 1997

Aufgenommen in den Looking Glass Studios
632 Broadway, New York, USA
Mountain Studios
Rue de Théâtre 9, Montreux, Schweiz

Produziert von David Bowie

Besetzung
David Bowie – Gesang, Gitarre, Saxofon, Samples, Keyboard
Zachary Alford – Drum Loops, Elektronische Percussion, Acoustic Drums
Gail Ann Dorsey – Bass, Gesang
Reeves Gabrels – Programmierung, Synthesizer, Gitarre, Gitarrensamples, Gesang
Mike Garson – Piano
Mark Plati – Programmierung Loops, Samples, Keyboard

Covergestaltung
Davide De Angelis – Design
Frank Ockenfels – Fotografie

Titelliste
»Little Wonder«/»Looking For Satellites«/»Battle For Britain (The Letter)«/»Seven Years In Tibet«/»Dead Man Walking«/»Telling Lies«/»The Last Thing You Should Do«/»I'm Afraid Of Americans«/»Law (Earthlings On Fire)«

Veröffentlichungsdatum
3. Februar 1997

Label und Katalognummer
UK: RCA 74321 449442, US: Virgin 7243 8 42627 23

Höchste Chartplatzierung
UK: 6, US: 39

Anmerkungen
Alle Songs von David Bowie/Reeves Gabrels/Mark Plati, außer Tracks vier, fünf und neun: David Bowie/Reeves Gabrels; Track sechs: David Bowie; Track acht: David Bowie/Brian Eno. Alle Songtexte von David Bowie.
Erhältlich als Limited Edition LP im UK auf RCA (Kat.-Nr. 74321 449441) und in den USA auf Arista (Kat.-Nr. 74321 43077 1).
Wiederveröffentlicht als CD 2003 im UK auf ISO/Columbia (Kat.-Nr. 511935 2); 2004 in den USA auf ISO/Columbia (Kat.-Nr. CK 92098) mit Bonustracks: »Little Wonder« (Danny Saber Dance Mix)/»I'm Afraid Of Americans« (NIN V1 Mix)/»Dead Man Walking« (Moby Mix 2)/»Telling Lies« (Adam F Mix); 2004 im UK als Doppel-CD Limited Edition auf ISO/Columbia (Kat.-Nr. COL 511935 9) mit Bonustracks: »Little Wonder« (Censored Video Edit)/»Little Wonder« (Junior Vasquez Club Mix)/»Little Wonder« (Danny Saber Dance Mix)/»Seven Years In Tibet« (Mandarin Version)/»Dead Man Walking« (Moby Mix 1)/»Dead Man Walking« (Moby Mix 2)/»Telling Lies« (Feelgood Mix)/ »Telling Lies« (Paradox Mix)/»I'm Afraid Of Americans« (*Showgirls* OST Version)/»I'm Afraid Of Americans« (Nine Inch Nails V1 Mix)/»I'm Afraid Of Americans« (Original Edit)/»V-2 Schneider« (Live in Amsterdam as Tao Jones Index)/»Pallas Athena« (Live in Amsterdam as Tao Jones Index).
Die Doppel-CD-Edition erschien ebenso 2004 als Teil des Limited Edition Boxset zusammen mit den Doppel-CDs der remasterten Versionen von *1.Outside* und *'hours...'*.

'HOURS...' 1999

Aufgenommen in den Seaview Studios
Bermudas
Looking Glass Studios
632 Broadway, New York, USA
Chung King Studios
170 Varick Street, New York, USA
Produziert von David Bowie und Reeves Gabrels

Besetzung
David Bowie – Gesang, Keyboard, Akustikgitarre, Roland 707 Drum-Programming
Everett Bradley – Percussion (»Seven«)
Sterling Campbell – Schlagzeug (»Seven«, »New Angels Of Promise«, »The Dreamers«)
Reeves Gabrels – Gitarre, Drum Loops, Synthesizer und Drum-Programming
Chris Haskett – Gitarre (»If I'm Dreaming My Life«)
Mike Levesque – Schlagzeug
Holly Palmer – Backgroundgesang (»Thursday's Child«)
Mark Plati – Bass, Gitarre, Synthesizer und Drum-Programming, Mellotron (»Survive«)
Marcus Salisbury – Bass (»New Angels Of Promise«)

Covergestaltung
Rex Ray – Gesamtgestaltung
Tim Bret Day – Illustration und Fotografie
Frank Ockenfels – Fotografie

Titelliste
»Thursday's Child«/»Something In The Air«/»Survive«/»If I'm Dreaming My Life«/»Seven«/»What's Really Happening?«/»The Pretty Things Are Going To Hell«/»New Angels Of Promise«/»Brilliant Adventure«/»The Dreamers«

Veröffentlichungsdatum
Download: 21. September 1999
CD: 4. Oktober 1999

Label und Katalognummer
Virgin CDVX 2900/7243 8 48158 20

Höchste Chartplatzierung
UK: 5, US: 47

Anmerkungen
Alle Songs von David Bowie/Reeves Gabrels, außer Track sechs: David Bowie/Reeves Gabrels/Alex Grant.
Die ersten 450.000 Exemplare verfügten über ein Linsenrasterbild-Cover.
Wiederveröffentlicht als CD 2003 im UK auf ISO/Columbia (Kat.-Nr. 511936 2); 2004 in den USA auf ISO/Columbia (Kat.-Nr. CK 92099) mit Bonustracks: »Something In The Air« (*American Psycho* Remix)/»Survive« (Marius de Vries Mix)/»Seven« (demo)/»The Pretty Things Are Going To Hell« (*Stigmata* Film Version)/»We All Go Through«; 2004 im UK auf ISO/Columbia (Kat.-Nr. 511936 9) als Doppel-CD Limited Edition mit Bonus Tracks: »Thursday's Child« (Rock Mix)/»Thursday's Child« (*Omikron: The Nomad Soul* Slower Version)/»Something In The Air« (*American Psycho* Remix)/ »Survive« (Marius de Vries Mix)/»Seven« (Demo Version)/ »Seven (Marius de Vries Mix)«/»Seven« (Beck Mix No. 1)/ »Seven« (Beck Mix No. 2)/»The Pretty Things Are Going To Hell« (Edit)/»The Pretty Things Are Going To Hell« (*Stigmata* Film Version)/»The Pretty Things Are Going To Hell« (*Stigmata* Film Only Version)/ »New Angels Of Promise« (*Omikron: The Nomad Soul* Version)/»The Dreamers« (*Omikron: The Nomad Soul* Longer Version)/ »1917«/ »We Shall Go To Town«/»We All Go Through«/»No One Calls«; 2012 auf Friday Music/Columbia (Kat.-Nr. 48157) als Collector's Edition mit Bonustracks: »Something In The Air« (*American Psycho* Remix)/»Survive« (Marius de Vries Mix)/»Seven (Demo)«/»The Pretty Things Are Going To Hell« (*Stigmata* Film Version)/»We All Go Through«.
Die Doppel-CD-Edition erschien ebenso 2004 als Teil des Limited Edition Boxset zusammen mit den Doppel-CDs der remasterten Versionen von *1.Outside* und *Earthling*.

HEATHEN 2002

Aufgenommen in den Allaire Studios
486 Pitcairn Road, Shokan, New York, USA
Looking Glass Studios
632 Broadway, New York, USA
Produziert von David Bowie und Tony Visconti (»Afraid« von Mark Plati und David Bowie; »Everyone Says 'Hi'« von Brian Rawling und Gary Miller)

Besetzung
David Bowie – Gesang, Keyboard, Gitarre, Saxofon, Stylophone, Schlagzeug
Solá Ackingbolá – Percussion (»Everyone Says 'Hi'«)
Carlos Alomar – Gitarre
Matt Chamberlain – Schlagzeug, Loop-Programmierung, Percussion
Sterling Campbell – Schlagzeug, Percussion
Dave Clayton – Keyboard (»Everyone Says 'Hi'«)
Lisa Germano – Violine
Dave Grohl – Guitar (»I've Been Waiting For You«)
Gerry Leonard – Gitarre
Tony Levin – Bass
Gary Miller – Gitarre (»Everyone Says 'Hi'«)
Mark Plati – Gitarre, Bass
John Read – Bass (»Everyone Says 'Hi'«)
Jordan Ruddess – Keyboard
Philip Sheppard – Elektrisches Cello (»Everyone Says 'Hi'«)
David Torn – Gitarre, Gitarrenloops, Omnichord
Pete Townshend – Gitarre (»Slow Burn«)
Tony Visconti – Bass, Gitarre, Flöte, Streicherarrangements, Backgroundgesang
Kristeen Young – Backgroundgesang, Piano
The Scorchio Quartet:
Greg Kitzis – Erste Violine
Martha Mooke – Viola
Meg Okura – Zweite Violine
Mary Wooten – Cello
The Borneo Horns:
Steve Elson – Tenorsaxofon
Stan Harrison – Altsaxofon
Lenny Pickett – Baritonsaxofon

Covergestaltung
Indrani/Barnbrook Design – Gesamtgestaltung
Jonathan Barnbrook – Typografie
Marcus Klinko – Fotografie

Titelliste
»Sunday«/»Cactus«/»Slip Away«/»Slow Burn«/»Afraid«/ »I've Been Waiting For You«/»I Would Be Your Slave«/»I Took A Trip On A Gemini Spaceship«/»5.15 The Angels Have Gone«/ »Everyone Says 'Hi'«/»A Better Future«/»Heathen (The Rays)«

Veröffentlichungsdatum
10. Juni 2002

Label und Katalognummer
UK: ISO/Columbia 508222 2/9, US: ISO/Columbia CK86630

Höchste Chartplatzierung
UK: 5, US: 14

Anmerkungen
Alle Songs von David Bowie, außer Track zwei: Black Francis; Track sechs: Neil Young und Track acht: Norman Carl Odam.
Original erschienen als LP in den USA auf ISO/Columbia (Kat.-Nr. C 86630) und im UK (Kat.-Nr. 508222 1).
Original erschienen auf ISO/Columbia (Kat.-Nr. 508222 9) als Doppel-CD Limited Edition mit Bonustracks: »Sunday« (Moby Remix)«/»A Better Future« (Remix By Air)/ »Conversation Piece« (re-recorded 2002)/»Panic In Detroit« (Outtake From a 1979 Recording); in den USA auf ISO/Columbia (Kat.-Nr. CK 86657) und

im UK (Kat.-Nr. 508222 0) als Special Edition CD im 12-inch Cover. Wiederveröffentlicht als LP 2011 auf Music On Vinyl (Kat.-Nr. MOVLP470).

REALITY 2003

Aufgenommen in den Looking Glass Studios
632 Broadway, New York, USA
Allaire Studios,
486 Pitcairn Road, Shokan, New York, USA
The Hitching Post Studio
Bell Canyon, USA
Produziert von David Bowie und Tony Visconti

Besetzung
David Bowie – Gesang, Keyboard, Gitarre, Baritonsaxofon, Stylophone, Percussion, Synthesizer
Carlos Alomar – Gitarre (»Fly« auf der Limited Edition Bonusdisk)
Matt Chamberlain – Schlagzeug, (»Bring Me The Disco King«, »Fly« auf der Limited Edition Bonusdisk)
Sterling Campbell – Schlagzeug
Gail Ann Dorsey – Backgroundgesang
Mike Garson – Piano
Bill Jenkins – Piano (»The Loneliest Guy«)
Gerry Leonard – Gitarre
Mario J McNulty – Zusätzliche Percussion, Additional Engineering, Schlagzeug (»Fall Dog Bombs The Moon«)
Mark Plati – Gitarre, Bass
Catherine Russell – Backgroundgesang
Earl Slick – Gitarre
David Torn – Gitarre
Tony Visconti – Bass, Gitarre, Keyboard, Backgroundgesang

Covergestaltung
Rex Ray – Illustration
Jonathan Barnbrook – Typografie
Frank Ockenfels – Fotografie

Titelliste
»New Killer Star«/»Pablo Picasso«/»Never Get Old«/»The Loneliest Guy«/»Looking For Water«/»She'll Drive The Big Car«/»Days«/»Fall Dog Bombs The Moon«/»Try Some, Buy Some«/»Reality«/»Bring Me The Disco King«

Veröffentlichungsdatum
15. September 2003

Label und Katalognummer
UK: ISO/Columbia 512555 2/9, US: ISO/Columbia CK 90576/90660

Höchste Chartplatzierung
UK: 3, US: 29

Anmerkungen
Alle Songs von David Bowie, außer Track zwei: Jonathan Richman und Track neun: George Harrison.
Original erschienen in den USA auf ISO/Columbia (Kat.-Nr. CK90660) und im UK (Kat.-Nr. COL 512555 9) als Doppel-CD Limited Edition mit Bonustracks: »Fly«/»Queen Of All The Tarts (Overture)«/»Rebel Rebel« (2002 recording); auf ISO/Columbia (Kat.-Nr. 512555 3) als CD und DVD Tour Edition mit Bonustrack »Waterloo Sunset« und Live-DVD aus den Hammersmith Riverside Studios, London, 8. September 2003 mit: »New Killer Star«/»Pablo Picasso«/»Never Get Old«/»The Loneliest Guy«/»Looking For Water«/»She'll Drive The Big Car«/»Days«/»Fall Dog Bombs The Moon«/»Try Some, Buy Some«/»Reality«/»Bring Me The Disco King«.
Wiederveröffentlicht als CD 2004 in den USA auf ISO/Columbia (Kat.-Nr. CN 90743) und 2005 im UK (Kat.-Nr. 512555 7) als Dual-Disk Edition mit dem CD-Album und der DVD mit 5.1 Surround Sound Mix mit Bonusmaterial, darunter der Film *Reality* mit exklusiven Videos zu: »Never Get Old«/»The Loneliest Guy«/»Bring Me The Disco King«/»New Killer Star«.

THE NEXT DAY 2013

Aufgenommen in The Magic Shop
49 Crosby Street, New York, USA
Human, New York, USA
Produziert von David Bowie und Tony Visconti

Besetzung
David Bowie – Gesang, Keyboard, Akustikgitarre, Streicherarrangements
Alex Alexander – Percussion (»I'll Take You There« auf der Deluxe Edition)
Zachary Alford – Schlagzeug, Percussion
Sterling Campbell – Schlagzeug, Tamburin
Gail Ann Dorsey – Bass, Backgroundgesang
Steve Elson – Baritonsaxofon, Kontrabassklarinette
Henry Hey – Piano
Gerry Leonard – Gitarre, Keyboard
Tony Levin – Bass
Maxim Moston – Streichinstrumente
Janice Pendarvis – Backgroundgesang
Antoine Silverman – Streichinstrumente
Earl Slick – Gitarre
Hiroko Taguchi – Streichinstrumente
David Torn – Gitarre
Tony Visconti – Bass, Gitarre, Blöckflöte, Streicherarrangements
Anja Wood – Streichinstrumente

Covergestaltung
Jonathan Barnbrook – Coverdesign
Masayoshi Sukita – Original *"Heroes"*-Coverfoto
Jimmy King – Booklet-Fotografien

Titelliste
»The Next Day«/»Dirty Boys«/»The Stars (Are Out Tonight)«/ »Love Is Lost«/»Where Are We Now?«/»Valentine's Day«/»If You Can See Me«/»I«d Rather Be High«/»Boss Of Me«/»Dancing Out In Space«/»How Does The Grass Grow?«/»(You Will) Set The World On Fire«/»You Feel So Lonely You Could Die«/»Heat«

Veröffentlichungsdatum
11. März 2013

Label und Katalognummer
ISO/Columbia 88765 461862

Höchste Chartplatzierung
UK: 1, US: 2

Anmerkungen
Alle Songs von David Bowie, außer Track neun und Bonustrack drei (siehe unten): David Bowie/Gerry Leonard, und Track elf: David Bowie/Jerry Lordan (Interpolation von »Apache«).
Original erschienen auf ISO/Columbia (Kat.-Nr. 88765 461862) als Deluxe Edition mit Bonustracks: »So She«/»Plan«/»I'll Take You There« und als Doppel-LP auf Vinyl (Kat.-Nr. 88765 461861) mit derselben Tracklist wie die Deluxe Edition.

BLACKSTAR 2016

Aufgenommen in The Magic Shop
49 Crosby Street, New York, USA
Human, New York, USA
Produziert von David Bowie und Tony Visconti

Besetzung
David Bowie – Gesang, Akustikgitarre, Fender-Gitarre (»Lazarus«), Streicherarrangements (»Blackstar«)
Mark Guiliana – Schlagzeug, Percussion
Tim Lefebvre – Bass
Jason Lindner – Piano, Wurlitzer-Orgel, Keyboard
Donny McCaslin – Saxofon, Blockflöte, Holzblasinstrumente
Ben Monder – Gitarre
James Murphy – Percussion (»Sue (Or In A Season Of Crime)« und »Girl Loves Me«)
Erin Tonkon – Backgroundgesang (»'Tis A Pity She Was A Whore«)
Tony Visconti – Streichinstrumente (»Blackstar«)

Covergestaltung
Jonathan Barnbrook – Coverdesign
Jimmy King – Fotografien
Johan Renck – Fotografien

Titelliste
»Blackstar«/ »'Tis A Pity She Was A Whore«/ »Lazarus«/ »Sue (Or In A Season Of Crime)«/ »Girl Loves Me«/ »Dollar Days«/ »I Can't Give Everything Away«

Veröffentlichungsdatum
8. Januar 2016

Label und Katalognummer
ISO/Columbia 88875 173862

Höchste Chartplatzierung
UK: 1, US: 1

Anmerkungen
Alle Songs von David Bowie, außer Track vier: David Bowie/Maria Schneider/Paul Bateman & Bob Bharma (als »Plastic Soul«). Der Download enthält als Bonus das »Blackstar«-Video. Als Doppel-LP auf Vinyl (Kat.-Nr.88875 173871) mit derselben Titelliste wie die CD.

LIVE-ALBEN

DAVID LIVE

Veröffentlicht im Oktober 1974
RCA/Victor APL 2 0771
UK: 2, US: 8
Aufgenommen im Tower Theater, Philadelphia, USA, 11.–12. Juli 1974

Titelliste: »1984«/»Rebel Rebel«/»Moonage Daydream«/ »Sweet Thing«/»Changes«/»Suffragette City«/»Aladdin Sane«/»All The Young Dudes«/»Cracked Actor«/ »Rock'n'Roll With Me«/»Watch That Man«/»Knock On Wood«/»Diamond Dogs«/»Big Brother«/ »The Width Of A Circle«/»The Jean Genie«/»Rock'n'Roll Suicide«

Anmerkungen
Wiederveröffentlicht als Doppel-LP 1984 auf RCA (Kat.-Nr. PL80771); 1990 auf Rykodisc/EMI (Kat.-Nr. 164 79 5362 1). Wiederveröffentlicht als CD 1990 in den USA auf Rykodisc (Kat.-Nr. RCD 10138/39) und im UK auf EMI (Kat.-Nr. CDP 79 5364 2) mit Bonustracks: »Here Today, Gone Tomorrow«/ »Time«/»Band Intro«; 2005 in den USA auf Virgin, im UK auf EMI (Kat.-Nr. 7243 8 74304 2 5) remastered mit Bonustracks und originaler Songreihenfolge: »1984«/»Rebel Rebel«/»Moonage Daydream«/»Sweet Thing«/ »Candidate«/»Sweet Thing (Reprise)«/»Changes«/»Suffragette City«/»Aladdin Sane«/»All The Young Dudes«/»Cracked Actor«/ »Rock'n'Roll With Me«/»Watch That Man«/»Knock On Wood«/ »Here Today, Gone Tomorrow«/»Space Oddity«/ »Diamond Dogs«/ »Panic In Detroit«/»Big Brother«/»Time«/»The Width Of A Circle«/»The Jean Genie«/»Rock'n'Roll Suicide«.

STAGE

Veröffentlicht im September 1978
RCA/Victor PL 02913
UK: 5, US: 44
Aufgenommen in der Spectrum Arena, Philadelphia, USA, 28.–29. April 1978; im Civic Centre, Providence, USA, 5. Mai 1978; in der New Boston Garden Arena, Boston, USA, 6. Mai 1978
Titelliste: »Hang On To Yourself«/»Ziggy Stardust«/»Five Years«/»Soul Love«/»Star«/»Station To Station«/»Fame«/»TVC 15«/»Warszawa«/»Speed Of Life«/»Art Decade«/»Sense Of Doubt«/»Breaking Glass«/»"Heroes"«/»What In The World«/»Blackout«/»Beauty And The Beast«

Anmerkungen
Zuerst wiederveröffentlicht als CD 1983 in Deutschland auf RCA (Kat.-Nr. PD 89002 2); 1991 in den USA auf Rykodisc (Kat.-Nr. RCD 10144/45) und im UK auf EMI (Kat.-Nr. EMD1030) mit Bonustrack: »Alabama Song«; 2005 in den USA auf Virgin und im UK auf EMI (Kat.-Nr. 7243 8 63436 2 8) remastered mit Bonustracks und originaler Songreihenfolge: »Warszawa«/»"Heroes"«/»What In The World«/»Be My Wife«/»Blackout«/»Sense Of Doubt«/»Speed Of Life«/»Breaking Glass«/»Beauty And The Beast«/»Fame«/»Five Years«/»Soul Love«/»Star«/»Hang On To Yourself«/»Ziggy Stardust«/»Art Decade«/»Alabama Song«/»Station To Station«/»Stay«/»TVC 15«.

ZIGGY STARDUST: THE MOTION PICTURE

Veröffentlicht im Oktober 1983
RCA PL 84862
UK: 17, US: 89
Aufgenommen im Hammersmith Odeon, London, 3. Juli 1973
Titelliste: »Hang On To Yourself«/»Ziggy Stardust«/»Watch That Man«/»Wild Eyed Boy From Freecloud«/»All The Young Dudes«/»Oh! You Pretty Things«/»Moonage Daydream«/»Space Oddity«/»My Death«/»Cracked Actor«/ »Time«/»The Width Of A Circle«/»Changes«/»Let's Spend The Night Together«/»Suffragette City«/»White Light/White Heat«/»Rock'n'Roll Suicide«

Anmerkungen
Wiederveröffentlicht als Limited Edition auf rotem Vinyl 2003 auf EMI (Kat.-Nr. ZIGGYRIP 3773) als 30th Anniversary Edition mit Bonustracks und originaler Songreihenfolge: »Intro«/»Hang On To Yourself«/»Ziggy Stardust«/»Watch That Man«/»Wild Eyed Boy From Freecloud«/»All The Young Dudes«/»Oh! You Pretty Things«/»Moonage Daydream«/»Changes«/»Space Oddity«/»My Death«/»Intro«/»Cracked Actor«/»Time«/»The Width Of A Circle«/ »Let's Spend The Night Together«/»Suffragette City«/ »White Light/White Heat«/»Farewell Speech«/»Rock'n'Roll Suicide«
Wiederveröffentlicht als CD 1992 in den USA auf Rykodisc (Kat.-Nr. RCD 40148) und im UK auf EMI (Kat.-Nr. 0777 7 80411 22); 2003 auf EMI (Kat.-Nr. 72435 41979 25) als 30th Anniversary Edition mit Bonustracks und originaler Songreihenfolge (siehe oben).

TIN MACHINE LIVE: OY VEY, BABY

Veröffentlicht im Juli 1992
LP: London 828 3281, CD: London 828 3282
UK und US: keine Platzierung
Aufgenommen im Orpheum Theatre, Boston, 20. November 1991; Academy, New York, 27.–29. November 1991; Riviera, Chicago, 7. Dezember 1991; NHK Hall, Tokio, 5.–6. Februar 1992; Koseinenkin Kaikan, Sapporo, 10.–11. Februar 1992
Titelliste: »If There Is Something«/»Amazing«/»I Can't Read«/»Stateside«/»Under The God«/»Goodbye Mr. Ed«/»Heaven's In Here«/»You Belong In Rock'n'Roll«

SANTA MONICA '72

Veröffentlicht im April 1994
Golden Years/Trident Music International GY002
Aufgenommen im Civic Auditorium, Santa Monica, 20. Oktober 1972
UK: 74, US: keine Platzierung
Titelliste: »Intro«/»Hang On To Yourself«/»Ziggy Stardust«/»Changes«/»The Supermen«/»Life On Mars?«/ »Five Years«/»Space Oddity«/»Andy Warhol«/»My Death«/ »The Width Of A Circle«/»Queen Bitch«/»Moonage Daydream«/»John, I'm Only Dancing«/»Waiting For The Man«/»The Jean Genie«/»Suffragette City«/»Rock'n'Roll Suicide«

Anmerkungen
Wiederveröffentlicht als LP im UK auf Golden Years (Kat.-Nr. GYLP 002).
Wiederveröffentlicht als CD in den USA 1995 auf Griffin Music Inc (Kat.-Nr. GCD 392 2); 1995 auf Griffin Music Inc (Kat.-Nr. GCD-357-1/2) als Limited Edition Digipack mit Bonus-7-inch-Single; 2008 auf EMI (Kat.-Nr. 07243 583221) remastered und umbenannt in *Live Santa Monica '72*.

LIVEANDWELL.COM

Veröffentlicht im September 2000
Virgin/Risky Folio
Als Limited Edition Doppel-CD nur für BowieNet-Mitglieder.
Aufgenommen im Paradiso, Amsterdam, 10. Juni 1997; Phoenix Festival, Stratford-upon-Avon, 19. Juli 1997; GQ Awards, Radio City Music Hall, New York, 15. Oktober 1997; Metropolitan, Rio de Janeiro, 2. November 1997
Titelliste *Disk eins:* »I'm Afraid Of Americans«/»The Hearts Filthy Lesson«/»I'm Deranged«/»Hallo Spaceboy«/»Telling Lies«/»The Motel«/»The Voyeur Of Utter Destruction (As Beauty)«/»Battle For Britain (The Letter)«/»Seven Years In Tibet«/»Little Wonder«; *Disk zwei:* »Fun« (Dillinja Mix)/ »Little Wonder« (Danny Saber Dance Mix)/»Dead Man Walking« (Moby Mix 1)/»Telling Lies« (Paradox Mix)

GLASS SPIDER

Veröffentlicht im Juni 2007
UK: EMI 09463 91002 24, US: EMI 09463 90979 20
Aufgenommen im Olympic Stadium, Montreal, 30. August 1987
Veröffentlicht als Doppel-CD-Beigabe zur Konzert-DVD
Titelliste *Disk eins:* »Intro/Up The Hill Backwards«/»Glass Spider«/ »Day-In Day-Out«/»Up The Hill Backwards«/»Bang Bang«/ »Absolute Beginners«/»Loving The Alien«/»China Girl«/»Rebel Rebel«/»Fashion«/»Scary Monsters (And Super Creeps)«/»All The Madmen«/»Never Let Me Down«; *Disk zwei:* »Big Brother«/ »'87 And Cry«/»"Heroes"«/»Sons Of The Silent Age«/»Time Will Crawl/Band Intro«/»Young Americans«/»Beat Of Your Drum«/ »The Jean Genie«/»Let's Dance«/»Fame«/»Time«/»Blue Jean«/ »Modern Love«

VH1 STORYTELLERS

Veröffentlicht im Juli 2009
EMI 509999 649 0921
Aufgenommen in den Manhattan Center Studios, New York, 23. August 1999
Veröffentlicht als CD-Beigabe zur Konzert-DVD
Titelliste: »Life On Mars?«/»Rebel Rebel« (verkürzt)/»Thursday's Child«/»Can't Help Thinking About Me«/»China Girl«/»Seven«/ »Drive-In Saturday«/»Word On A Wing«

Anmerkungen
Vier der auf der DVD enthaltenen Songs waren später als Downloads verfügbar: »Survive«/»I Can't Read«/»Always Crashing In The Same Car«/»If I'm Dreaming My Life«.

A REALITY TOUR

Veröffentlicht im Januar 2010
ISO/Sony 8 8697 58827 24
UK: 53, US: keine Platzierung
Aufgenommen in The Point, Dublin, 22.–23. November 2003
Titelliste *Disk eins:* »Rebel Rebel«/»New Killer Star«/»Reality«/ »Fame«/»Cactus«/»Sister Midnight«/»Afraid«/»All The Young Dudes«/»Be My Wife«/»The Loneliest Guy«/»The Man Who Sold The World«/»Fantastic Voyage«/»Hallo Spaceboy«/»Sunday«/ »Under Pressure«/»Life On Mars?«/»Battle For Britain (The Letter)«; *Disk zwei:* »Ashes To Ashes«/»The Motel«/»Loving The Alien«/»Never Get Old«/»Changes«/»I'm Afraid Of Americans«/ »"Heroes"«/»Bring Me The Disco King«/»Slip Away«/»Heathen (The Rays)«/»Five Years«/»Hang On To Yourself«/»Ziggy Stardust«/»Fall Dog Bombs The Moon«/»Breaking Glass«/»China Girl«

Anmerkungen
War als Download mit zwei Bonustracks erhältlich: »5.15 The Angels Have Gone«/»Days«.

LIVE NASSAU COLISEUM '76

Veröffentlicht im September 2010
Aufgenommen im Nassau Coliseum, Uniondale, New York, 23. März 1976
Veröffentlicht als Doppel-CD-Beigabe zur 2010er-Wiederveröffentlichung von *Station To Station* (Kat.-Nr. EMI BOWSTSX2010)
Titelliste *Disk eins:* »Station To Station«/»Suffragette City«/ »Fame«/»Word On A Wing«/»Stay«/»Waiting For The Man«/ »Queen Bitch«; *Disk zwei:* »Life On Mars?«/»Five Years«/»Panic In Detroit«/»Changes«/»TVC 15«/»Diamond Dogs«/»Rebel Rebel«/ »The Jean Genie«

Anmerkungen
War als Download mit einer unbearbeiteten Version von »Panic In Detroit« erhältlich.

AUSGEWÄHLTE COMPILATIONS

Es gibt Dutzende von Compilations zu David Bowie. Eine so abwechslungsreiche Karriere wie die von Bowie stellt denjenigen, der einen aussagekräftigen Überblick über das Gesamtwerk zusammenstellen soll, vor eine große Herausforderung. Nachfolgend werden einige der kommerziell erfolgreichsten und interessantesten Zusammenstellungen aufgelistet.

THE WORLD OF DAVID BOWIE

Veröffentlicht im März 1970
Decca SPA 58
Titelliste: »Uncle Arthur«/»Love You Till Tuesday«/»There Is A Happy Land«/»Little Bombardier«/»Sell Me A Coat«/»Silly Boy Blue«/»The London Boys«/»Karma Man«/»Rubber Band«/»Let Me Sleep Beside You«/»Come And Buy My Toys«/»She's Got Medals«/ »In The Heat Of The Morning«/»When I Live My Dream«

Anmerkungen
Wiederveröffentlicht im April 1973 mit einem Foto von Bowie als Ziggy Stardust auf dem Cover.

IMAGES 1966–1967

Veröffentlicht im Februar 1973
US: London BP 628/9
Titelliste: »Rubber Band«/»Maid Of Bond Street«/»Sell Me A Coat«/»Love You Till Tuesday«/»There Is A Happy Land«/»The Laughing Gnome«/»The Gospel According To Tony Day«/»Did You Ever Have A Dream«/»Uncle Arthur«/»We Are Hungry Men«/ »When I Live My Dream«/»Join The Gang«/»Little Bombardier«/ »Come And Buy My Toys«/»Silly Boy Blue«/»She's Got Medals«/ »Please Mr Gravedigger«/»The London Boys«/»Karma Man«/»Let Me Sleep Beside You«/»In The Heat Of The Morning«

Anmerkungen
Wiederveröffentlicht 1975 im UK auf Deram (Kat.-Nr. DPA 3017/18).

CHANGESONEBOWIE

Veröffentlicht im Mai 1976
UK: RCA Victor RS 1055, US: RCA APL1 1732
UK: 2, US: 10
Titelliste: »Space Oddity«/»John, I'm Only Dancing«/»Changes«/»Ziggy Stardust«/»Suffragette City«/»The Jean Genie«/»Diamond Dogs«/»Rebel Rebel«/»Young Americans«/»Fame«/»Golden Years«

Anmerkungen
Wiederveröffentlicht als LP und CD 1984 auf RCA (Kat.-Nr. PL/PD 81732).

THE BEST OF BOWIE

Veröffentlicht im Dezember 1980
K-Tel NE 1111
UK: 3
Titelliste: »Space Oddity«/»Life On Mars?«/»Starman«/»Rock'n'Roll Suicide«/»John, I'm Only Dancing«/»The Jean Genie«/»Breaking Glass« (live)/»Sorrow«/»Diamond Dogs«/»Young Americans«/»Fame«/»Golden Years«/»TVC 15«/»Sound And Vision«/»"Heroes"«/»Boys Keep Swinging«

CHANGESTWOBOWIE

Veröffentlicht im November 1981
UK: RCA BOWLP 3, US: RCA AFL1 4202
UK: 24, US: 68
Titelliste: »Aladdin Sane«/»Oh! You Pretty Things«/»Starman«/»1984«/»Ashes To Ashes«/»Sound And Vision«/»Fashion«/»Wild Is The Wind«/»John, I'm Only Dancing (Again)«/»D.J.«

Anmerkungen
Wiederveröffentlicht als LP und CD 1984 auf RCA (Kat.-Nr. PL84202/PCD14202).

BOWIE RARE

Veröffentlicht im Dezember 1982
RCA PL45406
UK: 34
Titelliste: »Ragazzo Solo, Ragazza Sola«/»Round And Round«/»Amsterdam«/»Holy Holy«(1972)/»Panic In Detroit (live)«/»Young Americans«/»Velvet Goldmine«/»"Helden"«/»John, I'm Only Dancing (Again)«/»Alabama Song«/»Crystal Japan«

LOVE YOU TILL TUESDAY

Veröffentlicht im April 1984
UK: Deram BOWIE1, US: Deram 820 083 1
UK: 53, US: keine Platzierung
Titelliste: »Love You Till Tuesday«/»The London Boys«/»Ching-A-Ling«/»The Laughing Gnome«/»Liza Jane«/»When I'm Five«/»Space Oddity«/»Sell Me A Coat«/»Rubber Band«/»Let Me Sleep Beside You«/»When I Live My Dream«

Anmerkungen
Wiederveröffentlicht als CD 1992 auf Pickwick (Kat.-Nr.PWKS 4131P).

SOUND+VISION

Veröffentlicht im September 1989
Rykodisc RCD 90120/21/22/RCDV1018
US: 97
Titelliste *Disk eins:* »Space Oddity« (Demo)/»The Wild Eyed Boy From Freecloud« (Acoustic)/»The Prettiest Star« (1970)/»London Bye Ta-Ta« (1970)/»Black Country Rock«/»The Man Who Sold The World«/»The Bewlay Brothers«/»Changes«/»Round And Round«/»Moonage Daydream«/»John, I'm Only Dancing« (Sax Version)/»Drive-In Saturday«/»Panic In Detroit«/»Ziggy Stardust« (Live 1973)/»White Light/White Heat« (Live 1973)/»Rock'n'Roll Suicide« (Live 1973); *Disk zwei:* »Anyway, Anyhow, Anywhere«/»Sorrow«/»Don't Bring Me Down«/»1984/Dodo«/»Big Brother«/»Rebel Rebel« (Rare Single Version)/»Suffragette City« (Live 1974)/»Watch That Man« (Live 1974)/»Cracked Actor« (Live 1974)/»Young Americans«/»Fascination«/»After Today«/»It's Hard To Be A Saint In The City«/»TVC 15«/»Wild Is The Wind«; *Disk drei:* »Sound And Vision«/»Be My Wife«/»Speed Of Life«/»"Helden"« (1989 Remix)/»Joe The Lion«/»Sons Of The Silent Age«/»Station To Station« (Live 1978)/»Warszawa« (Live 1978)/»Breaking Glass« (Live 1978)/»Red Sails«/»Look Back In Anger«/»Boys Keep Swinging«/»Up The Hill Backwards«/»Kingdom Come«/»Ashes To Ashes«; *Video CD:* »John, I'm Only Dancing« (Live 1972)/»Changes« (Live 1972)/»The Supermen« (Live 1972)/»Ashes To Ashes« (CD Video Version)

Anmerkungen
Wiederveröffentlicht Oktober 1995 auf Rykodisc (Kat.-Nr. RCD 90330/31/32); 2003 auf EMI (Kat.-Nr. 7243 9451121) mit Bonus-tracks: »Wild Eyed Boy From Freecloud« (Rare B-Side Version)/»London Bye Ta-Ta« (Previously Unreleased Stereo Mix)/»Round And Round« (Alternate Vocal Take)/»Baal's Hymn«/»The Drowned Girl«/»Cat People (Putting Out Fire)«/»China Girl«/»Ricochet«/»Modern Love« (Live)/»Loving The Alien«/»Dancing With The Big Boys«/»Blue Jean«/»Time Will Crawl«/»Baby Can Dance«/»Amazing«/»I Can't Read«/»Shopping For Girls«/»Goodbye Mr. Ed«/»Amlapura«/»You've Been Around«/»Nite Flights« (Moodswings Back To Basics Remix Radio Edit)/»Pallas Athena« (Gone Midnight Mix)/»Jump They Say«/»Buddha Of Suburbia«/»Dead Against It«/»South Horizon«/»Pallas Athena« (Live).

CHANGESBOWIE

Veröffentlicht im März 1990
UK: EMI DBTV1, US: Rykodisc RCD 20171
UK: 1, US: 39
Titelliste: »Space Oddity«/»John, I'm Only Dancing«/»Changes«/»Ziggy Stardust«/»Suffragette City«/»The Jean Genie«/»Diamond Dogs«/»Rebel Rebel«/»Young Americans«/»Fame 90«/»Golden Years«/»"Heroes"«/»Ashes To Ashes«/»Fashion«/»Let's Dance«/»China Girl«/»Modern Love«/»Blue Jean«

EARLY ON (1964–1966)

Veröffentlicht im August 1991
Rhino R2 70526
Titelliste: »Liza Jane«/»Louie Louie Go Home«/»I Pity The Fool«/»Take My Tip«/»That's Where My Heart Is«/»I Want My Baby Back«/»Bars Of The County Jail«/»You've Got A Habit Of Leaving«/»Baby Loves That Way«/»I'll Follow You«/»Glad I've Got Nobody«/»Can't Help Thinking About Me«/»And I Say To Myself«/»Do Anything You Say«/»Good Morning Girl«/»I Dig Everything«/»I'm Not Losing Sleep«

THE SINGLES COLLECTION

Veröffentlicht im November 1993
UK: EMI CDEM 1512
UK: 9
Titelliste: »Space Oddity«/»Changes«/»Starman«/»Ziggy Stardust«/»Suffragette City«/»John, I'm Only Dancing«/»The Jean Genie«/»Drive-In Saturday«/»Life On Mars?«/»Sorrow«/»Rebel Rebel«/»Rock'n'Roll Suicide«/»Diamond Dogs«/»Knock On Wood (Live)«/»Young Americans«/»Fame«/»Golden Years«/»TVC 15«/»Sound And Vision«/»"Heroes"«/»Beauty And The Beast«/»Boys Keep Swinging«/»D.J.«/»Alabama Song«/»Ashes To Ashes«/»Fashion«/»Scary Monsters (And Super Creeps)«/»Under Pressure«/»Wild Is The Wind«/»Let's Dance«/»China Girl«/»Modern Love«/»Blue Jean«/»This Is Not America«/»Dancing In The Street«/»Absolute Beginners«/»Day-In Day-Out«

THE SINGLES 1969 TO 1993

Veröffentlicht im November 1993
US: Rykodisc RCD 10218/19
Titelliste: »Space Oddity«/»Changes«/»Oh! You Pretty Things«/»Life On Mars?«/»Ziggy Stardust«/»Starman«/»John, I'm Only Dancing«/»Suffragette City«/»The Jean Genie«/»Sorrow«/»Drive-In Saturday«/»Diamond Dogs«/»Rebel Rebel«/»Young Americans«/»Fame«/»Golden Years«/»TVC 15«/»Be My Wife«/»Sound And Vision«/»Beauty And The Beast«/»"Heroes"«/»Boys Keep Swinging«/»D.J.«/»Look Back In Anger«/»Ashes To Ashes«/»Fashion«/»Scary Monsters (And Super Creeps)«/»Under Pressure«/»Cat People«/»Let's Dance«/»China Girl«/»Modern Love«/»Blue Jean«/»Loving The Alien«/»Dancing In The Street«/»Absolute Beginners«/»Day-In Day-Out«/»Never Let Me Down«/»Jump They Say«

BOWIE AT THE BEEB

Veröffentlicht im September 2000
EMI 7243 528958 24
UK: 7, US: keine Platzierung
Titelliste *Disk eins:* »In The Heat Of The Morning«/»London Bye Ta-Ta«/»Karma Man«/»Silly Boy Blue«/»Let Me Sleep Beside You«/»Janine«/»Amsterdam«/»God Knows I'm Good«/»The Width Of A Circle«/»Unwashed And Somewhat Slightly Dazed«/»Cygnet Committee«/»Memory Of A Free Festival«/»The Wild Eyed Boy From Freecloud«/»Bombers«/»Looking For A Friend«/»Almost Grown«/»Kooks«/»It Ain't Easy«; *Disk zwei:* »The Supermen«/»Eight Line Poem«/»Hang On To Yourself«/»Ziggy Stardust«/»Queen Bitch«/»Waiting For The Man«/»Five Years«/»White Light/White Heat«/»Moonage Daydream«/»Hang On To Yourself«/»Suffragette City«/»Ziggy Stardust«/»Starman«/»Space Oddity«/»Changes«/»Oh! You Pretty Things«/»Andy Warhol«/»Lady Stardust«/»Rock'n'Roll Suicide«

Anmerkungen
Disk eins, Tracks eins bis vier aufgenommen für *Top Gear,* 13. Mai 1968; Tracks fünf und sechs aufgenommen für *The Dave Lee Travis Show,* 20. Oktober 1969; Tracks sieben bis zwölf aufgenommen für *The Sunday Show,* 5. Februar 1970; Track dreizehn aufgenommen für *Sounds Of The Seventies,* 25. März 1970 (als Hype); Tracks vierzehn bis achtzehn aufgenommen für *In Concert: John Peel,* 3. Juni 1971. Disk zwei, Tracks eins und zwei aufgenommen für *Sounds Of The Seventies,* 21. September 1971; Tracks drei bis sieben aufgenommen für *Sounds Of The Seventies,* 18. Januar 1972; Tracks acht bis zwölf aufgenommen für *Sounds Of The Seventies,* 16. Mai 1972; Tracks dreizehn bis sechzehn aufgenommen für *The Johnnie Walker Lunchtime Show,* 22. Mai 1972; Tracks siebzehn bis neuzehn aufgenommen für *Sounds Of The Seventies,* 23. Mai 1972.
Ein Limited Edition Dreifach-CD-Set enthält außerdem *BBC Radio Theatre, London, 27. Juni 2000* (Kat.-Nr. 7243 528958 23) mit Bonustracks: »Wild Is The Wind«/»Ashes To Ashes«/»Seven«/»This Is Not America«/»Absolute Beginners«/»Always Crashing In The Same Car«/»Survive«/»Little Wonder«/»The Man Who Sold The World«/»Fame«/»Stay«/»Hallo Spaceboy«/»Cracked Actor«/»I'm Afraid Of Americans«/»Let's Dance«

NOTHING HAS CHANGED

Veröffentlicht im November 2014
UK: Parlophone 825646205769
US: Legacy/Columbia 88875030982 SC1
UK: 9, US: 57
Titelliste: (Dreier-CD Deluxe Edition) *Disk eins:* »Sue (Or In A Season Of Crime)«/ »Where Are We Now?«/ »Love Is Lost«/ »The Stars (Are Out Tonight)«/ »New Killer Star«/ »Everyone Says "Hi"«/ »Slow Burn«/ »Let Me Sleep Beside You«/ »Your Turn To Drive«/ »Shadow Man«/ »Seven«/ »Survive«/ »Thursday's Child«/ »I'm Afraid Of Americans«/ »Little Wonder«/ »Hallo Spaceboy«/ »The Heart's Filthy Lesson«/ »Strangers When We Meet«; *Disk zwei:*

»The Buddha Of Suburbia«/ »Jump They Say«/ »Time Will Crawl«/ »Absolute Beginners«/ »Dancing In The Street«/ »Loving The Alien«/ »This Is Not America«/ »Blue Jean«/ »Modern Love«/ »China Girl«/ »Let's Dance«/ »Fashion«/ »Scary Monsters (And Super Creeps)«/ »Ashes To Ashes«/ »Under Pressure«/ »Boys Keep Swinging«/ »"Heroes"«/ »Sound And Vision«/ »Golden Years«/ »Wild Is The Wind«; *Disk drei:* »Fame«/ »Young Americans«/ »Diamond Dogs«/ »Rebel Rebel«/ »Sorrow«/ »Drive-In Saturday«/ »All The Young Dudes«/ »The Jean Genie«/ »Moonage Daydream«/ »Ziggy Stardust«/ »Starman«/ »Life On Mars?«/ »Oh! You Pretty Things«/ »Changes«/ »The Man Who Sold The World«/ »Space Oddity«/ »In The Heat Of The Morning«/ »Silly Boy Blue«/ »Can't Help Thinking About Me«/ »You've Got A Habit Of Leaving«/ »Liza Jane«

Anmerkungen
Auch veröffentlicht als Doppel-CD-Edition (UK Parlophone 825646205745; US Legacy/Columbia 888750309723).

SOUNDTRACKS

David Bowies Songs sind auf über siebzig Soundtracks vertreten. Nachfolgend sind diejenigen aufgelistet, zu denen er einen wesentlichen Beitrag geleistet hat oder die Songs oder Mixe enthalten, die sonst nirgendwo zugänglich sind.

JUST A GIGOLO
Veröffentlicht im Juni 1979
Jambo Records JAM 1
Song von David Bowie: »Revolutionary Song«

CHRISTIANE F. – WIR KINDER VOM BAHNHOF ZOO
Veröffentlicht im April 1981
Deutschland RCA BL 43606
Wiederveröffentlicht im Juli 2001 auf EMI
(Kat.-Nr. 7243 5 33093 29)
Songs von David Bowie: »V-2 Schneider«/»TVC 15«/»"Helden"«/ »Boys Keep Swinging«/»Sense Of Doubt«/»Station To Station«/ »Look Back In Anger«/»Stay«/»Warszawa«

DAVID BOWIE IN BERTOLT BRECHT'S BAAL
Veröffentlicht im Februar 1982
UK: RCA BOW11, US: RCA CPL1-4346
UK: 29
Wiederveröffentlicht als Download 2007
Songs von David Bowie: »Baal's Hymn«/»Remembering Marie A.«/ »Ballad Of The Adventurers«/»The Drowned Girl«/»The Dirty Song«

CAT PEOPLE
Veröffentlicht im April 1982
UK: MCA MCF3138, US: MCA 1498
Songs von David Bowie: »Cat People (Putting Out Fire)«/»The Myth«

THE FALCON AND THE SNOWMAN
Veröffentlicht im April 1985
Vinyl: EMI America SV 17150
CD: EMI-Manhattan Records CDP 7 484112
Song von David Bowie (mit Pat Metheny Group): »This Is Not America«

ABSOLUTE BEGINNERS
Veröffentlicht im April 1986
UK LP: Virgin V2386
UK Doppel-LP: Virgin VD2514
UK CD: Virgin CDV 2386
US LP: EMI/Virgin SV-17182
UK: 19, US: 62
Wiederveröffentlicht als CD 1991 auf Virgin
(Kat.-Nr. VVIPD112)
Songs von David Bowie: »Absolute Beginners«/»That's Motivation«/»Volare«. Auf der Einzel-LP fehlt »Volare«.

LABYRINTH
Siehe ausführliche Darstellung bei den Studioalben.

WHEN THE WIND BLOWS
Vedröffentlicht im November 1986
UK LP: Virgin V2406
UK CD: Virgin CDV 2406
US: Virgin 7 90599 4
Song von David Bowie: »When The Wind Blows«

THE CROSSING
Veröffentlicht im November 1990
Chrysalis CCD/CHR 1826
Songs von David Bowie (Tin Machine): »Betty Wrong«

SONGS FROM THE COOL WORLD
Veröffentlicht im Dezember 1992
Deutschland Warner Bros. 9 45009 2/9362 450782
Song von David Bowie: »Real Cool World«

THE BUDDHA OF SUBURBIA
Siehe ausführliche Darstellung bei den Studioalben.

BASQUIAT
Veröffentlicht im Juli 1996
Island 314 524 260 2
Song von David Bowie: »A Small Plot Of Land«

LOST HIGHWAY
Veröffentlicht im Februar 1997
Interscope INTD 90090
Songs von David Bowie: »I'm Deranged (Edit)»/»I'm Deranged (Reprise)«

THE ICE STORM
Veröffentlicht im Oktober 1997
Velvel VEL 79713
Song von David Bowie (Tin Machine): »I Can't Read«

STIGMATA
Veröffentlicht im August 1999
UK Virgin CDVUS 161
US Virgin 7243 847753 22
Song von David Bowie: »The Pretty Things Are Going To Hell«

AMERICAN PSYCHO
Veröffentlicht im April 2000
Koch Records KOC-CD 8164
Song von David Bowie: »Something In The Air« (*American Psycho* Remix)

INTIMITÉ
Veröffentlicht im März 2001
France Virgin 7243 8100582 8
Songs von David Bowie: »Candidate«/»The Motel«

MOULIN ROUGE
Veröffentlicht im Mai 2001
UK: Twentieth Century Fox/Interscope 493 035 2
US: Twentieth Century Fox/Interscope 490 507 2
Songs von David Bowie: »Nature Boy«/»Nature Boy« (mit Massive Attack)
Ebenfalls enthalten ist eine Coverversion des Songs »Diamond Dogs« von Beck und Timbaland.

TRAINING DAY
Veröffentlicht im September 2001
Priority 7243 8 11278 27
Song von David Bowie: »American Dream«

MAYOR OF SUNSET STRIP
Veröffentlicht im März 2004
Shout! Factory DK 34096
Song von David Bowie: »All The Madmen« (Live Intro/Original LP-Version)

SHREK 2
Veröffentlicht im Mai 2004
Dreamworks/Geffen 9862698
Song von David Bowie: »Changes« (Duett mit Butterfly Boucher)

THE LIFE AQUATIC WITH STEVE ZISSOU
Veröffentlicht im Dezember 2004
Hollywood 2061 1624942
Songs von David Bowie: »Life On Mars?«/»Queen Bitch«
Ebenfalls darauf enthalten sind Seu Jorges Coverversionen von »Starman«/»Rebel Rebel«/»Rock'n'Roll Suicide«/»Life On Mars?«/ »Five Years«

STEALTH
Veröffentlicht im Juli 2005
Epic/Sony 5204202
Song von David Bowie: »(She Can) Do That«

DANKSAGUNG

Zeitleiste: James Hodgson

Danksagung des Autors: Ein großer Dank geht an Nick, Russ, Sox und Wahl – die Spiders von Salisbury – und an Kevin Cann für die großartigen Einblicke und das Werk eines großartigen Mannes

QUELLENNACHWEIS

Seiten 12, 27b, 63, 98, 109, 150b Aus der *Q*, Mai 1993; **15** Aus *Any Day Now: David Bowie The London Years* von Kevin Cann, Adelita, 2010; **18, 69** Interview mit Mark Stuart, *Music Scene*, Juni 1973; **22, 25, 27c, 30a** Interview mit Chris Welch, *Melody Maker*, Oktober 1969; **27a, 30c, 54, 63** Aus *Moonage Daydream: The Life And Times Of Ziggy Stardust* von David Bowie und Mick Rock, 2. Aufl. Cassell Illustrated, 2005, S. 70, ebd., S. 72, S. 11&12, S. 14; **30b** Lindsay-Kemp-Interview von Mick Brown, *Crawdaddy*, September 1974; *32* Interview mit John Mendelsohn, *Rolling Stone*, April 1971; **37** Interview mit Raymond Telford, *Melody Maker*, März 1970; **38a&b** Interview im BBC Radio, 1976; **40** Aus »Turn and Face the Strange: David Bowie and the Making of Hunky Dory«, *Uncut*, April 2011; **43** Interview mit Steve Turner, *Beat Instrumental*, August 1972; **46, 239, 248** Interview mit Bill DeMain, *Performing Songwriter*, September 2003; **105** Interview mit Cameron Crowe, *Rolling Stone*, Februar 1976; **58** *Aus BowieStyle* von Mark Paytress, Omnibus Press, 2000; **59** Interview mit Paul Du Noyer, *Q*, April 1990; **60, 70** Interview mit Charles Shaar Murray, *NME*, Juni 1973; **64a** Interview mit Clark Collis, *Blender*, August 2002; **64b** Interview mit Charles Shaar Murray, *NME*, Januar 1973; **73a** Von www.5years.com; **73b, 101, 105, 115** Interview mit Robert Hilburn, *Melody Maker*, Februar 1976; **74** Interview mit Charles Shaar Murray, *NME*, August 1973; **80** Interview mit Richard Cromelin, *Rolling Stone*, Oktober 1974; *85* Aus *The David Bowie Story*, BBC Radio, 1993; **85** Interview mit Tony Horkins, *International Musician*, Dezember 1991; **88, 94** Interview mit Anthony O'Grady, *RAM*, Juli 1975; **91** Interview mit Robert Hilburn, *Melody Maker*, September 1974; **91–93, 108** Geoff MacCormack in *From Station To Station: Travels With Bowie, 1973–1976* von Geoff MacCormack, Genesis Publications, 2007, S. 143, ebd., S. 183; **96** Interview mit Timothy White, *Musician*, Mai 1983; **112, 228, 232b, 234b** Interview mit Chris Roberts, *Uncut*, Oktober 1999; **118, 124** Interview mit Allan Jones, *Melody Maker*, Oktober 1977; **121a&b** Interview mit Tim Lott, *Record Mirror*, September 1977; **127** Interview mit Charles Shaar Murray, *NME*, November 1977; **128, 133, 141a&b** Interview aus *Uncut*, Februar 2001; **136** Interview mit Cynthia Rose, *City Limits*, Juni 1983; **139, 161a** Interview mit John Tobler, *Zigzag*, Januar 1978; **140** Tony-Visconti-Interview aus *Uncut*, Februar 2001; **144** Interview aus *Musician*, Juli 1990; **149** Aus dem *Scary Monsters Promo Interview*, RCA DJL1-3840, 1980; **150a** Interview mit Andy Peebles, BBC Radio One, 1980; **156, 159, 161b, 162** Interview mit Chris Bohn, *NME*, April 1983; **164, 167, 170a&c, 177, 232** Interview mit Charles Shaar Murray, *NME*, September 1984; **170b, 184b, 186, 189, 190c** Interview mit Adrian Deevoy, *Q*, Juni 1989; **172** Interview mit Stephen Dalton, *NME*, Februar 1997; **175, 176** Interview aus *Movieline*, Juni 1986; **180, 217b** Interview mit Chris Roberts, *Ikon*, Oktober 1995; **184a** Aus »Stardust Memories« von Kurt Loder, *Rolling Stone*, April 1987; **184c** Interview aus *Interview*, September 1995; **190a&b** Interview mit Charles Shaar Murray, *Q*, October 1991; **192** Interview mit Mat Snow, *Mojo*, Oktober 1994; **195** Interview mit Glenn O'Brien, *Interview*, Mai 1990; **196, 198, 203c** Interview aus dem *New Zealand Herald*, 1993; **201, 205** Interview aus *Record Collector*, Mai 1993; **203a&b** Von der »Black Tie White Noise Video EP«, 1993; **206, 210, 211** Aus den Liner Notes zu *The Buddha Of Suburbia*, 1993; **212, 216a, 218** Interview mit Steven P. Wheeler, *Music Connection*, September 1995; **215** Interview mit Dominic Wells, *Time Out*, August 1995; **216b** Aus der *1.Outside*-Pressemappe, 1995; **217a** Interview mit Paul Gorman, *Musicweek*, 1995; **220** Interview mit David Cavanagh, *Q*, Februar 1997; **223** Interview mit Linda Laban, *Mr Showbiz*, 1997; **227a&b** Interview mit Andy Gill, *Mojo*, März 1997; **231** Interview mit Robert Phoenix, *Dirt*, Oktober 1999; **232a** Aus der *'hours…'*-Pressemappe, 1999; **234a** Interview mit William Harms, www.GameCenter.com, Oktober 1999; **235** Interview mit Steffen Jungerson, *B.T.*, Dezember 1999; **236, 242a&b, 243b** Interview auf www.concertlivewire.com, Juni 2002; **243a** Interview mit Paul Du Noyer, *Word*, Oktober 2003; **244, 249a** Interview mit Dylan Jones, *GQ*, Oktober 2002; **249b** Interview mit Ingrid Sischy, *Interview*, Oktober 2003; **249c** Interview mit Richard Buskin, *Sound On Sound*, Oktober 2003; **249d** Aus einer offiziellen Presseerklärung, 2004; **252** Interview mit Tony Visconti, *Rolling Stone*, Januar 2013; **257, Umschlagrückseite** Aus einer Rede vor Studenten des Berklee College of Music, 8. Mai 1999

Nächste Seite: »One magical moment.« *Station To Station*-Tour, Wembley Empire Pool, London, Mai 1976.

BILDNACHWEIS

Wir haben uns bemüht, sämtliche Inhaber von Bildrechten zu ermitteln und korrekt zu nennen. Sollte es denoch zu unbeabsichtigten Unterlassungen oder Fehlern gekommen sein, bitten wir um Entschuldigung. Eventuelle Betroffene mögen sich bitte melden und werden in jeder künftigen Auflage gerne berücksichtigt.

o: oben, u: unten, r: rechts, l: links, M: Mitte

Getty Images: Vorsatz (Time & Life Pictures); 10 oM, 11 o, 14, 24, 41, 42, 43 r, 78 o, 96, 115 u, 135 l, 259 (Michael Ochs Archives); 18 (Popperfoto); 30 o (Frank Barratt); 48, 49, 238 (Redferns); 52 (Michael Putland); 71 (Justin de Villeneuve); 76–77 (NBCU Photo Bank/NBC); 81, 89, 93, 94–95, 199 (Terry O'Neill); 82, 86 l (Redferns/Gijsbert Hanekroot); 84 l, 127 u (Redferns/Gab Archive); 97 o (Ron Galella); 116 (Redferns/Beth Gwinn); 120 l *(Evening Standard)*; 154–155, 165 (Denis O'Regan); 157 (Peter Still); 172–173, 174, 177 r (George DeKeerle); 178 or (Time Life Pictures/DMI/Ann Clifford); 178 Mr (Dave Hogan); 179 (Richard Young); 191 (Ebert Roberts); 214, 224–225, 234 (WireImage/KMazur); 218 (Evan Agostini); 219, 240–241 (Dave Benett); 226 u (Online USA, Inc/Miramax); 251 (WireImage/L Cohen); 261 (AFP/Justin Tallis); **Mick Rock 1973, 2012:** 1, 47 o, 51, 56–57, 59 ur, 69, 72; **Rex Features:** 10 ul, 178 ur, 203, 235 l (Rex Features); 13, 19, 20–21 (Dezo Hoffman); 26, 30 u, 31, 38 (Ray Stevenson); 39 o (Peter Sanders); 87 l (Roger Bamber); 97 ul (Stephen Morley); 117 (Les Lambert), 160 r (Everett Collection), 202 (Andre Csillag); 204–205, 217 (Richard Young); **London Features:** 10 uM (Pictorial Press); 29, 132–133 (London Features); 33 (Govert de Roos); 122–123 (Andy Kent); 245 (Scope); **Alamy:** 11 u, 23, 34, 35 o, 36–37, 85, 109 ol, 208 (Pictorial Press); 108 o (Mug Shot); 160 l (Pictorial Press/UA/MGM); 170 (Alan Burles); **Photoshot:** 17 (Unfried/Good Times/Vanit); 148 (Starstock); 161 (London Features); **Barry Plummer:** 28, 131; **Mirrorpix:** 39 u (Dennis Stone); 45 (Ron Burton); 149 l (Albert Cooper); **Kevin Cann:** 43 l; **Sukita:** 55, 61, 65, 77 r, 79 or, 125, 134, 152, 153, 188, 194, 197, 237, 242, 257; **Joe Stevens:** 57, 66, 75 o & u; **Photo Duffy/Duffy Archive:** 62, 110–111, 137, 142–143, 145, 146, 151; **Brian Ward/David Bowie:** 67 l; **Geoff MacCormack:** 67 r, 102, 103, 104; **Alpha Press:** 68, 90, 92, 105, 166; 255 (ISO/Columbia); **Allstar/Cinetext Collection:** 99 (British Lion Film Company); **Corbis:** 100, 114 (Steve Schapiro); 118–119, 128–129, 138 (Sygma/Christian Simonpietri); 140 (Lynn Goldsmith); 171, 193 (Neal Preston); 182 (Denis O'Regan); 187 (LGI Stock); 200, 207, 211 (Albert Sanchez); 213 (Gavin Evans); 221 (Michael Benabit); 222 (Reuters); 229, 230 (Jill Greenberg); 233 (Kipa/Fabrice Vallon); 246 (Sari Gustafsson); 248 (Ian Hodgson); 250 (David W. Cerny); 253 (Rune Hellestad); **Andrew Kent:** 106–107, 108 u, 288; **Phil King:** 15 r, 109 or & Mr; **Norman Parkinson Ltd./courtesy Norman Parkinson Archive:** 113; **Celebrity Pictures:** 126 (Clive Arrowsmith); 158 (Tony McGee); **Photograph by Snowdon, Camera Press, London:** 141; **Denis O'Regan:** 162–163, 168, 168–169, 180–181, 185, 216; **The Kobal Collection:** 176 (Jim Henson Productions); **Bauer Media:** 254r; **Splash News:** 256.

Abgebildete Tickets, Plakate etc. (freundlich zur Vefügung gestellt von Simon Halfon): 6, 10 ol, 10 ur, 16 r, 53, 58 r, 73, 83 u, 97 ur, 115 o, 120 r, 127 or, 139 r, 149 r, 178 l, 183, 201 l, 201 r, 215 l, 223 l, 257 (mehrere); 10 or (Vocalion); 84 r (*Strange People* von Frank Edwards, Pan Books, 1966); 86 o (Guy Peellaert/RCA); 87 or & ur, 121 (RCA); 109 ul (British Lion Film Company); 127 ol (*A Grave For A Dolphin* von Alberto Denti di Pirajno, Andre Deutsch, 1956); 209 (*The Buddha Of Suburbia* von Hanif Kureishi, Faber & Faber, 2009); 226 o (Miramax Films). **Anderes Material** 259 (ISO/Colombia). **Album-/Single-Cover** (freundlich zur Verfügung gestellt von Kevin Cann, herzlichen Dank an Tris Penna und Michael Setek/Art4Site für die Scanarbeiten; Angaben zum Originallabel in Klammern): 12, 15 l (Deram); 16 l (Coral); 22 (Philips); 25 l, 32, 35 u (Mercury); 25 r (Decca); 40, 46 r, 50, 59 or, 59 ul, 59 uM, 60, 63, 70, 78 ur, 79 ol, 80, 83 o, 88, 91, 98, 101, 109 ur, 112, 124, 135 or & ur, 136, 139 l, 143 r, 144, 147, 150, 215 R, 223 r (RCA); 46 l (CBS/Columbia); 47 u (Cotillion); 59 Ml (Barclay); 78 ul, 195 (London); 156, 159, 164, 167, 172 l, 175, 180, 186, 189 (EMI); 172 r, 177 ol (Virgin/UK/EMI); 192 (Victory Music/London); 198 (BMG/Arista); 206 (BMG/Arista/UK/Virgin); 212, 220 (RCA/UK/Virgin); 228, 235 r (Virgin); 236, 239, 243, 244, 252, 253l, 256 (ISO/Columbia). Die Illustrationen für *Diamond Dogs* auf den Seiten 80, 83, 86 und 87 sind © The Estate of Guy Peellaert.